*nichel*
72

*Il Cinghiale che uccise Liberty Valance*
di Giordano Meacci

Edizioni minimum fax
via Giuseppe Pisanelli, 2 – 00196 Roma
tel. 06.3336545 / 06.3336553
info@minimumfax.com
**www.minimumfax.com**

I edizione: febbraio 2016
ISBN 978-88-7521-717-4

Composizione tipografica:
Sabon (Jan Tschichold, 1967) per gli interni
Gotham (Tobias Frere-Jones, 2000) per la copertina

GIORDANO MEACCI

# IL CINGHIALE CHE UCCISE LIBERTY VALANCE

*minimum fax*

*Per Sandro.*
*Anche la Bruna e la Viola sono d'accordo.*

«There's no way to describe what I do. It's just me».

Andy Kaufman

«Shall we deny it when it visits us?»

Terrence Malick

«Love – love will tear us apart».

Ian Curtis

# MAPPA DI CORSIGNANO E DINTORNI

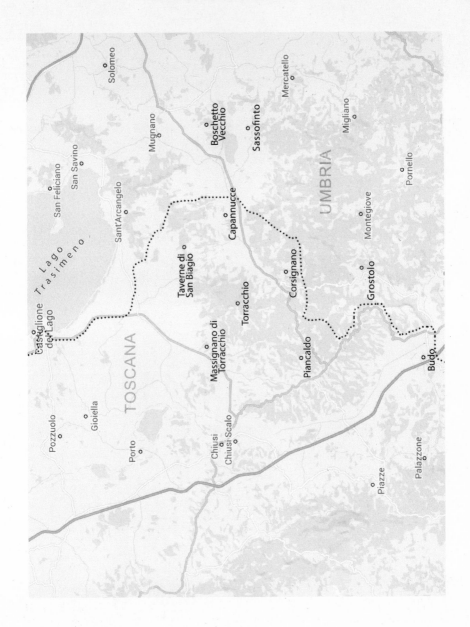

# GENEALOGIE MINIME E PARZIALI
## *variamente riconducibili a Corsignano*

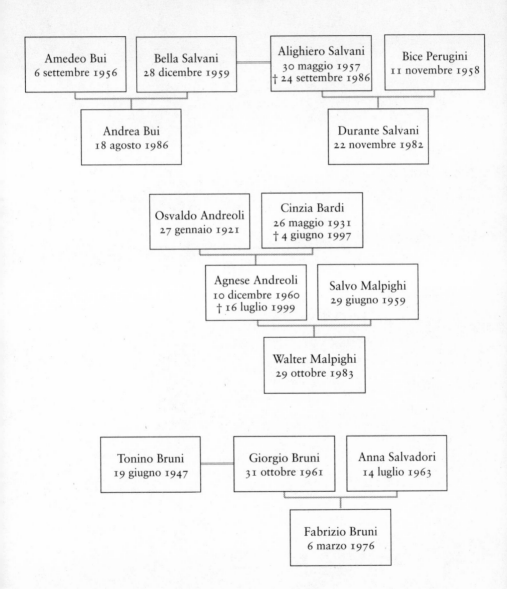

Amedeo Bui
6 settembre 1956

Bella Salvani
28 dicembre 1959

Alighiero Salvani
30 maggio 1957
† 24 settembre 1986

Bice Perugini
11 novembre 1958

Andrea Bui
18 agosto 1986

Durante Salvani
22 novembre 1982

Osvaldo Andreoli
27 gennaio 1921

Cinzia Bardi
26 maggio 1931
† 4 giugno 1997

Agnese Andreoli
10 dicembre 1960
† 16 luglio 1999

Salvo Malpighi
29 giugno 1959

Walter Malpighi
29 ottobre 1983

Tonino Bruni
19 giugno 1947

Giorgio Bruni
31 ottobre 1961

Anna Salvadori
14 luglio 1963

Fabrizio Bruni
6 marzo 1976

# I.

# La storia singolare del Cinghiale che dichiarò guerriglia nei boschi tra Corsignano e Budo

Il respiro curvo del vento e l'asma ghiacciato degli ultimi dèi rimasti ci portano nel cuore pietroso di Corsignano. Pietra e vetro. I sassi che smussarono gli Etruschi fino a ricavarne a strato a strato l'anima nevosa del tufo; le falde spugnose che quasi respirano, sottosuolo, dello stesso sfiatare cespuglioso della Terra: da millenni, prima; da secoli, poi: quando quei luoghi e quelle idee continuate di strade sono diventati vicoli, e incroci, e archi accoglienti, e pareti di sassi: quando le *cose* hanno preso il battesimo finito dei loro stessi nomi per il persempre ingannevole delle vite di pietra delle case.

E il vetro, ancora; la luce calda del vetro verde uscito in gócciole di fuoco dal forno in muratura del tempo, l'anima antica della vetreria: il campanile in mattoncini appena diroccato sulla punta che si staglia nascosto, e protetto, dalla siepe dei tetti rossi del paese; offrendo la sua smorfia sdentata alle sferzate di tramontana che arrivano dalle conche di bosco del Monte Arlecchino.

Eccola, Corsignano, addormentata e sola sulle colline da cui nasce: immediata, ed eterna della stessa consistenza vaga di cui sono fatte le eternità degli uomini quando le pensano. Appena nata, se confrontata con l'ombra massiccia delle colline intorno, con la vetta morbida del monte infestata degli spettri, vecchissimi, dei fauni e degli gnomi più pacchiani e meno presentabili dell'Italia centrale. Vecchia, invece, dei secoli stanchi del Medioevo più trito, messe in fila tutte le vite che l'hanno preceduta in questo cambio di passo del secolo, alla fine del Novecento difficile, triste, sconsiderato e bellissimo che le si sta per spezzare dentro non solo nel nome.

Eccola che si offre vicolo per vicolo; apparendo improvvisa nelle curve spigolose e veloci mentre il respiro di mistral ci accompagna, e spinge. È la foga dell'ultimo figlio che lascia per sempre il Paese – il saluto estremo del nonritorno – quella che ci fa passare a volo la Scesa di Portarossa, e poi l'Arco del Passaggio, fino al digrado ghiaioso delle Fonti, gli sdrùccioli del Ruvello, e poi ancora su, e giù, *giù*, veloci, ai greti orizzontali del Nardile.

È una rincorsa bofonchiata di cinghiale, quasi fosse lo spirito dell'ultimo che lascia Corsignano per non farci più ritorno; l'estremo sogno verticale e sparso del paese, mentre se lo racconta così, stampigliato nella rètina fumosa di un abbraccio, prima di andarsene per sempre, il cuore leggero degli abbandoni, l'ultima fotografia mossa.

Eccolo che corre, il respiro, lungo i vicoli, i chiodi arrugginiti infissi sugli usci stantii delle *cose*, percorre la nebbia incerta delle case con la consapevolezza fissa di chi, quelle stesse stradelle, le ha attraversate, e vissute: le notti d'estate a cavargli d'impaccio la vita più giovane con il profumo stoppaccioso dei fossi. O la guazza degl'inverni che si sono affacciati sullo strapiombo terroso oltre la Diga, la nebbia a coprire il bar di Vittorio, o il laboratorio dei Bruni: tutti i riferimenti minimi e puntuali di cui sono fatte le vite di ogni paese dacché gli uomini esistono.

È l'ultima morte del Paese, dopotutto: e chi la *vive* sta correndo a perdifiato con la velocità intransigente della luce riflessa della vita appena trascorsa.

Corsignano intera sale per la via del Passaggio e trova gli uomini, e le cose, immobili nella posa ghiacciata di un gesto: uno solo tra i tanti che li hanno scorsi nel tempo: ma sono immagini bloccate e sfumate nella calìgine vetrosa di quando si sogna. Amedeo, le occhiaie a segnargli lo sguardo verso la scritta sghemba della bottega; le dita della mano destra nel taschino stropicciato della camicia di cotone. E, a un passo di cinghiale da lui, suo figlio Andrea, l'ultimo dei Bui, l'occhio azzurro e quello nero a rincorrere un solo punto appena di là dal padre. Poi la salita a brecciolini, e la vecchia Antonia, la camicia nera a segnarle le ossa grandi come fosse un rilievo cartografico del Paese quando ricorda sé stesso: il gatto che la segue verso lo smèzzo di porticato e edera prima della Chiesa Grande, la coda infissa nell'aria stagna della corsa e già passata oltre l'angolo dell'occhio di chi corre. Sembra sia il Paese, a muoversi, mentre la vecchia Antonia rimane ferma. Lei, vedova da così tanti anni che quasi nessuno si ricorda più di quando è stata sposata, quasi nemmeno lo fosse stata mai, sposata, guadagnandosi la nomina vedovile sul campo, eccola che scorre via con un movimento sfocato nel tempo verso don Sebastiano, affacciato alla finestra a oblò del primo piano del Torrione; poi un salto a scivolo lungo gli strapiombi *vestiti* del bosco, un guizzo di luce e di volo radente che arriva agli Alberi della Strega, alla pelle del viso di Durante Salvani diciassettenne, i solchi sulle guance rossi nel sole tra i rami degli elci. Poi Walter, di poco più grande di Andrea, l'onda nera che l'ha appena travolto intorcigliata a vortice intorno al collo. E Tonino, dei Bruni, il fratello di Giorgio, lo zio di Fabrizio, molti giorni e troppa luce più avanti, nel futuro, o nel passato: si riuscisse davvero a capire cosa sono il passato e il futuro, in questa corsa che serve solo a trattenere il fiato per sé, mentre le persone, e i ricordi che ancora *non sono neppure stati*, sono tutti fermi, e fissi, nella nebbia slavata delle loro ultime pose.

Quasi Corsignano fosse una Brigadoon mangiata dalla nebbia, mentre la corsa veloce precede lo sguardo e forse lo accompagna e lo attende, rancorosa, voltandosi indietro a fissarti, come nei ricordi più luminosi di quando si è bambini, dài, dài, sbrìgati, dopotutto c'è tutta la vita, c'è tutto il tempo, bisogna sbrigarsi a rincorrerlo prima che finisca, mentre le parole letteralmente si mangiano l'errore nel momento esatto in cui si manifesta. Spietato, e innaturale; come la vita.

C'è così tanto da dover ricordare, così tanto da trattenere prima che l'ultima fine sia davvero finita. Gli sforzi biologici e ottusi dello slancio – la corsa a perdifiato, la spazzata di vento che solo i cretini o i troppo illusi (gli esseri umani alla fine, vìa) potrebbero credere eterna, e a forma di anima. Ma invece è solo l'estremo sforzo di vita, il grumo di sangue che passa da un occhio all'altro di un cinghiale mentre muore, probabilmente. O quantomeno *ci prova*.

Fosse questa e questa soltanto, la vita? Lo sforzo di luce che proviamo a portarci via, senza riuscirci, tutte le volte che moriamo.

## II.

## Il Cinghiale che uccise Liberty Valance

# 0.
## 2 DICEMBRE 1999

**Quella che sembra l'ultima fine della neve,**

il vortice da cui si dipana il filo bianco del vento, in realtà è
la cascata di virgole di polistirolo che precipitano a fiotti
nel cassonetto. Ha appena riattaccato sull'«è la mia vita.
Noiosa, magari, ma la mia».

Suo figlio Andrea non ha intenzione di tornare a casa per
cena; e non ha voluto dirgli neppure dov'è, in questo momento. Amedeo Bui si chiede – le prime avvisaglie di terrore che gli si aggricciano addosso con il freddo, visto che è
uscito dal negozio senza giacca – comincia a domandarsi,
impaurito, se non sia stata in realtà una stizza da idioti, un
retaggio spinale privo di senso, riattaccare il telefono in
faccia al proprio figlio tredicenne. Assente da scuola per
evidente salina – come da telefonata del professore di matematica, appena dopopranzo – e latitante per un intero
pomeriggio in qualche punto imprecisato tra la scuola me-

dia di Corsignano, il Ruvello e le pieghe del Nardile oltre la diga; perlopiù ghiacciate, alla fine della nevicata.

Ma non fa in tempo a finire di scuotere la scatola di cartone con le ultime scaglie fruscianti dell'imballaggio – ormai oltre le soglie dell'allarme: già pronto a correre in caserma «a pretendere una squadra di soccorso» – che il telefono dell'armeria suona di nuovo.

E allora è un padre, in quei dieci metri che separano il cassonetto della Scesa dall'entrata dell'armeria («Caccia e Pesca di Bui & figlio», campeggia sull'insegna dove il figlio è *ancora lui*): è un padre disperato quello che inciampa su un gradino di neve e – il freddo di dicembre che gli formìcola sottocamicia come fosse la versione elettrificata di un qualche insetto in fuga – si precìpita contro il comodino da telefono, sotto le coppe in esposizione.

«Pronto?», quando ràntola, è uno scongiuro; un tentativo di preghiera al suo privatissimo baratro pedagogico di un minuto prima (ché questa è stata la durata della sua abiura segreta ai doveri di padre). «Pronto?», ripete, annaspando con la scatola in mano.

«Babbo...» È la voce di Andrea, dalla cabina telefonica. Amedeo s'impone un'apnea da sospensione della pena. «... Sono alla cabina dopo il Monumento, tra un quarto d'ora arrivo...» È talmente sollevato, il padre, da concedersi il lusso di una vendetta educativa rimandata. «Sono qui. Ti aspetto in negozio». Riattaccano senza salutarsi, come Amedeo ha sempre visto fare nei polizieschi americani.

Gli aveva chiesto perché non fosse andato a scuola. Perché avesse saltato l'ultimo compito in classe dell'anno. «Perché Cerri è un coglione», gli aveva risposto Andrea. Amedeo non aveva trovato nulla da obiettare: conosceva Damiano Cerri fin da quando erano bambini; e però questa, la conferma silenziosa, era stata la pausa con il figlio che l'aveva bruciato. Tanto da costringerlo a una replica artificiosa, una ramanzina annacquata che l'intelligenza di Andrea aveva sùbito imbottigliato nella formalina dello svilimento. «Perché *m-hm*m'annò-io, con quel co-*oh*-glione di Cerri...»

Amedeo Bui, rinomato targhista, armiere, cacciatore e pescatore rifinito; figlio del fu Demetrio Bui: si accese una sigaretta sulla soglia. La via del Passaggio era sempre vuota; la neve, ammonticchiata lungo le due mani del vicolo, s'incurvava seguendo il corso del Paese. C'entrava una macchina soltanto: e solo se i passanti – i clienti dei negozi all'uscita, gli abitanti dei sette numeri civici che s'accatastavano uno dietro l'altro fino all'arco del Casato – accettavano di stazionare sui vuoti di passaggio, o di appiattirsi contro i muraglioni.

Amedeo capì che non ci sarebbe stato discrimine preciso tra questo che chiudeva e il nuovo anno: quale che fosse il calcolo numerico preso a spunto, il Secondo Millennio avrebbe trovato Corsignano preparata alle novità e indifferente esattamente come se la ricordava da sempre. Forse solo un po' più triste, «Anche se magari mi sbaglio», spiegò a sé stesso. E intanto spurgava nel fumo le ultime paure, un occhio al punto cieco dopo la curva, aspettandosi Andrea.

Il tramonto stazionava rossiccio e pulito appena oltre la croce del Campanile, dietro la Chiesa Grande. Da qualche parte, nella strada di sotto verso le Scalette, il rumore di una persiana sbattuta accompagnò l'arco fumoso tracciato dalla marlboro di Amedeo contro la neve.

In alto, nel bianco, Amedeo si meravigliò *improvvisamente*. In cima alla Salita di Monte Mulo, davanti alla porta della sacrestia, gli sembrò d'intuire – lo screzio cristallino di un barbaglio – la sagoma scura, e setosa, di un cinghiale.

# 1.
## 29 AGOSTO 2000

**E allora ci fu un istante in cui si sentì perduto:**

il tempo, così come l'aveva corso nell'ultimo anno, gli si fermò di colpo ai piedi del dirupo. Non c'era ancora, in lui, una parola per fissarsi in mente quel battere nuovo del cuore, accelerato e frenetico in un modo differente: un pulsare *concavo* che si poteva sentire nelle orecchie, lungo la criniera e la spina dorsale, fino alle spazzolate della coda contro l'aria stantìa del sottobosco. Era come se il suo stesso sangue gli parlasse in una lingua appena nata, annunciandogli il pericolo insieme con l'abbaiare rasposo dei cani, in lontananza. Il tutùmb del *cuore* – quella parola che gli era sembrata così strana, la prima volta che l'aveva intuita – gli stava insegnando qualcosa di cui riusciva a malapena a seguire la traccia, ora che gli zoccoli sgricciolavano nell'erba umida, all'ombra: e lui, Apperbohr, per i Suoi; o Cinghiarossa: per gli Alti sulle Zampe che non l'avrebbero mai chiamato per nome, si lasciava sfilare grugnendo in sordina, tra il digrado della collina e lo sbocco del torrente. Erano il cuore e il sangue, che gli parlavano. Spiegandogli cos'era quel buiàme che svaporava in una qualche lontananza diversa: distanze che non somigliavano in nulla ai tratti di bosco che viaggiava, tutti i giorni, segnando spirali intorno al centro delle sue partenze. Si trattava di un *lontano* che aveva a che fare con i giorni che erano passati, con i tanti Apperbohr differenti che gli sembrava, da quando aveva capito, che si seguissero l'uno con l'altro, l'uno sull'altro, cambiandogli il pelo e il peso e quello che voleva e che cercava di stagione in stagione. Ma chi fossero, tutti quegli Apperbohr in fuga — e a cosa si riferisse, quel gran guazzabuglio di parole che il cuore gli saettava dentro: ecco, quello gli era ancora *perso*. Non aveva altre parole. Perso: qualcosa che ti sembra di aver visto, un animale, un Alto sulle Zampe acquattato; e che però scompare prima di vederlo, e non era davvero un animale, o un Alto sulle Zampe. Ma qualcosa che, dopo una distanza che non si poteva immaginare bene, lo avrebbe fermato. Un brillìo di sole, tra i rami intrecciati di due querce, nel momento preciso in cui passò dal sole filtrato alla Radura dei Graar-Ar, ferendosi gli occhi per troppa luce, gli fece intuire che quel qualcosa che il cuore gli spiegava aveva a che fare con la radura: e con le colline, e con la luce e la neve di quando Apperbohr *non ci sarebbe stato*. Ma capire con esattezza cosa significasse tutto questo, ecco: quello, gli sfuggiva. Mentre sfiorava il confine del cerchio della sua vita e annusava il vento: per capire dove fossero gli Awgr lanciati contro di lui dagli Alti sulle Zampe.

# 2.
## APRILE-AGOSTO 2000

«Scorribanda di cinghiali nei coltìvi di Corsignano e dintorni

Proseguono le razzie di granturco e gli stranissimi cumuli di spazzatura lasciati dai cinghiali del Senese dopo le "irruzioni" notturne. È ormai la sesta volta che un gruppo di cinghiali ("almeno una quindicina", ci racconta Elvio Monaci, guardacaccia incaricato dalla Provincia per valutare i danni) svelle le recinzioni intorno agli appezzamenti di granturco lungo la SS Carraia per devastare filari interi di spighe mature. "Quello che stupisce", continua Monaci, "è il fatto delle foglie e dei *cartocci*... Perché sembra che, dopo aver *distrutto* parte del raccolto, ammucchino gli scarti a ridosso dei buchi nelle reti". E suo malgrado sorridendo il guardacaccia ci dice che "sembrano delle barricate" [...]».

(Barbara Fineschi, *La Nazione – Siena*, 29 aprile 2000)

«[...] E non gli fanno paura nemmeno gli sconfinamenti, a quanto pare. Nonostante il nutrito numero di cacciatori messi in guardia, la "Banda dei Cinghiali" (com'è stata scherzosamente ribattezzata all'inizio di questa bizzarra serie di "saccheggi") continua a colpire. Sono ormai ventisette in poco più di quattro mesi le fattorie, le coltivazioni e gli agriturismi visitati di notte dai cinghiali. "Anche in altri posti, sia nel Senese che qui, non hanno trovato tracce di grufolamenti", ci racconta Onesto Pertici, il contadino della fattoria Il Rondone che è stato il primo, ieri mattina, a recarsi al campo [...]».

(Carlo Bordarelli, *Il Corriere dell'Umbria*, 3 agosto 2000)

«*Niente*, tutto *pulito*... E' se non fossero cignàli, e' penserei che ci son venuti co' i sacchi e le sporte per portassi la roba a 'ccasa...»

(La *viva voce* su nastro di Onesto Pertici)

# 3.
## 16 LUGLIO 1999

**Amedeo si rende conto che la vetrina dell'armeria**

è rovinata da un taglio netto che scava la finestrella in basso a destra. Ci passa il pollice sinistro sopra, segue la cicatrice bianca della polvere di vetro nemmeno potesse risanarla per sempre con un movimento del polso; ma *niente*. Quasi assistesse a un'improbabile luce del nord sopra Castiglione del Lago, Amedeo resta cinque, sei secondi impassibile, e fermo: le dita sospese a sondare la forza magnetica tra il pollice e la vetrina, la schiena leggermente curva, una voce alle sue spalle – sulla Salita di Monte Mulo – che riconosce e ignora, non necessariamente in quest'ordine.

«Sèrpico...», fa la voce dell'Antonia al gatto. E – Amedeo le dà le spalle – «*Serpiché...*» – non lo distoglie dalla tragedia del taglio nemmeno il vezzeggiativo di Serpico; mentre la vecchia Antonia persiste, piazzandogli alle spalle lo splatt recuperabile di un cartoccio di polmone lasciato cadere a terra.

Amedeo si volta con la lentezza stordita di Geppetto che sente Mastro Ciliegia dirgli «ti amo» dalla soglia. Vede in un unico scorcio l'Antonia, leggermente curva anche lei, poi Serpico: che, compresso nella gelosia ritrosa dei gatti quando mangiano, si lavora professionalmente le striscioline di polmone.

L'Antonia fa un gesto largo delle braccia poi le trattiene. Può voler dire qualsiasi cosa, soprattutto se accompagnato dal lieve movimento sinistradestra della bazza. Amedeo respira di sì e rientra, veloce, in negozio.

Prende dagli scaffali bui dello sgabuzzino il canovaccio che gli pare meno intriso di sidol secco, lo porta al naso, si lascia confondere dal retrogusto cancerogeno dell'ammoniaca.

Fuori, si accorge che né Serpico – il nome gliel'ha dato suo figlio Andrea; quando l'ha visto insinuarsi, *lui*, uno dei figli persiani di Paolina Bonaparte, la gatta di Claudio, tra i bastardelli arruffati di Corsignano per carpirne i segreti di strada, diceva Andrea – né il gatto né la vecchia Antonia sono più in vista.

Prende a strusciare piano il taglio nel vetro con la stoffa angolare del canovaccio. Un massaggio morbido che non fa altro che spiumare la polvere bianca in una conferma di traccia resistente al tempo.

Un'idea di assenza e di morte veleggia su Corsignano come negli abissi stipati e cavi di una Mary Celeste volante. Amedeo struscia il panno sul vetro e intanto cerca di distorcere il ricordo di Agnese – la fine della sua immortalità di malata, la pausa nel tempo ch'è arrivata, *alla fine*, trasformando Corsignano in orfano e il lutto in ratifica – passa e ripassa con la stoffa sul taglio e si rivolge a notizie meno impegnative. E prima ancora di rendersi conto – di nuovo – di quello che si sta formulando dentro come un esorcismo cacciapensieri, ecco che gli arriva addosso l'adrenalina ventosa del senso di colpa.

È questo *riflusso* che l'ha costretto a pensare alla visita specialistica per Andrea. «Sindrome del gemello evanescente», forse, ha detto la Ronconi, la psicologa della ASL 7 chiamata dalla Nervi, la direttrice delle medie, la moglie di Pastoni, che vive a Budo: da qui, secondo lei (la Ronconi) tutti questi incongrui e malsani – per un ragazzino di nemmeno tredici anni, ancora – sensi di colpa inspiegabili.

Quello di suo padre Amedeo, almeno, in questo momento è perfettamente conoscibile. Nella graduatoria tra le preoccupazioni per suo figlio, il primo posto è stato scalzato da un elemento apparentemente esterno come la morte di Agnese.

Agnese. Suo figlio. Il taglio della vetrina.

Sente le vampate umide del sudore percorrerlo dalla testa ai piedi come sotto il phon di una ninfa dei boschi. Da come ne parlava lei, di sé stessa e della sua malattia, sembrava che Agnese non dovesse morire mai.

Lasciandosi guidare muro muro dall'appoggio discreto della mano destra, Alvaro ha appena superato il negozio di barbiere di Enrico, il tratto di sassi di fiume a calce, il bordo in marmo dell'entrata della frutteria di Leandro; è ormai all'angolo con la Salita – o la Scesa: dipende sempre da dove si guarda – di Monte Mulo. S'accorge dell'ombra sbiadita di Amedeo: e *la saluta*.

«Amedèoo», con il tono giusto perché Amedeo gli risponda senza mettersi a parlare.

Ma Amedeo non ne ha alcuna voglia, si lìmita ad accennare un paio di scosse del mento verso Alvaro. Che non le vede. E mentre attacca Monte Mulo e la Chiesa Grande, la silhouette introvabile di don Sebastiano in alto a destra, si dice che Amedeo potrebbe pure non esserci stato, in quell'ombra che ha visto. Chissà chi ho salutato, si dice. Chissà se c'era qualcuno che ha visto che ho salutato un'ombra, si dice.

Entrando nel bar di Vittorio, Adriano degli Andreoli, le mani nelle tasche dei pantaloni di velluto, si accorge di Alvaro, di schiena, nel momento esatto in cui devìa per la Salita. Si ferma un secondo e si concede l'incongrua, e fragilissima prigione di tenerezza che, di solito, si regala al pensiero di un figlio che non s'è avuto mai.

# 4.
## NOTTE TRA IL 19 E IL 20 LUGLIO 1999 (1)

**Sì, sì – sembrerebbe proprio Catherine Deneuve,**

a mano a mano che la cinepresa si avvicina.

Walter fissa il televisore cercando di far svaporare l'idea di lutto che lo avvolge e lo soffoca: un'ondanera che gli si rintuzza contro la faccia con la cocciutaggine, irritante, di uno sgoccciolìo di notte su un mobiletto di metallo. Il televisore è come una fuga, in questo momento. La casa di Fabrizio (e di Giorgio, e di Tonino: il trio dei due fratelli Bruni più figlio), privata di una qualche forma di vita femminile da anni, sembra quasi accoglierlo in un mondo nuovo che lo sta aspettando; proprio mentre imbastisce con lui una veglia provvisoria fatta di silenzi chiacchierati e di vecchi film.

È la fine di *Repulsion*, quando il rombo di luce diventa il dettaglio pieno del viso – c'è un momento in cui sembra Mia Farrow bambina, in realtà: anche se queste possono essere sovrapposizioni mirate, Walter gliel'ha già detto, a Fabrizio. Ma Fabrizio è convinto della suggestione, quando la Carole Ledoux adolescente ritratta in fotografia si fa sempre più incombente, e Polanski si concentra sugli occhi *già* terrorizzati e folli della bambina-chiunque-sia.

«Lo vedi?...» Fabrizio, dal divano, indica il televisore: mette il videoregistratore in pausa. «Lo vedi? Guarda con terrore il padre... Fissa il padre sulla... sdraio...»

«Lo vedo», Walter si siede sotto lo schermo acceso, i pantaloni acetati della tuta sul freddo del marmo. Si strappa con gl'incisivi le pellicine dell'indice destro, poi del medio. «Ma non sono sicuro che è come dici te... Che l'ha violentata il padre».

«No: questo lo intende Polanski... è evidente... Gli occhi, Walter: comincia con il primissimo piano degli occhi e poi chiude su quelli di Catherine Deneuve...»

«Che non è sicuro che è Catherine Deneuve...»

«... ... E vabbe', che palle, Walter... Chiude sulla fotografia...»

Walter si aggiusta strusciando le pieghe della tuta sulle cosce. «Che è invece la prova del plagio di Kubrick...», il rosso del sangue sulla punta delle dita di tutt'e due le mani.

«Ahàh, col plagio...»

Walter ruota sulle gambe incrociate piazzandosi tra lo schermo e Fabrizio. Lo fissa.

«Guarda che c'è lo stesso tipo di conclusione: con la differenza che Kubrick cerca tra la folla dei festaioli Jack Nicholson finché non lo trova per lo spettatore... ... Il che fa capire che *Shining*, fotografia a parte... e romanzo di King a parte, *non* è un film dell'orrore...»

«Ancora con 'sta storia...»

Fabrizio si alza dal divano, fa scattare via l'ultima inquadratura della *forse* Catherine Deneuve liberando i titoli di coda. Si versa un po' di moretti mezzacalda nel bicchiere di plastica. Evita di replicare a Walter. Di là dall'affetto, l'eccesso interpretativo di questo quindicenne che ormai gli è più-che-mezzo-parente, secondo le genealogie larghe dei paesi – del Paese, si pensa dentro, mentre la schiuma gli si allarga in una cascata leggerissima proprio al *centro* dell'esofago – certe volte gli dà sui nervi. Allora preferisce evitare di parlare, come in questo momento. (Ché poi, se veglia funebre mascherata dev'essere, a tre giorni dal fiume nero della morte di Agnese e a due dai disastri grotteschi del funerale: non è precisamente *questo* il momento per replicare a modo suo.)

Lo vediamo di spalle, Fabrizio, che spalanca *meglio* la finestra che dà sugli orti: beve l'ultimo sorso spazzando da sud a nord il fossatello e il confine incerto dei tronchi. L'inizio del bosco sotto la luna, pensa. E il rigùrgito dell'amaro in bocca è solo il caldo stantìo della moretti. Studia per un attimo Walter per capire quando e se crollerà.

Walter sta passando in rassegna tutti i canali dal primo in avanti.

«Ma Giorgio dov'è andato, poi?»

Fabrizio risponde riprendendo possesso del divano.

«È a Siena. Fino a dopodomani, mi sa... Deve passare anche a Torracchio per delle consegne...»

Al terzo giro tra i programmi, Walter ferma il dito su un cartello western disegnato su cui c'è scritto *co-starring* VERA MILES · LEE MARVIN · EDMOND O'BRIEN.

(Per chi guarda, lo vede, lo immagina o se lo ricorda dopo averlo visto; il cartello è fatto più o meno così:

.)

La voce di Fabrizio ferma il tempo *sporgendosi* insieme con le sue braccia e la sua schiena dal ciglio della seduta. Walter è ipnotizzato dall'immagine, dalla musica incalzante e inconfondibile – ci si trovano dentro i tamburi lontani delle piste navajos, il fascino della frontiera con tutta la sua retorica di ottone: tutti i crescendo dell'epica se viene fotografata in movimento, l'Occidente di quando si è ragazzi – di Cyril Mockridge.

«Cazzo... *L'uomo che uccise Liberty Valance*!»

# 5.
## 6 DICEMBRE 1999

**Ignazio, il gatto di don Sebastiano (ma guarda tu poi**

se uno deve andare a chiamare un gatto Ignazio — come il
Loyola, le ha spiegato il prete, ma a lei un nome d'òmo vero per un gatto le garba poco. Un cane si pò chiamà come
un omo; un gatto che c'entra co gli òmini?) — Ignazio le
ha graffiato il polso con uno scatto arcuato della zampa,
proprio mentre lei gli spostava la testaccia per farlo stare
più comodo, sul davanzale del finestrino del *fondo* di
Claudio.

Ora, alla fine del golf nero di lana che spunta dal cappot-
to – pure nero, *pure* di lana – la parabola di graffio le frigge con l'intensità liminare delle bruciature improprie: le
sfioràte di carta tagliente sul polpastrello, o i patimenti
d'amore quando si è ragazzi. A esserlo stati davvero, ragazzi, si racconta l'Antonia sullo stradello che porta dalla
provinciale ai campi degli Antenati.

La neve è caduta a falde tutta la notte: e ora quello che la trasporta, solo un po' infastidita dal pizzicore asprigno del graffio, è questo miraggio solitario e bellissimo di camminare nel bianco tra due tappeti uniformi e giganteschi di neve.

L'alba s'è rilassata da poco in una prima mattina stiracchiata e scomposta; e la vecchia Antonia pistìcchia la polvere ghiacciata dello stradello, le chiazze di neve mezzasciolta dal passaggio delle macchine riportate la notte prima – poche ore prima – ai capanni degli Antenati, o dei Morrelli. E però c'è la neve, a destra e a sinistra del suo passaggio, le campate accoglienti e materne della neve sui guanciali d'erba del tempo, il Sagittario che prende piede nel cuore con il suo portato spinoso di tenerezza a sprazzi. Un sole improvviso, una corsa di cani da un punto all'altro delle aie meno camminate.

Finché dopo una curva, appena dopo il ponticello in cemento e mancorrenti di ruggine che smèzza un canalino dal Nardile, ecco alla sua destra – la vecchia casa colonica dei Sereni («Mino, dei Sereni, no 'l su fratello Corrado, il babbo di Davide») ferma e imbronciata sul primo balzo della collina, il capanno di sassi – alla sua destra, non tanto distante dal ciglio dello stradello, le tracce inconfondibili di un cinghiale.

L'Antonia si ferma e le guarda. Tutte quelle impronte nere sul bianco che, a fissarle bene, sembrano tante teste stilizzate di diavoli. Le tracce pare nascano dal ciglio: quindi vòle dì che i' cignàle è passato prima corso corso sullo stradello fino al ponte e poi ha deviàto. Puntano al capanno di sassi.

Se solo l'Antonia s'avventurasse di trenta, quaranta metri verso il capanno s'accorgerebbe che le orme arrivano fino alla porta – chiusa – girellano sul margine scuro della soglia e poi ripartono, più affrettate e unite, verso sinistra, tornotorno il capanno e poi decise lungofosso, oltre la casa colonica.

Ma l'Antonia *non si avventura*, ché ha paura di non valutare bene i centimetri di neve che l'aspettano; né ha intenzione di lasciarsi irretire da uno dei tanti cinghiali di passaggio di cui è fatta da decenni la sua vita corsignanese. «E sarà pure entrato nì capanno, ma che ciò a ffa' io», si dice, mentre rialza gli occhi sul portoncino in legno: e lo screek brusco dell'uscio che si apre la coglie alla sprovvista e le rifila uno stolzo.

Esce dal buio la figura riconoscibile, anche a quasi cento metri da lei, del piumino verde di Durante dei Salvani. Quel *tontarello* che gira a vòto pe Corsignano con Andrea, il figliolo di Amedeo dell'armeria. Che so' cugini, pure.

«Ooh». È la risposta mezzo interrogativa dell'Antonia all'improvvisata di Durante.

Durante – i jeans neri, gli scarponi marroni della canguro con i lacci di un altro paio di scarpe, uno zainetto gonfio appeso alla mano destra – risponde all'*ooh* con un altro *ooh*, affermativo, condiscendente.

«Ecche fé *toqui* al capanno?»

Durante, aggiustandosi con la sinistra lo zuccotto verde come il piumino, cammina verso di lei disegnando un viottolo di passi che segnano un tempo e un modo per l'Antonia.

«Se' stée tutta la notte dentro?... O i'cche se' *istupidito*?»

La neve è caduta tuttanotte. L'Inquisizione privata dell'Antonia ha capito al primo sguardo che Durante doveva essere nel *cappànno* già prima che cominciasse a nevicare: sennò *e'* ci dovrebbero essere anche le impronte d'entrata, sulla neve. Come per il cignàle. Che quindi doveva essere arrivato fino al *cappànno co dentro Durante*, doveva avé sentito traccia d'òmo e s'era dato alla macchia.

«... e perché ha trovato chiuso», conclude a voce alta l'Antonia *contro* Durante a pochi metri da lei. «E sennò sentivi che trimìngio, co te nel cappànno e quello che c'entrava...»

Durante guarda l'Antonia, segue le tracce che sta guardando lei. Si volta sui suoi passi, imbarazzato. Tutto avrebbe voluto fuorché farsi trovare dall'Antonia alla fine di una delle sue *cacce* notturne.

«Che facevi nel cappànno dei Sereni?... ... Eh?...», ci pensa il tempo di una pausa sospesa di Durante. «E mica ciavrémo n'altro Frediano a ggiro pe' i' ppaese?»

Durante si rende conto di quello che ha detto l'Antonia e replica affogando nel suo stesso sdegno istintivo. «M*mha* 'i che cazzo dite, Antonia... ... E' ci manca solo voi che parlate *a madònna*...»

«Lascia fare, vai... ...», lo guarda con sospetto. Ritorna sulle tracce di cinghiale.

«Ma davéro non hai sentito i'ccignale, stamane mattina, *ve'*...», e con il polso che ancora le frigge segue i diavoli unghiati delle orme, le indica a Durante.

«So' uscito che ancora nevicava. Mi so' riparato nel cappànno che continuava...», si giustifica lui. Ma l'Antonia capisce che non è vero.

«E cche se' uscito a fé, iernotte?» Il *comunque* ristagna nell'aria come il puzzo di muffa nella cantina dei Carrai.

Durante aggiusta lo zaino stringendo i laccetti, da una delle tasche chiuse male spunta un cilindro di legno con un termometro appiccicato con lo scotch da pacchi.

«So' uscito, *Antò*... E sarà peccato anche a uscì di notte, in questo paese?»

L'Antonia lo fissa in viso.

«E che esci di notte co sto freddo?... ... A 'scì di notte co la neve o sei cacciatore — o sei cignàle».

Durante fa per replicare.

«O sei semplicemente stupido come 'l tu' zi' Fulgenzio bonanima. E ppe quello 'nn'hai da esse né cinghiale né cacciatore. Basta èsse òmo». Senza aspettare conferma, ripiglia a camminare con un cenno della mano e del polso graffiato.

Durante sta per risponderle. Vorrebbe spiegarle.

Ché dopotutto Fulgenzio non era nemmeno zio suo. E poi, cosa capirebbe, lei, della sua ossessione per i canali di compensazione, le vie di fuga del tempo; la ricerca sconsiderata di una traccia, anche fioca, di fantasmi che avvalóri le sue teorie. «Ché i morti lasciano luce e riflesso come fossero miraggi del tempo, invece che dello spazio», ha detto una volta a suo cugino Andrea.

Ma non ha cuore di risponderle nulla. È invecchiata anche la vecchia Antonia, ormai. Sarà il freddo.

# 6.
## 17 LUGLIO 1999

**Il vento, lo scirocco puntiglioso e affannato**

che sbatàcchia le cime dei cipressi come se volesse cercare
di tirargli fuori un qualche tuùng di campana a morto,
quasi scavando punta per punta per sottrarre ai pennelli il
calore verde di un'ottava inferiore – o di una terza maggiore – che invece il poco spessore *ritratta*: e intanto alleggeri-
sce lo stridore del fruscio verso i toni nylon dello sfrega-
mento, a ogni oscillazione; il vento, una danza a vortici che
da sud-sudest spàzzola via gli aghi di pino insieme con i fol-
letti brumosi e storditi dall'afa del primo pomeriggio, sembra spaccare l'argine del Nardile come in un riflesso di
Henry Fox Talbot appena fissato dall'ultima luce: il piano
verticale sull'orizzonte di sassi della proiezione, ingiallito
di spighe di mais, e di farina di granturco, il paesaggio dilavato di castano e di ecru, la terracotta del sole sbiadita
nell'esplosione trasparente dell'acido e nei rossi vanificati

dal solfito di sodio. E poi sotto, più sotto: la cenere febbricitante dell'argento quando smette di valere per eccesso di
quotidianità.

Lui, Amedeo, suda nel fresco di lana grigio; è la seconda
volta che lo indossa: è il primo a sinistra, la parte *stretta*
dell'esagono irregolare che *La* contiene. Lei, Agnese. Lui è
il lato obliquo minimo del trapezio: sente alla spalla destra
un dolore umido che gli s'allarga senzatregua; e che gli formìcola zampate di bruciore diffuso tra la scapola e la piccola chiave dello sterno, tutta una pianura muscolare che
lo costringe a una tensione costante, e innaturale, le mani
che cercano di incollarsi e fare presa a ogni passo sul legno
di ciliegio, mentre dietro di lui Marcello lo incalza, pantaloni cachi e maglietta rossa a maniche lunghe, l'asse
sguincio che si muove e cammina *con loro* a passi lenti e ca-
denzati, il destro con il destro, il sinistro con il sinistro: il
rumore ovattato delle superga incongrue di Marcello; lo
squittìo di cuoio delle sue scarpe inglesi, chiuse nella scatola di cartone da almeno due anni e mezzo, dal gennaio del
matrimonio della Lena, e di Ottavio: e ritrovate apposta
quella mattina a fare da concerto al vestito grigio e alla cravatta bordeaux, sua moglie a chiedergli conto di tanta premura e rispetto, «che non ce l'hai avuto *e manco* pe' i' mmi
babbo bellomorto», lui a stordirsi a furia di repliche di
«Bella, *perfavore, cazzo*» a ogni attacco mormorato di lei,
Andrea ad ascoltarli nell'altra stanza senza farsi vedere;
questo, lui, Amedeo, lo sapeva benissimo. Un figlio troppo
intelligente è una condanna da patire anno per anno fino
alla vecchiaia, le delusioni inferte a galleggiare su ogni
sguardo ricambiato, nessun rispetto da regalare né esperienza da concedere al tempo che si ripete su sé stesso.

«Bella non rompere i coglioni stamattina», le aveva detto lui, i lacci neri delle scarpe infiocchettati come dovesse

regalarle a qualcuno dopo averle conservate, gelosamente, insieme con i filodiscozia che s'impiantavano sul bordo arrotondato dello sperone. «Stamattina niente cazzate».

Lei l'aveva smessa, incredibilmente. L'aveva lasciato davanti allo specchio grande dell'armadio; s'era portata con sé i vestiti di cotone, leggeri – le sfumature slavate del malva della camicia, il rigore crema della gonna, lunga – e se n'era andata in bagno; in silenzio. La pesantezza dei rumori l'aveva assalito come il to-toc di un coperchio che si assesta. Il legno della tavoletta che sbatteva contro le piastrelle, il sedersi di lei con stizza contenuta, lo scroscio di urina che raggiungeva l'acqua in un ribollire torbido di umori lasciati andare, lo strappo ancillare della carta igienica e il successivo tentennare della seggetta sulla ceramica bianca del water. Tutti i rumori amplificati dalla cassa di risonanza del silenzio di lei come se le orecchie di Amedeo si fossero fatte, d'improvviso, cartilagine di lupo mannaro. Una regressione alla ferinità scoperta delle angosce pregrammaticali del dolore.

Che l'aveva lasciato definitivamente solo, e perduto, a fissare senza vederla la sua sagoma in vestito grigio; il naso aquilino appoggiato sul labbro superiore – rosaceo, pallido come le palpebre acquose di un cadavere *conosciuto da vivo* e amato *troppo poco* per reggerne il ricordo – il rossore chiazzato della rasatura, i capelli cortissimi, una spazzola definita da cui i quarant'anni in agguato estraevano già una dose massiccia di bianco e di grigio sparso, puntiforme: il làscito della giovinezza che spiazzava il tempo a venire con una promessa di inverni parziali sottocute. Il mento divaricato dei Bui, la fossetta sulla bazza che s'era incisa come un destino mendeliano su suo nonno, e su suo padre, prima di lui: e che però aveva tralasciato colpevolmente Andrea; la penetranza perduta dei Bui che s'era resa mandibola liscia e a suo modo *banalizzata,* pensava Amedeo tutte le volte che si dedicava al viso di suo figlio, un altro tratto nascosto tra i geni che sarebbe, probabilmente, ritornato in suo nipote, nel figlio – nella figlia – di Andrea.

Era stato lo scroscio a cascata dello sciacquone a definirgli con esattezza gli occhi, nello specchio. Il grigio striato di luce che s'era accasciato, alla fine, nella spossatezza disadorna di un lutto che non prevedeva di accettare. Sua moglie era uscita dal bagno già truccata, un alone di Hypnotic Poison Dior a spandersi a macchia d'aria.

«Si va?», gli aveva chiesto. Aiutato dalla luce curva dello specchio lui le aveva fissato il rigonfio violaceo dei seni.

«... Ti sei incantato?»

Finché lei non aveva distolto lo sguardo uscendo dal campo minato dei bordi dello specchio grande, e s'era persa di nuovo oltremondo, di là dai riflessi che lo spazio non riesce a cogliere nemmeno quando vengono *guardati.* Lui l'aveva cercata, muovendosi piano verso destra per riportarla, di schiena, nell'angolo *concavo* dello specchio, i capelli rossi raccolti sulla nuca, un accenno di sudore sotto l'ascella sinistra alle prese con lo chignon; la mano che arrotola i capelli e incastra l'asticella torta del fermaglio.

Vista dall'alto, la torsione laterale del serpente di persone che s'insinua, torrentizia, tra le curve della collina è un brulicare leggero e smanioso dei frammenti che la compongono e la condizionano: gran parte del paese che si muove al séguito di don Sebastiano, in punta di funerale: e appena dietro di lui il quartetto incongruo di Amedeo, Marcello dei Giacchetti, Mauro; e il vecchio Donato: ognuno uno sforzo differente sul viso, l'atteggiamento richiesto dalle attese emotive dei corsignanesi, mentre il vento riscrive i confini degli abiti — con una forza quasi sconosciuta ai pomeriggi di luglio dell'ultimo secolo, almeno stando a quello che si comincia a mormorare tra le file sparse e allungate della processione.

Un vento così, si continua a mormorare – i venticelli spersi della calunnia, il vento smargiasso che sciàbola il monte Arlecchino e arriva con la sua kilij di polvere e caldo sulle falde delle giacche, tra le pieghe di cotone delle magliette – un vento così non si vedeva (e poi «*addìlla tutta,* mai, mai così forte, madonnadiddìo», la voce dell'Argìla, in comunella standard con quella, più sgraziata e alta, della Norma dei Rosignoli, che conferma e rincàra) almeno almeno dal funerale della Telda dei Lucchesi, no? La Norma che risponde con un *sì* scontato del capo: un vento che allora – quanto? Venticinque? Trent'anni fa? Forse pure di più – allora era sembrato la conferma evidente e insindacabile dell'anima nera della Telda, visto anche il lavoro che faceva, giù, vìa, era quasi naturale che il vento «se la portasse all'inferno ancora prima dell'arrivo a' 'i ccimitero...»: anche se poi – sempre *addìlla tutta* – nessuna famiglia, nella contabilità fantasma dei ricordi di paese, poteva dirsi privata delle capacità lavorative della Telda dei Lucchesi, la levatrice.

«Ché quello che si tira via in un modo, *e'* si pò tirà 'vvìa anche *in un altro*, e' si sa»: la brutale, *infernale* – questa sì, nei modi – spiegazione dell'Argìla alla su' figlia quando – anche lei: la prima a ricordarsi del vento, in questo pomeriggio di luglio, le raffiche dello scirocco ad alzarle il foulard azzurro e oro in poliestere – anche lei, anche l'Argìla, votata alle bravure della Telda quando la Nunzia, la su' figliola, nell'estate del Sessantadue, all'inizio d'agosto, aveva dovuto affidarsi alle cure ambulatoriali della *mammana*, il figlio dei Còlzari troppo stupido per pensarlo *proseguibile* in una qualche forma natale, «almeno *no* cco' la mi' figliola», aveva spiegato l'Argìla alla Telda, che aveva preso per mano la Nunzia e l'aveva fatta sdraiare sulla brandina da campo che la levatrice teneva accanto al letto matrimoniale, alto, i due materassi di crine poggiati a baldacchino: l'Argìla lì, ad accompagnare la figlia e a controllare che tutto fosse preciso *e silenzioso*, il caldo pressante dell'estate a imporre le medie record di quaranta *e più* gradi, mentre il corpo di Marilyn Monroe – proprio allora, in quel preciso momento chirurgico, solo a diecimila chilometri di distanza – traslocava in overdose da Brentwood alle terre sfitte (se poi si tratta di terre) dai cui confini, di solito (qualche caso chiacchierato a parte) non torna nessun viaggiatore.

Idrato di cloralio e quarantasette pasticche di nembutal, mentre la Telda trafficava con la chimica *minore* di una blanda anestesia locale e una versione corsignanese della cannula di Karman.

E venticinque, trent'anni prima, c'era stato appunto un vento gelido che aveva sradicato le querce *a piè del monte*, che aveva travolto la prima fascia – dieci, quindici metri di bosco – dell'*Entrata*, addirittura, in quella metà di gennaio del funerale di Matilde Lucchesi, detta *Telda* dall'intera Corsignano; la levatrice che – in quasi cinquant'anni di professione – aveva contribuito più o meno a una sorta di costante di Fidia tetradimensionale nel rapporto tra nascite e interruzioni di gravidanza clandestine — dopo: anche dopo gli anni Settanta e la ratifica referendaria della 194, essendo talvolta *meno condivisibile* la scelta plateale legale rispetto agli agi oscuri delle ratifiche paesane underground.

Ma se il vento della Telda era pienamente giustificato, questo scirocco qui, invece, è immotivato per l'Agnese degli Andreoli, la madre di Walter, la figliola di Osvaldo (ché i Malpighi e Salvo, soprattutto, erano poco nominati, da sempre: quasi una damnatio *cognominis* evitata dall'amore incondizionato per Walter che tutta Corsignano, istintivamente, nutriva): è questo che scuote tanto l'Argìla quanto la Norma sua complice di bisbìglio, entrambe alla ricerca di un'intuizione di malizia, un barlume imprevisto e sospeso che in qualche modo le illùmini, motivando la dicerìa, antichissima, delle raffiche d'accompagnamento funebre alle anime malvagie del paese.

«Scusaàte, scusàate... Ee scusàaate... ... ... *Scusa*...»
Appena il corteo funebre raggiunge il bivio della SP 307B con la SS 220B la Guzzi California 1100*i* con sidecar come sempre vuoto di Adelmo Pallecchi comincia – da dietro, dal fondo: dagli ultimi tratti di processione – a segare in due il blocco non più compatto della sfilata, ruggendo la furia contenuta dei 1064 cm cubici in brevi scatti a pressione, il cl-frttth del sistema di frenatura Brembo, fino a separarlo e attraversarlo, il bàndolo conclusivo (o iniziale, da qui) del corteo.

«O Testone!», princìpia a fioccare da un'ignota – femminile, attempata – voce di fondo. Poi «Oi *scionchiarello* ma 'nnel vedi che *fée*?» – la variante morfologica d'oltre Torracchio che identifica, sùbito, la vecchissima Selma Bozzini, l'unica novantenne del senese capace di togliersi un paio d'anni per vanità. E mentre aumentano gli scusàte del trentaduenne sovrappeso Adelmo Pallecchi (un casco vichingo, verde militare; la barba lunga sulla spampanatura obesa del petto — e i seni, *eccessivi*: uno dei crucci maggiori di Adelmo, l'imbarazzo ventoso e sudato a rimarcargli lo spessore seccante dei capezzoli) in lontananza, don Sebastiano è *fermo* alla base rovesciata dell'aiuoletta spartitraffico triangolare al bivio, girato verso il cùlmine alto della baraonda da motoguzzi, tutto il capo famigliare della processione immobile e smosso in tralìce per chiarire la provenienza dei rombi sincopati della motocicletta. *All'ennesimo*, disperato *scusàte*; nel pieno di una replica stizzita di un bambino di dodici anni, «ecche 'ciài ii' grasso d'i 'ccarburatore, *nni*' ccervello?»; quando ormai Adelmo – che s'era semplicemente dimenticato, del funerale: e che quindi si trovava, ora, sgommata su asfalto dopo sgommata su asfalto, con la stessa, frastornata sensazione di patibolo di un Dostoevskij *su moto* appena informato del fatto che l'*annullamento* della sua esecuzione era solo uno scherzo del cazzo del capoplotone – quando ormai Adelmo vorrebbe semplicemente scomparire, lasciarsi inghiottire dalla via dei Fossi per poi rispuntare, non importa in quale condizione, agli antipodi esatti di Corsignano, forse una sortita fradicia da un punto qualsiasi e anonimo e quindi irrintracciabile a oriente della Tasmania, ecco che la punta argentata della forcella springer sfiora il risvolto dei calzoni di Ardengo Dell'Ara, costringendo il vecchio notaio alla bestemmia puntuale e, come sempre, *localistica* – un rilievo poco elegante sulle attività extraconiugali della madonna delle Ghiaie – e la *Firmina*, la madre sessantacinquenne di Adelmo, *quasi ugualmente grassa* e in quel momento a pochi centimetri dal notaio Dell'Ara (cui la legava, peraltro, un'oscura storia di sesso giovanile fatta di mani concitate, lacerazioni inadeguate dell'imene, imbarazzi vascolari e promesse mai mantenute), accompagnata dal mormorìo linciante e *soddisfatto* dei sodali di funerale, comincia a percuotere con il ventaglio che s'è portata con sé il casco cornuto del figlio, «Che ti dice la testa, *eh?!*», grida e colpisce. «Che ti dice, *eh? ...* Coglione te come quel coglione del tu' poro babbo», un colpo, «*Eh?*», un altro colpo; aumentando esponenzialmente il tono insieme con il riscatto, gratificante, della punizione.

A pochi metri da don Sebastiano, che mormora a mezza-bocca – forse confidando in una qualche telefonìa soprannaturale – *ma che fanno... che 'ffanno...* fino a convincersi ad alzare la voce in un più perentorio «ma insomma e' *ffàteli finire, no... ...?*», Amedeo costringe il quartetto a un minimo movimento laterale della bara. Contro il giorno, il sole si va velando di una grata lanosa di cirri: e il vento cala. Il ventaglio della Firmina letteralmente si frantuma, esplodendo in particole colorate di carta a fiori di mandorlo. «Va' *va'*...», gl'intima la madre. E, adeguandosi a un volere assoluto di cui si aspettava il mònito e la ratifica, il cordone principale del funerale arretra verso il costone e lascia così un tratto di provinciale libero per la fuga, confusa, della Guzzi California di Adelmo. Avrà tempo – si dice – per riflettere sull'umiliazione dello scandalo. Ora il bisogno primario è allontanarsi da lì: curva sulla destra senza incrociare lo sguardo giudicante di don Sebastiano e della famiglia di Agnese e di Walter, in particolare. Anche perché la malattia del vecchio Osvaldo e la pochezza ingestibile di Salvo fanno del più giovane dei Malpighi l'unica presenza intima di Agnese.

Salvo Malpighi, suo padre, ha pensato di non presenziare al funerale. Per troppo dolore, ha detto a Corsignano: «E' 'un ce la fo». Quando Osvaldo l'ha saputo, quella mattina, ha detto al nipote «l'unica cosa che davvero mi nuoce, prima ancora di morire presto, è essere accomunato nel gesto a quel coglione d' 'i 'ttu' babbo». Un altro punto a sfavore dei Malpighi; che Walter sopporta con il rigore dell'orfano doppio: il dolore per sua madre Agnese, morta; e il dispiacere puntuto per suo padre, vivo.

Forse attirati dal rumore, o più probabilmente immalinconiti dall'evidenza del corteo, i morti di Corsignano cominciano ad affacciarsi dai cespugli che si stampigliano lungocollina dal Ruvello giù verso il ponte di muro sul Nardile; oppure escono da qualche anfratto terroso tra le crete spaccate dei campi smossi, si alzano in piedi dalle loro posizioni sdraiate e strategiche tra i fili d'erba e le spighe di forasacco. Il funerale, per loro, ha il fascino pesante delle domeniche pomeriggio di festa, il primo autunno, un càrdine di giostra con i bambini intorno, gli occhi sgranati per nulla in particolare, la promessa di felicità che ancora li sostiene, il prodigio dell'infanzia ciclicamente rinverdito dal solito drappello di furgoncini volkswagen, o fiat, gli stessi banchi refrigerati, lo sfrigolìo sommesso delle friggitrici professionali, la pressione idraulica nelle carrozzerie preparate come piccoli guggenheim di paese per girandole, bustrengoli, bastoncini di liquirizia, canditi industriali confezionati in qualche oscura fabbrica alimentare di Düsseldorf, o di Frankfurt: magari gli stessi operai partiti per lavoro che restituiscono al paese d'origine la versione caramellata e dozzinale degli zuccheri saturi che l'emigrazione li ha costretti a sopportare, negli anni, bombe idrogenate che li porteranno alla morte e al ritorno, probabilmente, sottoforma di salme *truccate per l'occasione*, nel cimitero dei loro padri. E tra loro ce n'è qualcuno, magari; tra questi spettri pieni di rimpianti che ora si allagano tra i cretti e lungo le siepi di bosso, nemmeno in grado di tenersi per loro le more migliori che puntellano i rovi, tutto un eterno ricordo di piccole meraviglie perdute, la vita, a guardarla da quello stesso tedio invalicabile che li ha posseduti da vivi, dovunque fossero, qualsiasi fosse l'obbligo che li aveva visti camminare avantindietro tra la Chiesa Grande e il Monumento ai Caduti, le puntate oltresiena uguali ai viaggi in crociera per i venticinque anni di matrimonio, gli stessi luoghi interdetti alla comprensione, se non sono ricondotti al giàvisto di ogni giorno, se non lasciano margine a sprazzi di luce che possano essere ricondotti al noto e quindi memorabili, trasformabili in ricordo da raccontare per chi non c'era.

Guardàteli mentre raddoppiano il corteo funebre in file sparse, l'episodio di Adelmo già dimenticato, catalogato tra le bizze del caso che di solito si ascrìvono ai vivi con inchiostri sempre meno rintracciabili, ogni volta il ricordo si fa più pallido, e sbiadito, quasi le contingenze larvali che assalgono i morti fossero solo la resa disfatta di una qualche certezza più solida, e antica, che li ha visti un tempo – un tempo lontanissimo, impalpabile: talmente lontano e stanco da sembrare, quasi, non essere *mai esistito* – e che però *li ha visti*, in qualche modo tutti loro ne hanno una domestica consapevolezza, felici, controsole, ad augurarsi che quell'attimo sospeso di gioia, quel solo momento di splendore per cui era valsa la pena, almeno una volta, essere vivi, non finisse mai.

Eccoli che attorniano la coda ultima del funerale coi loro passi trasparenti e leggeri. Si accalcano nel modo in cui possono farlo i fantasmi del tempo, una brezza di luce che svìrgola tra le diplopie calde dell'estate, tutti in attesa di qualche traccia nuova che possa confermarli nella loro consistenza illusoria di essere un qualche retaggio delle colline; o del paese. Guardàteli mentre si commuovono – Amedeo, la bara che entra per il cancelletto in ferro battuto, il ghiaino che sgrìgliola sotto le scarpe a cadenzare una marcia funebre per raspa e percalle, sembra quasi accorgersi di loro, per un attimo, un brivido freddo saetta nel sudore e lo riporta, paradossalmente, al *presente* faticato che lo contiene – e però davvero nessuno li vede, né si ricorda di loro se non come mucchio, o legione, le definizioni che spesso s'attagliano al male, o all'inferno inutile dei dimenticati, e che per questo lo rinnovano, l'inferno, senza prendersi la briga di discernere, lutto per lutto, nome per nome, il *chi* dal *chi*, quasi non fosse questo, dacché la Storia esiste, l'unico discrimine tra le bestie e gli esseri umani, il battesimo di un nome che non lasci sola, e persa, la storia di ognuno di noi, come fossimo sassi del Nardile nemmeno buoni per costruirci le case (ché poi il segno riconoscibile di un nome lo si affida anche alla memoria dei cani, e dei gatti: dei porci e delle galline, talvolta, figurarsi degli uomini *che sono stati*); che anche questa è poi la differenza tra chi ha avuto in sorte di segnarsi per nome e chi no; chi ha imparato a leggere e a scrivere nei secoli e *chi no*, abituato a disegnarsi tra i rilievi del tempo della stessa figura dei temporali, e dei boschi, senza neppure il conforto di storie che non prevedessero, sempre, l'incertezza orale e smemorata dei *si dice*. Sfilano via appena l'ultimo dei corsignanesi vivi entra nel cimitero, i fantasmi in crocchio che hanno accompagnato la bara fino all'entrata. Avviliti dalla loro stessa infestazione *provinciale*, da quella costrizione che li rende così strettamente legati allo stesso luogo, per sempre, quando in realtà i fantasmi – come tutti, vivi o morti che siano – vorrebbero certo *infestare* i luoghi dove non sono mai stati, non quelli dove sono stati *sempre*, preferirebbero essere miraggi di luce in giro per le scogliere dell'Irlanda, o per le paludi che hanno visto solo nei fumetti di Zagor, a bere sui lungomare delle Keys, a fissare i tramonti di cenere e oro dell'Africa del Sud, i raggi verdi dell'Oceano Indiano: a che serve frequentare, da morti, quel calore tiepido e accogliente che ci ha evitato da vivi, si chiedono, mentre si rincantùcciano tra gli spigoli liquidi dell'iride e fluttuano – prima un barlume, poi più *niente* – di là dalle mescolanze degl'infrarossi, nascosti anche a loro stessi, *se non ci pensano*. Ché questi sono perlopiù fantasmi *du pays*, larve gregarie; tutte cazzate le scosse livellatrici da trapasso. Anche nella morte c'è una gerarchia.

Il marmo della lapide lo riflette mentre camminano sul brecciolino, lui e Marcello si sono fatti carico della stanchezza di Mauro e – soprattutto, a quel che sbuffa Marcello rassettando la spalla sul legno a strappi – di Donato, che quasi sembra dormire sotto il pavimento di assi dov'è sdraiata Agnese. Lo specchio improvvisato è il marmo nero di Ashford per Theodora Wallis, bellissima attrice teatrale di Ashford – appunto: la scelta della lapide non è stata casuale, da parte del suo convivente e mèntore, un oscuro regista scozzese trapiantato da anni nel Chianti – e lo splendore onice di lei si sovrappone alla luce nera della tomba: anche qui, anche dopo la morte, a trentanove anni, nell'inverno piovoso del '76, una meningite fulminante che aveva lasciato il suo compagno solo, e stordito; i ventidue anni in più poggiati come una litanìa di sassi su un giardino zen smantellato, di notte, da piccole ruspe giocattolo per costruirci un *supermercato zen*.

La scritta in oro, a caratteri garamond, appena sotto la fotografia, 3 febbraio 1937-20 febbraio 1976, una vita e una morte in febbraio, il mese più vicino all'idea breve di inizio e di fine. «Amò tanto le colline e questi luoghi / che qui decise di riposare in pace», le sillabe stanche dei versi come dodici apostoli che rincorrono *altri dodici* apostoli e si azzuffano, annullandosi nello sfinimento di un'armonia rassicurante.

Amedeo sfila e precìpita nel barlume nero che lo attraversa, un passo, un altro passo; l'impressione di Bella, alle sue spalle, qualche strattone di fila dietro di lui, lo riporta alla camera da letto della mattina, suo figlio Andrea nell'altra stanza a vestirsi dei jeans neri che sfrigolano coscia contro coscia, ora, a cinquanta metri *da lui*, il nero del cielo lontano che si traveste da ricordo; mentre la bara continua a pesargli come fosse la versione femminile e ninfomane di un incubo di Füssli; che gli calca i piedi nudi tra la nuca e la spalla e intanto gli ànsima, nell'orecchio, qualche oscuro desiderio segreto.

Il doppio sipario della parete di loculi e delle tombe a terra si spalanca sulla piazzola circolare, tra le croci di ferro dei morti della prima guerra e la gradinata di scalette che separa due livelli di cimitero; nell'orecchio di Amedeo è domenica, l'inizio della primavera del 1982, la sera *traslata* di San Giuseppe al palio dei Somari di Torrita di Siena, con il campione di Porta Nova che si prepara a baciare (sudore e lacrime dei contradaioli in misura pressappoco identica, il ciuco disfatto da tanta leggenda nemmeno fosse Francis alla fine di una première), e lui entra – *lo sta facendo adesso*, un Amedeo di quasi diciott'anni più giovane, i suoi venticinqu'anni e mezzo indossati come una vecchiaia insolente nella babilonia asinina, *mentre* il suo omologo *davvero* invecchiato, il brìzzo dei capelli ai lati smosso dall'ultimo baleno di scirocco, cammina lento, la voce di lei deformata dalla crisalide di spazi che avvolgono gli universi come cellofan sottilissimo e appiccicoso, cammina, lento, appesantito, verso i due cavalletti di legno appoggiati ai lati della fossa, *desiderio* di Agnese, la terra alla terra e i morti ai morti: nel fango smosso l'inverno, nella sabbia spaccata e nell'erba *quando si può*, Don Sebastiano li precede e si volta, la Bibbia in mano tenuta come fosse un volante rettangolare per viaggi ultraterreni, la voce di lei arrochita dalla morte; e dalla lontananza intraducibile che li separa e li unisce nell'erezione di lui, di Amedeo, la stessa che si ritrova in quell'*altro Amedeo* ventenne, improvvisa e inaspettata, forse una qualche foga agonistica da Palio, mentre entra – *proprio ora*, più di diciassette anni fa, al bar del Borghetto, la Silvana che pulisce il bancone, il televisore acceso su *Domenica In* e sulla mezz'età sorridente di Pippo Baudo; e intanto su Radio Chiana si estenua l'intro sincopato di «Crazy Train», la chitarra di Randy Rhoads che rimarca e prepara l'appiattimento delle session a venire negli acuti scartavetrati di Joey Tempest e nello sferragliamento acustico di «Heartbreak Station». Amedeo si accorge del proprio pene in movimento, una rivelazione che lo costringe a guardare in basso, la stoffa verde dei pantaloni *mirabilmente* gonfia, la cerniera spostata di poco sulla sinistra: vorrebbe fare un gesto, uno qualsiasi, magari togliersi la camicia gialla dai calzoni e proteggere il gonfiore con le falde stazzonate. Un'occhiata circolare gli dà la cifra del pericolo: la Silvana, *appunto*, alle prese con dinamiche da vapore e bicchieri sporchi, un paio di vecchi – ancora l'artigianato metallico degli anni Settanta prevede *vecchiaia* sicura nei settantenni, specie dopo quarant'anni di campi, o di fabbrica – alle prese con gli applausi concertati di Rai 1.

Poi *lei*, che lo sta guardando. Quando Amedeo si accorge del suo sguardo ad altezza cintura, *lei* si *distrae* (è questa l'impressione che arriva a lui, il verbo introvato che però lo pervade sensibilmente) e torna con gli occhi sullo schermo del televisore.

Il giubbotto di jeans wampum, scolorito; su una maglietta nera con disegno inavvicinabile (solo dopo Amedeo scoprirà che si tratta della copertina del disco di Ian Hunter *You're Never Alone with a Schizophrenic*). Le ciglia, lunghissime, che assecondano i lampi catodici del nuovissimo mivar 28 pollici a colori poggiato sulla mensolina a muro, appena sopra il congelatore toseroni: il rosso sbiadito della locandina pubblicitaria di nembogel, il «Supergelato Superbuono», a intristire, per il sempre fittizio del marketing, i sorrisi dei due bambini *dimostrativi*.

Gli occhi di un azzurroviola indefinibile, dalla distanza sfibrante di *quei quattro cinque metri* che separavano un Amedeo in erezione da *lei* seduta, i jeans celesti a tubo conclusi in scarpe da ginnastica nere e rosse: e le scarpe infine poggiate su una sedia di plastica bianca, con il gesto distratto, ancora, e impreciso di chi sia persuasa dalla vita che la vita le appartiene, nelle sue declinazioni femminili e eterne. Almeno per quanto femminile ed eterna possa essere ogni vita, quando esplode dello splendore in trànsito della giovinezza.

Il naso di lei gli sembrò l'ultimo retaggio meraviglioso di un impero romano d'oriente perso tra le pieghe della Storia per essere ritrovato lì, a Torrita di Siena, al bar del Borghetto, il primo giorno di primavera; a una maggiore età soltanto dalla fine del secolo.

Tentato da un futuro incerto e irrimediabile, il pene di Amedeo ha un sussulto peristaltico che si sarebbe potuto accomunare tanto alle smanie dell'intestino quanto ad alcune anomalìe emotive del cuore.

E qui Amedeo fa quello che non avrebbe mai pensato di fare — mentre il suo corrispettivo più vecchio è ormai a un passo dai cavalletti, l'Argìla e la Norma si sono fatte strada tra i crocchi affannati di folla per raggiungere le prime file, accanto a Walter, e a don Sebastiano; mentre Bella e suo figlio Andrea si attardano a pochi metri dalla vecchia Antonia, che ha raggiunto il punto preciso che le permette di avere la finestra della sua cucina alle spalle, in cima alla collina e a Corsignano, un chilometro e mezzo in linea d'aria tra il riflesso abbacinante del sole e la curva, pesante, della sua schiena; *mentre il vecchio Amedeo* si rende conto del fatto che l'erezione continua, nel belmezzo del cimitero e della sua apertura di corteo— *ecco che il giovane Amedeo* s'avvede, invece, dell'afflosciò paziente della patta e, insieme, del fiatone che il petto gli estorce costringendolo, suo malgrado, all'azione.

«Com'è che ti chiami, te?», le fa lui, la mano che si appoggia al tavolo con sopravvalutata nonchalance. Lei – un battito arìtmico nel cuore del tempo – alza gli occhi, il viso tenuto basso, come se studiasse una via d'uscita dal naso di Amedeo senza esporsi troppo.

«Agnese. Te sei 'l figliolo di Demetrio dei Bui. L'armaiòlo», e Amedeo non saprebbe dire – nemmeno ora che sono passati gli anni della vita di lei, e lei è ormai un peso che piano piano s'avvicina ai cavalletti e al mucchio di terriccio – se l'ammìcco del mento di Agnese alla fibbia della cintura di cuoio, il tono sottolineato, siano una convalida referenziale o una presa per il culo.

Sa solo che l'odore di lei gli sta trapanando il cranio in tutta una serie di forellini capaci di sfiatare la febbre cerebrale che lo sovrasta – anche adesso che lei è morta, e sembra ridergli dietro per tutte queste mattàne da ricordo – e che *gli appartiene*: come avesse trovato un elemento nuovo nella sua privatissima tavola metabolica, l'*agnèsio*, magari, un elemento finora inidentificato ma tangibile, come il perseverare degli occhi viola sui suoi. E intanto il mivar trasmette le immagini di quaranta argentini alle prese con una bandiera, nella Georgia del Sud, il Sol de Mayo che sventola, punto fermo che si piega alle brezze dell'Atlantico meridionale; poi la fotografia di Leopoldo Galtieri e, in sequenza, il sorriso soddisfatto di Margaret Thatcher dietro un banco di scuola, alla Kesteven and Grantham Girls' School, la sua *vecchia* scuola, l'acconciatura caduta sulla testa come un bioccolo di polvere da Brobdingnag, il piglio soddisfatto e *pericoloso* di chi, costretto dal presente a misurarsi con il passato, sa di poterci *pisciare sopra* e di *essere anche ringraziato*, per questo: l'eterno ritorno dei sogni di rivalsa sui mediocri, quando il potere li prende con sé— E gli occhi di Agnese tengono ferma l'espressione incantata di Amedeo; lei, un solo gesto che sembra invadere l'aria senza spostarla, toglie le scarpe dalla sedia, si gira quel che basta per muoversi, da seduta, contro di lui. La mano di lei – ora Amedeo è in grado di vederle la sfrontatezza aerea delle tette insieme con la fosforescenza, inquietante, covata sotto gli occhiali di Ian Hunter – gli sposta un pelo di cotone dalla tasca dei pantaloni, e poi appiana la stoffa, passandoci sopra, la confidenza di chi si conosca da anni, l'odore di lei, ancora – un misto sinestetico di vetiver e di *acrilico* e di lavanda e di fumo di camino, avrebbe detto Amedeo se qualcuno gliel'avesse chiesto – sta dando alla testa, *di nuovo*, ad Amedeo, mentre fuori imperversano i contradaioli di Porta Nova, qualcuno tracima momentaneamente nel bar, il crocchio del funerale s'accomoda a sciame intorno alla fossa, e l'odore dei capelli di Agnese sembra quasi uscire dalla bara e impastare la bocca di lui, che ormai sente solo questo, nel naso, c'è soltanto *questo*, e il gesto naturale della mano di lei, che poi indica il televisore e parla come se rispondesse a una domanda.

«Hai visto, il mese scorso, quel gran coglione del figlio che gli s'è perso alla Parigi-Dakar...»

Amedeo fa cenno di sì con la testa, ma in realtà non sa niente. Ha un'idea più o meno vaga del fatto che sta parlando della Thatcher – ché intanto la Thatcher si muove nel televisore, accigliata – ma non sa riferire nient'altro a quello che *lei* gli *spiega*.

«L'hanno dovuto riacchiappare con un cazzo di Hercules algerino...», e qui sorride, Agnese: e il bianco dei denti diventa la luce sul molo del desiderio di possesso di Amedeo, il faro di smalto da cui non si può allontanare più, pena la morte per acqua, e la distruzione di ogni nave ancorata. «A qualcosa servono, sicché, nonostante tutto...»

E il ricordo successivo – mentre Marcello lo aiuta, sostenendo il peso maggiore, e tutt'e due si chinano sul primo cavalletto, aggirando in qualche modo l'altro: e quindi permettendo a Mauro, e a Donato, incredibilmente sveglio dal torpore, di lasciare cadere la bara sulla travicella con un ptocc sordo e preoccupante – la memoria di quel giorno è di nuovo il cazzo in erezione di lui dentro Agnese, i colpi forsennati che lo fanno venire immediatamente, *quasi*, una furia improvvisa che l'ha colto non appena lei ha abbassato i jeans, e le mutandine, bianche, la filanca allentata sulle cosce, «ecco», gli ha detto, sono arrivati a ridosso dell'Entrata, dopo il tramonto, la corrente tra finestrino e finestrino a sibilare un venticello freddo che è ancora dell'inverno appena trascorso, «ecco», gli ha detto lei, e finora sono state carezze lunghe, e baci bagnati, lingua a cercare la lingua e rumore di saliva che si scambia, hanno parlato poco e più che altro lei, lui è ancora stupefatto dall'incredibile naturalezza con cui si sono trovati; sono usciti da Torrita verso Corsignano. A Corsignano ci vive suo padre, l'Osvaldo, Amedeo ha capito che lei è Agnese la figlia di Osvaldo, e vive con la madre a Torrita, dacché i suoi si sono lasciati, l'incredibile scandalo di una separazione consensuale prima del '74 del referendum, e del divorzio: Osvaldo che non solo non recrìmina ma, anzi, dice che «va bene così, e se non c'è amore e' che ci sta a 'ffare, lei con me?», dice della Cinzia, e lei non solo lo lascia ma convive, a Torrita, con il patrigno dell'Agnese. E ora non ci sono né lui né la Cinzia, al funerale, ché uno se n'è andato via dieci anni fa e lei è morta, d'infarto, due anni prima, c'è chi ha detto di crepacuore, ma va' a capire, e il *vecchio Osvaldo* non solo aveva accettato la separazione: e poi il divorzio, quando era stato possibile divorziare; ma addirittura aveva frequentato la casa di Torrita, ed era stato amico di Bastiano, finché Bastiano c'era stato, «e se uno non si vòle più e che lo forzi a sta' assieme?», replicava rigoroso Osvaldo alle mezze domande che in quegli anni, la fine dei Sessanta, l'inizio dei Settanta, l'arretratezza prodigiosa della provincia azzardava con il pudore mascherato delle spie, il candore morboso delle chiacchiere: il terrore dei tempinuovi insieme paventati e auguràti, con uguale grado *mezzano* di ipocrisia e di sfacciataggine, tanto nei timorati diddìo quanto negl'illuminati di paese: la figlia di Osvaldo, l'Agnese— «Ecco», gli ha detto lei, *Agnese*, e gli ha preso in mano il glande, l'ha stretto, il morso minimo di un pizzico, e se l'è portato tra le gambe aperte, il calore dalle cosce di lei *rosso*, e *alcolico*, «ecco», ed è stato lì, in quel momento, che le pretese di controllo di Amedeo sono crollate, lei gli si offre schiacciando la pancia contro la sua, cercandolo, e intanto insistendo con un movimento fermo, le mani di lei già ùnghiano le natiche. Lui è preso da una furia di dominio che la voce e l'odore di lei gli hanno risvegliato, un altro Amedeo sospeso tra le possibilità finite del carattere che ora gli s'affaccia nella memoria e si mostra, intero, in tutta la ferinità consapevole dei gesti, gli stessi: gli stessi con cui quella mattina, quella stessa mattina, ora che ha poggiato la bara e s'è spostato, di lato, tutti e quattro si sono allontanati il *giusto* dal feretro e dalla fossa, in fila e di spalle all'accesso – un vicolo, una viuzza tra i morti – delle due cappelle di famiglia dei Chechi e dei Falciani, un quartetto incongruo e sudato, lui, Mauro, il vecchio Donato, Marcello, l'erezione che gli forza i calzoni grigi nello stesso modo in cui glieli ha forzati quella mattina, Bella davanti allo specchio a ravviarsi i capelli in uno chignon, il peso di qualche *nondetto* eterno che, semplicemente, lei, Bella, ha deciso di escludere dall'orizzonte appiattito della loro vita comune, lui che di schiena ne coglie, improvviso, lo splendore che ci ha trovato nel pieno della loro giovinezza innamorata, tanti anni prima: prima di quel giorno di primavera a Torrita, e allora gli s'è fatto dietro, veloce, quasi potesse perdersi il momento insieme con il desiderio assoluto – e imbarazzante, per la memoria di altri gesti – di lei: di *lei Bella*, che infatti è sorpresa *anche lei*, ora che i salti ripetuti del tempo s'azzerano in un triplice nulla di fatto a somma *uno*, che è poi lo stesso Amedeo solo *trifratto*, e gli dice «ma che fai che ti se' ammattito», e il rovistare e lo strofinare di stoffa contro stoffa, il collo già preso dai denti di lui, l'ansimare insensato che Andrea, molto probabilmente, coglie dall'altra stanza, dal silenzio sospeso del mattino all'imbarazzo adolescente del figlio, «checcàzzo fai», sussurra Bella muovendo gomiti sempre meno puntuti, lui che le alza piano, incredibilmente piano la gonna, e cerca di assecondare i movimenti di lei, che sembra, Bella, concedersi interamente, e anzi affretta i movimenti di lui, già dietro e dentro di lei, i vestiti ancora indosso quasi del tutto, l'impazienza spiegazzata di chi ha *troppo* tempo per perderlo in minuzie, tutta una vita di scopate davanti, è così che si pensano, mentre Bella viene, imprevista, ai movimenti ancora accecati, e pieni, di lui, che – ora che pensa che tutti vedano l'erezione, al centro del cimitero, le mani messe a protezione come un difensore in barriera, capisce che per poco non l'ha *gridata* Agnese, la gola rauca a raschiare via il tempo insieme con i ricordi peggiori— mentre quella mattina impiega parecchio a venire, e lei si aggrappa al comò, smuovendo gli oggetti e facendo cadere il deodorante, la foto del matrimonio, il finto manichino con gli anelli e le collane, la fede che rotola saltellando in un *tin-teen* ripetuto sulle piastrelle, «ecco», Amedeo rivede i colpi e il furore, Agnese che si aggrappa alla nuca con una mano, lui riesce a contare cinque, sei scossoni, finché si accorge di stare per venire, un bruciore che lo scuote dal coccige e lo soffoca in un modo che con Bella non ha ancora provato, mai, nemmeno nei momenti di maggiore esaltazione adolescenziale, si accorge che è *dentro Agnese*, i vent'anni di lei che luccicano agli angoli degli occhi in un brillìo umido, mentre lo guarda e si fida, e però tutto questo fracasso impacciato di lui, la fretta colpevole, sembrano non interessarle, come se, sì, si fosse accorta, nel venticello freddo della peugeot, di questo brusco, preoccupante cambio di modi, in Amedeo, ma non gliene importasse poi molto, mentre lui si dèdica all'imbarazzo frustrante di togliere il pene dal grembo accogliente di lei, veloce, e poi venire, d'un tratto, venire, *venire*, a schizzi ripetuti, uno ogni zero virgola otto secondi, in fiotti quasi sùbito refrattari al piacere, il viso di Ian Hunter bagnato quanto la pancia e l'ombelico di Agnese, che è più sorpresa dalla sorpresa di lui che avvilita e giustamente irritata dalla smania spaccona e di Amedeo, ancora mortificato, anche adesso, al cimitero, mentre ripensa alle sue dita nella bocca di Bella, quella mattina, alla sua, di bocca, che si stampiglia sulla stoffa della camicetta di sua moglie, costringendola – le dita, la bocca – a un morso e a un cambio *veloce*, in quest'ordine, mentre Amedeo respira forte contro il pavimento, i pantaloni calati, i boxer sulla coscia, quello stesso fremito di delusione convulsa che gl'impone di tirarsi su le mutande, e di ricomporsi, davanti al ritratto impietoso che la luce gli dipinge nello specchio della camera da letto.

---

Per mesi, poi – fosse un'imposizione d'incenso di don Sebastiano, o il pensiero della vecchia Antonia dietro le rughe sfrante dell'Argìla; fosse la mascheratura del dolore che cominciava a cedere dietro l'intonaco imbiancato della morte di Agnese, Amedeo si accorge che l'ennesima erezione della giornata si sta concedendo la fuga di una più *consona* rilassatezza arteriosa: e questo, incredibilmente, gli concede un momento di tregua nella più diffusa mancanza di pace che lo travolge – per mesi, poi, c'erano stati giorni di quieta disperazione, ogni volta che s'incontravano, lui e Agnese: una notte *ricavata* passata nei campi, o in un luogo riparato nei boschi tra Corsignano e Torrita, la capacità calcolatoria di due lepri in calore – ché così spesso si pensavano, nei momenti più silenziosi e fisici delle pause di lui tra una scopata e l'altra. Pause sempre più brevi, in realtà, ché l'ossessione meccanica di trovarsi e la chimica dei due corpi era talmente febbrile, e violenta, da riscattarli ogni volta, lenzuola di recupero in qualche motel nei dintorni di Siena, alberghi duestelle mutevoli come i nomi che davano alla reception *massello* dei portieri di notte, le tre quattro volte che s'erano incastrati in finesettimana fuoriborgo.

Ché – questa la voce zittita che chiedeva aria – lui era già sposato da tre anni con Bella Salvani in Bui. E lei era fidanzata di Salvo Malpighi, da dieci mesi; quasi undici, quando s'erano incontrati al Bar del Borghetto di Torrita.

«Almeno m'avessi portato via sul somaro ch'ha vinto...», gli ha detto una volta lei, le lenzuola acciaffate dal caldo dell'estate del 1982, le campane dei paesi intorno che suonano per la vittoria dell'Italia di Bearzot sulla Germania Ovest, loro che – forse tra i pochissimi dell'intera provincia – hanno rinunciato alla partita appena dopo il rigore sbagliato da Cabrini, preferendo la certezza del primo piano all'Hotel Tartuga – «due stelle *e un po'*...», aveva detto l'albergatore in portineria – all'incertezza di una sconfitta che si sarebbe incistata nei loro pochi ricordi come una sorta di presagio metaforico con cui doversi scontrare.

«Meglio i'cciuco, di 'ste lenzuola», gli dice lei, senza ridere e però senza nemmeno lamentarsi, in realtà, mentre tutte le strade di Chianciano si popolano di vecchini in bastone che canzònano i turisti tedeschi, abbattuti, in giro qualche minuto oltre la solita ritirata per i risvolti di luce al neon degli alberghi: i francesi più spavaldi che fingono un inesistente asse latino-provenzale, mentre alcuni – grassi e rubizzi come salsicce di fegato in gita in un cartone della Disney – ridono a vànvera dalle lontananze ancora non riempite del baseball, del basket e del football americano; gli Stati Uniti negli occhi nonostante i millenni etruschi e gli scrosci termali che, comunque, non riescono ad anestetizzare l'acciaio e il vetro serviti per incastrare nel tufo gli hotel.

«Quello di Porta Nova, dico», rimarca lei accarezzandogli la striatura nera di peli sulla pancia, tra lo sterno e il pube. Questo, soprattutto, lo danna. Il fatto che lei esponga ciò che dice come una verità oggettiva *ma* senza nessuna presunzione di assolutezza.

«... L'altra sera con Salvo s'è fatto l'amore che alla fine non ce la facevamo nemmeno a rialzàcci dal letto... ...», ha ridacchiato — *ridacchia*. «Quando s'è alzato pe' andà in bagno quasi cascava 'n terra ch'è inciampato sulla spalliera...»

Lui, quando lei ha detto questo – com'è che con il tempo anche la vergogna, o la rabbia, se non hanno creato male fisico, passano in sottordine, mutati di spazio e posizione nelle nostre priorità più profonde? Com'è possibile, Amedeo lo sta facendo ora mentre don Sebastiano mormora qualche irriconoscibile scongiuro in latino che possa alleviare il passaggio di Agnese dal sole di Corsignano alla terrascura dei morti, di chiedersi cosa se n'è fatto, di quella rabbia lì, ora che non pesa più nemmeno tra i ricordi più significativi di ciò ch'è stato – lui, Amedeo, quando Agnese ha detto questo, un groppo irrisolto in gola per le menzogne comunque necessarie a Bella, il pensiero – irragionevole – della pochezza di Salvo e il rancore reiterato per la sua inconfessabile gelosia, lui s'è alzato – *si alza*, nudo, lo sguardo di Agnese dietro la schiena, va al frigorifero rivestito di radica, tira fuori una mezza minerale, usa l'apribottiglie legato con lo spago alla maniglia del minibar.

«Non è sempre necessario che tu dica esattamente quello che pensi, mi sa, nell'esatto momento in cui lo pensi». Lei lo guarda con un'espressione che è un misto di sorpresa e di fastidio, per la prima volta.

«Io sono innamorata, di Salvo», gli ha detto, *gli dice*. «Come te sei innamorato di Bella. Che cazzo *céntra* che ci s'annusa?»

Lui ha bevuto, *beve* un'altra sorsata. «A settembre ci sposiamo, con Salvo. Se vòi venire, *te e la tu' moglie…*»

Don Sebastiano china il capo e l'Argìla si fa il segno della croce. Il vento *rialza la coda*, e passa attraverso le inferriate del cancelletto, soffiando come qualcuno che abbia appena imparato la giusta posizione delle labbra e sia poi lui il primo sorpreso dal fischio stridulo che viene fuori.

L'ultima volta che si sono visti, all'inizio di novembre dell'ottantadue, *si danno* appuntamento a Siena, lui la va a prendere alla prima lezione dell'anno, Istituzioni di diritto pubblico, e già sa che probabilmente di lì a poco Agnese smetterà di frequentare, è la terza volta che cambia facoltà in quattro semestri, al momento non è neppure iscritta, è un continuo litigio tanto con Bastiano che con Cinzia; Osvaldo è convinto che in poco tempo «capirà da sé quello che vòle fare»: e questo l'ha gettata nello sconforto, e in un risentimento nei confronti di suo padre che l'ha portata ad allontanarlo e a non sentirlo nemmeno al telefono ormai dalla fine dell'estate.

Lo vede da lontano, un piumino verde che passeggia per via dei Banchi Vecchi, mentre lei lo raggiunge al crocicchio e lo trascina, letteralmente lo trascina, fino all'Hotel dei Merli, a duecento metri dalla stazione.

«Salvo mi fa un sacco di domande», gli ha detto lei, gli *dice*, quando entrano nella camera, «a me non mi va di dirgli cazzate, ma è che lui non fa mai la domanda giusta... ... secondo me, non è che ha paura...», lei comincia a spogliarlo, gli toglie il piumino, s'impossessa della cintura, la scudìscia via dai passanti dei jeans, «è come si proteggesse...», lui si lascia sbottonare la camicia, poi avvampa all'improvviso di un qualche dolore subcorticale che, immediatamente, manipola e trasforma in una nuova idea di dominio, e di possesso: lei gli *ha tolto* le mani dal seno, di scatto, *gliele toglie*, è stato troppo brutale e lui lo sa, «che cazzo vuoi fare?», gli ha chiesto lei, gli chiede, «m'hai fatto male...»

«Scusa», lui le ha detto, le dice, all'entrata del cimitero si affaccia una donna con uno spolverino nero di cotone, e occhiali, pure neri, da sole, i capelli nerissimi sciolti sulle spalle, schiaccia una sigaretta arrivata al filtro premendo la suola delle scarpe – di velluto, nere – sul ghiaìno.

«Scusa», lui le dice, e comincia a strattonarle via la camicetta, lei lo lascia fare sospettosa, e mentre lui strappa via i bottoni senza curarsi troppo se si stàcchino o no, il fatto che restino tessuti alla stoffa non riguarda le premure di Amedeo, più una blanda mestizia della fisica spicciola, lei comincia a leccargli la gola e il collo, ma è distratta, almeno gli sembra, mentre sente che è passato ai pantaloni di lana nera e ai collant, anche qui con poco rispetto per la tenuta elastica del cotone.

I tacchi della donna, ora che si chiude con poca lungimiranza il cancelletto alle spalle – il rumore di ferro è come un risucchio del tempo – schiacciano il brecciolino fino alle bande laterali del funerale ormai ammassato ad anfiteatro intorno alla fossa, la luce incerta dell'Arlecchino appena sbiadita da un nuovo contingente di nuvole; bianchissime, e irriguardose.

Lei si siede sopra di lui, lo tiene per i polsi frenandolo contro la coperta di lana arancione.

«Zitto», gli ha detto, gli dice, e gl'impedisce qualsiasi parola.

Con un movimento dittico delle gambe, *uno*, *due*, ha lasciato, lascia che Amedeo entri dentro di lei. Per la prima volta è lei a muoversi in modo così plateale, e rumoroso, lo fissa con forza, e intanto lo studia, almeno questo pare ad Amedeo, che comincia a sentirsi a disagio, per la prima volta da quella prima volta di vergogna immediata, lei lo fissa in silenzio, e lui quasi ha paura di dire qualcosa di sbagliato, che questa furia meticolosa con cui lei danza sopra di lui possa finire, vorrebbe dirle che in questo momento sa soltanto che la ama, senza errori né pensieri aggiuntivi che possano deviare da quest'unica, irresponsabile verità, vorrebbe dirle che è ora di finirla, con Bella, con Salvo. Si lìmita a rispondere al suo sguardo viola, fisso, le poche scosse di voce che lei non riesce a trattenere, finché si concentra negli occhi neri di Amedeo e lui ha creduto, crede di risponderle sì, semplicemente sì, a tutto quello che lei gli chiede, qualsiasi cosa gli chieda, sì, questo vuole dirle e forse fa un cenno con la testa, in quel momento di schiena di lei che ondeggia e scava mentre Amedeo è perduto, si perde per sempre nella fica accogliente di lei, ancora, e per sempre, ancora e *ancora*, e la donna vestita di nero ha ormai raggiunto Walter, *quasi*. Walter se n'è accorto e le sorride. Tutti se ne sono accorti. Sotto gli occhiali da sole neri sorride anche lei. Walter mima un ciao senzasuoni, lei gli risponde.

Esausto, Amedeo le ha sorriso, le sorride, fa per trattenerla – lui sempre dentro di lei, ancora un altro po', questo vorrebbe senza nemmeno l'obbligo di dirglielo – ma Agnese si stacca da lui con un rumore spiazzante di ventosa che si scolli *di una lama* d'aria, in silenzio si muove ginocchioni sulla coperta, scende dal letto, va in bagno.

Amedeo ha creduto, allora, mentre Maddalena Ferreri – così si chiama la donna vestita di nero; insegna al Chiarini, la conoscono tutti, la Ferreri – indietreggia quel poco che basta per mettersi in linea con l'Argìla, e la Norma, Amedeo ha creduto, allora, crede che sia possibile una felicità senza rispetto. Un ganglio chimico del tempo in cui il futuro non si prevede, o si aspetta, semplicemente c'è, e coincide con il presente. Crede che un istante di pienezza possa dilatarsi, e conservarsi, come non esistesse nient'altro di così significativo, e totalizzante, in tutta la congerie di universi che ci sìbilano intorno e ci condizionano.

Ha fatto, fa per dirglielo – anche se sa che qualsiasi tentativo di incastrare quello che ha capito nei recinti limitati delle parole rischia di essere riduttivo, e inconcludente – quando Agnese è uscita, esce dal bagno e gli dice «c'è un treno che arriva fino a Chiusi alle otto e mezza, otto e trentatré, mi pare. Mi sa che prendo quello».

«Guarda te la grandissima troia», una voce dal mezzo del gruppone del funerale. Né, a ridosso degli anni a venire, nei rivoli scoscesi del futuro, s'è mai saputo – e mai si saprà, forse – di chi fosse, di chi sia, quella voce e quell'insulto lì: quasi sicuramente di donna, per i toni alti, il getto di gola e naso: ma vai a sapere che illusioni crei il suono, quando si allarga *nonvisto*.

Walter si volta, piano, verso il mucchio che ha prodotto la voce; Maddalena Ferreri lo accompagna, girandosi. Nel silenzio rappreso che s'è creato, l'Argìla prende forza, si concentra sul collo nudo della Ferreri e colpisce «certo e' ci vòle la faccia tua»; e ancora nessuno sa chi la sostenga, dal cuore sporco del paese ammassato, «proprio te che l'hai fatta morìre». La superstizione finalmente esorcizza la morte bruciando la strega.

Walter – la pienezza dei suoi quasi sedici anni brandita come una spada, o un maglio, solo con un movimento circolare degli occhi – applaude una mano contro l'altra, un gesto di stizza che stride con la calma, imperiosa, con cui sta zitto. Dalle file più lontane gli si avvicina, aiutandosi senzagrazia con le spalle, Fabrizio. Anche lui vestito di nero; sembra un corrispettivo magro e sbiadito della professoressa Ferreri, che ora illùmina di luce – nera – tutto il cimitero.

Maddalena Ferreri è lo scandalo, il cattivo esempio, l'offesa, il centro oscuro del paese quando si denuncia, senza riserve, attraverso la splendida limitatezza degli esseri umani.

La professoressa Ferreri è, da mesi, l'amante di Walter: la trentacinquenne che l'ha circuìto, la donna che con i suoi anni di troppo s'è scavata da sola la fossa nel buio inconoscibile dell'es più profondo, e impatteggiabile, di Corsignano. E anche questa ostentata, irriguardosa comparsa al funerale di Agnese – Walter diviso a metà tra un'adolescenza orfana e le pulsioni innamorate di una maturità imprevista – fa deflagrare la rabbia trattenuta di parecchi corsignanesi. C'è chi del re nudo talvolta si preoccupa di studiare e giudicare le dimensioni del pene, tralasciando colpevolmente la sua stupidità senzavestiti.

---

Il mormorìo diffuso si va facendo sciabordìo, poi onda anomala, riflusso, ribollire macbethiano del calderone ingestibile dello sdegno corsignanese. «Hai da andàttene via!», prende coraggio la Norma, «ha' capìtho?», la calata della *t* densa come un filtro a morte. La vecchia Antonia, al minimo segno dello scandalo, avvezza com'è a sentire le voci del paese anche quando non ci sono, mormora un finìscila, finìtela prima mirato (contro la Norma); poi diffuso, contro tutti. Ma è un incantesimo stanco come le sue ossa di vecchia. Fabrizio ha raggiunto Walter, mentre Walter s'è fatto più vicino a Maddalena Ferreri, i trent'anni di lei che sembrano proteggere, e annacquare la differenza d'età che li separa. Fabrizio, Walter e la Maddalena sono un paravento alla tempesta che li circonda schiaffeggiandoli con i primi venticelli dell'invidia mascherata da sdegno.

Finché non interviene don Sebastiano – Amedeo s'è ritrovato, immobile, accanto a lui: e nemmeno lui saprebbe dire perché – «e che cos'è?», tuona il prete contro la schiera indistinta del funerale. Si fa *sotto* al piccolo catafalco su cui è poggiata Agnese.

«Il rispetto — perDio!» – così si sarebbe raccontato, almeno, lo sbotto del vecchio sacerdote: più o meno insistendo su una pausa o l'altra nell'elaborazione precisa del significato. «Dov'è? Eeh?... E per la memoria della nostra cara sorella morta!»

Walter, la mano intrecciata a quella di Maddalena Ferreri, «Padre. Perpiacere. Continuiàmo», il suo amico e *fratello* Fabrizio accanto, il viso pallido di chi non prende mai il sole (o di chi non sia comunque in grado di prenderlo); la sua donna, accanto; Maddalena Ferreri. Di là dallo scompaginarsi delle premesse di forma nel granlibro di Corsignano, la sua donna. La sua insegnante e la sua donna. Nessuno che abbia davvero il coraggio di gridarlo così, il cartiglio della verità: nessuno che esplìciti davvero lo scompiglio degli anni d'avanzo sull'amore – o sul sesso, ancora: quanto e come si potrebbe capire la differenza di obiettivo delle nostre chimiche primarie? – con un chiaro, netto: «Walter Malpighi e la Maddalena Ferreri e' sono amanti; e lui quasi potrebb'esse i' 'su' figliolo...»

Con il dipiù – maschilista, millenario, irrazionale, cattolico – di una riprovazione solo sussurrata, insulti e gogna, certo: ma nessun intervento immediato della forza pubblica; così come invece avverrebbe, sùbito, a generi rovesciati. (O, ancora peggio per l'aggettivazione paesana, identici).

«Stàtevene tutti zitti», respira Maddalena Ferreri, la mano destra nella sinistra di Walter. Il gesto immediato di chi stia per cercare una sigaretta da accendere.

«Padre. La prego. Continui», le parole di Walter. Sembra un matrimonio interrotto per qualche minuto all'ingiunzione dell' «o taccia per sempre».

E intanto il rumoreggiare del paese non cessa, però: c'è chi, platealmente, s'allontana dal numero dei partecipanti, il ghiaìno che sfrìgola di rammarico per così tante defezioni. L'Argìla sembra mormorare un rosario *contro* la Ferreri. La vecchia Antonia si guarda le scarpe, e i piedi: quasi fosse l'unico metodo sicuro per non mettersi a piangere di un dolore che, davvero, non riguarda né la Ferreri, né Walter. Né l'Agnese.

*Ed ecco.*
*Improvviso da dietro la parete di loculi che smezza il lato orientale del cimitero da quello con le tombe dei caduti della* Seconda. *(E l'ordinale presuppone guerra, naturalmente).*
*Un cinghiale.*

Dallo spigolo di marmo dell'ultimo loculo in basso – SILVESTRO BALZI 1911-1993 – esce, il muso basso e il rantolo del respiro di un fumatore quarantennale, la sagoma ispida di un cinghiale; una buffa, anomala striscia rossa tra la cinghia sul collo e la linea bitorzoluta della spina dorsale. Spunta veloce, come se fosse appena uscito dal bagno di un locale – in fondo a destra – e ritornasse, mezzobrillo, al tavolo degli amici di sempre. Il mormorìo ondivago del funerale si ammassa, si spalanca, si muove e oscilla come uno stormo di corsignanesi appiedati dalla mancanza di correnti d'aria.

Amedeo lo vede puntare veloce il gruppetto minimo intorno alla fossa, Walter e Fabrizio proteggono Maddalena e scartano di lato, offrendo al cinghiale la morte venatoria di una buca già aperta. Il cinghiale, in carica verso tutti e nessuno, il bofonchio che lo annuncia e lo precede mentre arriva, devìa di lato, prendendo pieno il primo cavalletto di legno, scalzando la bara, *passandoci sotto di forza* mentre la bara scìvola – il tempo frenato dei ricordi, il fumo reiterato dell'entropia quando si fa memoria – letteralmente scìvola su un'ipotenusa d'aria, e il cinghiale – un ruggito, sembra, mentre passa – spacca con una *testata* l'ultima resistenza del cavalletto, attraversa il sipario a due di don Sebastiano e di Amedeo che – loro malgrado, l'istinto irrinunciabile alla salvezza – gli danno strada, lasciandolo slittare sul ghiaìno, le zampate al galoppo che già gli hanno fatto raggiungere il piccolo digrado del cancello, il cinghiale che quasi frena per non ribaltarsi e la bara di Agnese che ormai precìpita – la vecchia Antonia si fa il segno della croce come fosse un *hocuspocus* in grado di zittire il tempo quando accade; o un argano invisibile, meglio, capace di agganciare la bara in caduta – e *cade*, rumorosamente, colpendo il bordo della fossa e incuneandosi in verticale, un rumore di disastro e di frana, lo spigolo alto che si frantuma, e si sconquassa, una crepa nel coperchio da cui parte una scheggia, quasi fosse una ferita nel legno, proprio mentre l'ultimo mmgrrh del cinghiale curva a destra del cancello, in salita sulla 309BIS, verso l'Entrata, e Piancaldo.

Dallo squarcio nella bara, un tratto di viso di Agnese grande quanto la forma del suo occhio destro, chiuso; e del suo naso, solo più bianco, e sottile, di come lo ricordava Amedeo.

Amedeo tira su a forza lo sguardo trattenendo il respiro, si accorge di Walter; immobile, come tutti gli altri, davanti alla crepa che s'è slargata nel cadavere appena ricomposto del corteo.

Sa per certo – Amedeo, non Walter – che in questo preciso istante vorrebbe morire.

# 7.
## 4 GENNAIO 2000

**Tutte le volte che si incontravano, nemmeno fosse**

il congresso ciclico ed ellittico di due comete in continuo assestamento, Walter e Andrea si guardavano attraverso la scia spugnosa degli occhi: un cenno, uno starnuto abbozzato dal viso; tutti quei movimenti governati dall'es più sbrigativo e superficiale che comunque presupponevano – inutile negarselo – un riconoscimento.

Di là dalla differenza d'età, che comunque si concretizzava in una manciata di mesi, c'era qualcosa nelle fattezze di entrambi che li ricordava *a vicenda*.

Anche ora, ora che Walter lo vede tracciare una strada casuale sulla neve della Scesa di Portarossa, ora che i mesi trascorsi gli pesano addosso come centinaia di vite, lo sguardo fratesco di Andrea lo coglie spiazzato, a maggior ragione perché scintillato da quel doppio colpo degli occhi, uno azzurro, uno nero: il passo veloce in cerca del bagno di un Elia da Cortona adolescente, gli pare; o di un Pietro Cattani nelle notti d'inverno alla Porziuncola, la camminata frettolosa di chi, trovando quello che cercava, s'è reso conto di aver lasciato l'anima appesa in camera da letto. È tutto un abisso fatto di dèmoni privati, la scoperta degli altri, si racconta Walter senza dirlo.

Dall'ultima volta che ci aveva parlato – dopo la primavera entusiasta della Maddalena ma prima, molto prima dei mesi trafelati e impensabili che erano seguiti al funerale di Agnese – Andrea gli sembrava una replica stanca del sé stesso più segreto e inadeguato.

A stare a quel che diceva Fabrizio, Walter e Andrea erano la versione diffratta di una stessa creatura paesana. Gliel'aveva proprio detto, una volta. «*Voi siete* il ragazzo prodigio che i paesi si ritrovano, di solito uno a generazione... solo sdoppiato in un modo che vi dimezza... ... perché non vi siete mai trovati...»

Anche questa doppia amicizia. Lui e Fabrizio. Andrea e Durante, che erano anche cugini *veri*. Questa bizzarra uguaglianza che li allontanava, Andrea e Walter, più che avvicinarli. Come soggiacessero al terrore di un paradosso, incontrandosi. La stessa persona che si sdoppia e che non si riconosce più.

Chissà cosa pensava, Andrea, quando lo vedeva, si chiede Walter.

Sì, Walter, si dice Andrea. Dopo tutto quel bailamme da leggenda al funerale di Agnese, si dice, mentre scende e gli passa davanti con la scatola dei cd di Durante in mano: cosa gli sarà venuto in mente poi di uscire a quest'ora, ora sembra quasi un saluto, quello che gli fa. Durante è sempre lì a raccontargliela di quanto Walter dei Malpighi gli ricordi Andrea: «La stessa intelligenza veloce, e *irritante*, ciavéte», gli ha detto suo cugino una volta. «Dovreste essere inseparabili, da come siete», gli aveva detto Durante; e invece quasi vi evitate, sarà una questione di pelle, sarà la chimica. La Maddalena Ferreri, pensa Andrea. E io nemmeno capace di parlarne, con la Flavia, nemmeno in grado di parlarle, non dico di mostrarmi interessato, pensa Andrea, appena l'immagine di Maddalena Ferreri fa capolino attraverso la figura di Walter. L'ultima volta le fissavo il maglione glìcine, a chiedermi come si potesse fare un tono di glìcine *così* glìcine e lei, lei la Flavia che mi ha visto, nemmeno la smorfia di chi pensi che le sto guardando le tette.

Si girerebbe, Andrea, in questo momento, il fiato che gli esce dalla bocca sottoforma di nebbia densa, e biancosporco, come la neve quando viene calpestata, gli sembra. Si girerebbe sotto il peso aereo dello sguardo fisso di Walter, se solo accettasse di aver capito che Walter lo sta fissando, gli sta fissando la schiena. Ma non lo fa.

Se solo si potesse porgergli quell'esatto pezzettino di tempo in cui la Flavia dei Grignali, sua coetanea quasi perfetta (è nata tre giorni dopo di lui, nell'agosto dell'ottantasei), non solo s'è resa conto che Andrea la stava fissando: ma ha sperato anche che lui – lui Andrea – si fosse accorto, in quel blando perdersi nel glìcine lanoso del maglione, dello sbocciare ancora preliminare e però deciso delle sue tette future.

Se solo quest'immagine della Flavia preoccupata, e delusa, di aver frainteso i segnali di Andrea per lei, quel casuale rifrangersi dello sguardo azzurro, le pietruzze gialloverdi dell'iride; lo splendore cupo e abissale dell'occhio nero: se soltanto se ne rendesse conto lui, Andrea, della stupidità endemica di non voler raccogliere i segni e le domande che la vita gli offre solo per paura di riceverne *addosso* le risposte sbagliate. E invece pensa, Andrea, a quello che hanno detto suo padre e sua madre dei suoi inspiegabili e irrazionali sensi di colpa tanto dopo le sfuriate che a freddo. Pensa, mentre i cd si stuzzicano l'uno contro l'altro nel vuoto parziale della scatola, che quella sua costante ricerca di affetti senzascuse in fratelli diffratti come Durante; o il senso scuro della mancanza di Walter, quando lo incontra, quel senso di famigliarità che gli dà guardarlo in volto come se si riconoscesse, appunto, tutto questo potrebbe dare ragione a loro.

La scesa lo costringe a molleggiare molto sulle gambe, mentre pensa a quella diagnosi stramba che Amedeo e Bella hanno voluto *condividere* con lui, dopo mesi di sguardi a togliere e mezzeparole. «Sindrome del gemello evanescente, *forse*», gli ha detto Amedeo. «Succede», gli ha detto. «La Ronconi dice che c'è almeno in un caso ogni dieci... Se pensi che a Corsignano saremo un migliaio... ... Almeno *cento*, più o meno... Di gravidanze, dico...»

«Andrea...», è Walter che lo sta chiamando, l'ha raggiunto, ormai; è a tre passi dalla sua schiena. Andrea si gira come fosse stato sorpreso a sputare sull'acquasantiera *del padre*.

«T'è caduto questo». Dicendoglielo, la fossetta sul mento di Walter ha assorbito un'ombra di sponda: ed è su quella che s'è fermato lo sguardo di Andrea.

Walter gli porge un foglietto ripiegato in quattro.

«Dalla tasca». Andrea si passa la scatola sottobraccio; come Bud Spencer con i cattivi sdraiati a pugni in testa quando se li porta in giro svenuti. È questo che pensa Walter, mentre Andrea prende il foglietto, lo guarda con la stessa espressione di Babbo Natale nell'atto di *ricevere* un regalo da una delle renne più affezionate e amorevoli.

«Non è mio», dice. E però lo apre, accompagnato dallo sguardo interrogativo di Walter. In qualsiasi modo li si guardi sono versi. Appunti cancellati ai margini, scarabocchi di bic nera. Ma *versi*, soprattutto. Non ricordava neppure di avercelo nel giubbotto di lana, quel foglietto, Andrea.

Mentre dice grazie a Walter, accartoccia i versi nascondendoli in una ripiegatura e spera che Walter non si sia accorto di quel che Andrea s'è perso. Una delle tante poesie inutili che s'improvvisa su foglietti di cui non ha neppure consapevolezza.

# 8.
## 30 OTTOBRE 2000

**Per un momento, un momento soltanto,**

le sembra di essersi dimenticata del ginepro. La mano della vecchia Antonia continua da sola a sfregare sui pezzi già
tolti dalla brodaglia della marinatura: il secondo spicchio
d'aglio ridotto a un sassetto poroso da intarsiare — ecco
che la mano lo fa: il pollice destro spinge nella carne intrisa di vino rosso quasi volesse *seminare* un chiodo bianco
oltre il primo strato gocciolante di muscolo. Il ginepro.
Non adesso, ché le mani si muovono da sole ripercorrendo
a uno a uno i gesti ciechi di una vita — che è poi l'eternità
vedovile della vecchia Antonia: così antica, e mirata, da ri-
passare all'indietro le strade di anni incanalati a sabbia
bianca, e poggi di cipressi e casali smurati e rabberciati a
sassi di fiume; fino a ritornare polverosa, e immobile, al
punto di partenza della Prima Guerra. Ed era stata sua
nonna, «la su' nonna Germina, a dirla bene», aveva rac-

contato quasi una settimana prima ad Amedeo, *visto che gliel'aveva chiesto*: «La mi' nonna Germina... a insegnarmi che il ginepro va sbriciolato e messo prima, nella marinatura, insieme co' 'i timo», e qui aveva studiato la pausa come se fingesse di ricordare, le dita arcuate a far di conto, da incantatrice accorta, «...e poi il rosmarino, poco... E la sminuzzata di ginepro... più i' *ssegreto*, naturalmente»: e qui, anche Amedeo – che comunque non era minimamente interessato alle alchimie culinarie della vecchia Antonia – era stato giocoforza costretto all'allargarsi di braccia dello sconfitto.

I' ssegreto. Quello – le mani continuano a piazzare tocchi di carne intrisa sul tagliere di legno, mentre dalla finestra a parete del Cucinone del Circolo (così lo pensa e se lo racconta la vecchia Antonia, abituata com'è da decenni al pungolo asimmetrico del cucinino di casa sua) un bagliore rossastro s'inerpica allagandosi sul mattonato del tavolo su cui è slargata la ricetta: tutti gli ingredienti e i tegami con le marinature per la Festa d'Ognissanti.

I' ssegreto erano le more vizze, naturalmente. Le more di rovo lasciate a spurgare *al fondo* dall'estate, in vasetti coperti da fazzolettini di lino. Sminuzzate, frantumate in minuscole particole nere e rosse «come il sangiovese *mischio* a' i'l tramonto», diceva la su' nonna Germina, il neo sul mento che rideva con lei, quando rideva, quasi lei stessa fosse un cespuglio di rovo e quel neo a forma di Lago Trasimeno, con le spume lontane verso Passignano che digradavano in marrone noce slavato fin sotto il labbro inferiore, quel neo ch'era il loro marchio di famiglia e che si tramandava di madre in figlia, avesse avuto la vecchia Antonia una figlia — la mano rintuzza il terzo resto di aglio nel rosso morbido del tocchetto e poi lo pressa sul tagliere.

Ma non dico *adesso*, dico nella sminuzzata, il ginepro?

«Oh Antonia, mirate la luna? Ma è troppa bassa ancora...» Entrando, Eugenio l'ha trovata con le mani alle prese con il cinghiale; epperò con i pensieri a rimbalzarle oltre il finestrone, verso il boschetto di cespugli di là dal Circolo, sul rosso mattone della pista da ballo.

«La luna della tu' mamma quando t'ha fatto», ride con disappunto la vecchia Antonia; e intanto continua a sbattere e ad agliare la carne, le conche piene di brodo intorno a lei: come se dal tetto ci si dovesse proteggere da una perdita a pioggia invisibile; e che però diventava acquamatta di marinatura non appena toccava i brani di cinghiale.

«... Che giusto la *su' luna il tu' babbo* doveva guardare per farti così boccalone che 'ttu se'...» Eugenio vola veloce da un angolo all'altro del Cucinone, verso la màdia con le tovaglie, ridacchia, apre l'anta, «La mi' mamma l'avete tenuta a battesimo, sicché... Sarà pure un po' colpa vostra, se son venuto su *così... lunàtico*», si china, rovista. «Ma non ci sono le tovaglie a quadrettoni?»

La vecchia Antonia lo guarda come se le avesse comunicato che l'ostia contiene panforte invece del corpo transustanziato di *nostro signore gesù cristo*. «E 'l chiede a 'mme?... E 'icche sono, la guardiana delle tovaglie d'i 'ccircolo?»

«Oh Antonia, e' l'avete usate voi l'altra volta de la festa di Romolo, o no?»

«Romolo *chi*?», *s'è fermata* dal trattare la carne la vecchia Antonia.

«Romolo», le ginocchia di Eugenio si flettono all'insù con uno scricchiolìo lattico pericoloso, «il figliolo della Lea. Il nipote di Giuliano. Dei *Barzelli*, vìa!»

«E 'cche ciò a spartire col figliolo della Lea di Giuliano io? L'avrò visto du' volte in tutto dacché è nato...»

«Ma come che ciavéte a spartire? La Lea la moglie di Raimondo... il figlio di Paride...» E qui una pausa testarda. «Paride Baschi, *vìa*».

E quel *vìa* è per la vecchia Antonia la cancellazione della smemoratezza: il rimosso che sale con velocità di furia contadina dalle radici ultime degli Alberi della strega e preme contro il manto erboso *da sotto*, esplode nel vapore estivo con la consapevolezza beige dei ritorni di dolore indesiderati.

In un secondo dilatato e immenso, Paride Baschi assume la forma perfetta della sua solitudine. E quella forma fredda di stupore rossastro che Eugenio le scorge in volto non riguarda l'imbarazzo; né una qualche vergogna che potrebbe essersi impossessata di lei in un momento impreciso dello scambio tra loro: tanto che questo fermarsi plastico di Eugenio – il tempo di un colpo di singhiozzo o lo scivolare allentato di una suola lisa sul pavimento appena cerato – è del tutto ingiustificato. Non era della Storia con Paride Baschi che la vecchia Antonia si preoccupava: il purpureo del pànico che le ruota tra le guance e la bocca come fosse uno scialle invisibile per riparare dal freddo i denti *già caduti*, mentre sciaguatta le dita nel marinato, e apre la bocca come volesse spiegare qualcosa — tutto il pallore che le scava da dentro contro il rosso della scoperta – e che costringe Eugenio, le mani a tirar via dalla credenza le prime tovaglie che trova, a un silenzio minimo fatto di gesti veloci – vive del bagliore di consapevolezza che l'ha presa all'improvviso: di Paride Baschi e della loro Storia, semplicemente, si era dimenticata.

Lei – di questo è certa, ora: così come, in un punto profondo e geloso del suo stomaco più interno, trova il significato di quella dimenticanza nelle avvisaglie ormai più che sicure della sua vecchiaia; senza per questo aver voglia di darle il nome puntuale e blandamente clinico di senescenza: anche perché non ne possiede il segreto battesimale – semplicemente s'è accorta, nel lancio di quel *via* dato da Eugenio, che per tutto il tempo delle domande non aveva avuto dimestichezza con una parte del ricordo (la parte più privata e significativa, in realtà).

«Allora, Antonia», le tovaglie marroni e crema poggiate sulle braccia *a muletto* quasi si trattasse di un carico di stoffe da portare in dono al Bambinello a nome di uno dei tre magi. «Io torno di là, scusate»: e il tempo di quelle scuse inservibili e male indirizzate è quello di un pezzo di petto di cinghiale che riemerge dalla marinatura e poi riaffoga senzascampo.

La vecchia Antonia guarda Eugenio, «Va' va' ch'è tardi», gli dice, con la tranquillità dei giusti quando vengono interrogati per un omicidio che però hanno commesso.

E gli occhi dello stesso colore della marinatura della vecchia Antonia si fondono per un istante con quelli interrogativi – blu, chiarissimi: quasi non ci si aspetterebbe occhi così belli e incongrui in un volto tanto dozzinale – di Eugenio. Per un istante, il vetro degli occhi di Eugenio è uno specchio che fa tornare indietro le immagini e gli anni: ma è una cosa che riguarda semplicemente la vecchia Antonia; e dura quel che durano i sogni quando ci si rende conto del tempo segnato dalla sveglia: tutta una vita o un paio di secondi; un paio di secondi o tutta una vita, *assecondando* il segreto inconfessato di ogni dimensione nascosta.

Quella mattina di giugno di parecchie vite prima; quando la vecchia Antonia era ancora soltanto l'Antonia: anzi, più semplicemente: una delle quattro antonie del paese; quand'era ancora ragazza, davvero ragazza secondo il còmputo naturale degli anni: quando aveva diciassette anni e mancavano ancora vent'anni al momento in cui suo marito – il suo futuro marito – sarebbe arrivato dalla Svizzera, quasi cinquantenne: il tempo di tornare e *reinsediarsi* a Corsignano con la luce appena ombrata di una stella invecchiata in un sistema lontano dal nostro — quando ancora non aveva fatto in tempo a sposarla, dedicarle il poco spazio di una luna di miele contadina e poi morire per un incidente stradale ridicolo, su una strada carraia, in un'era astratta e lontana in cui le macchine immatricolate non raggiungevano il numero dei polli nell'aia dei Malpighi (che poi non era nemmeno uno dei pollai più ricchi del paese, a contare bene).

Quella mattina di giugno di quando la *vecchia* Antonia aveva diciassette anni; e i vicoli dalla casa sul Nardile fino alla Chiesa Grande erano pieni di petali di fiori bianchi, tutta una processione binaria che seguitava il tratto di viuzze – due sole, in realtà – che dal portoncino rosso in legno arrivava fino all'entrata spalancata della Chiesa Grande; il crocifisso *già* miracoloso appeso nella penombra, le testacce poggiate a segnare il corridoio tra i banchi come pietre miliari a forma di vasi da fiori fino a Lui, il Cristo barbuto che dal suo sforzo di sangue e di morte avrebbe poi dovuto benedire il matrimonio con il suo silenzio. (Ché di certo sarebbe stato considerato di cattivo auspicio – al minimo – e decisamente poco propizio un suo intervento contrario: un *no* urlato, magari; o peggio: che di certo non avrebbe fatto bene alla cerimonia e al sacramento, costringendo alla fuga un intero paese – «E se qualcuno è contrario parli ora o taccia per sempre»: un vago terrore nei sogni di Antonia che immaginava il Cristo alzare la testa e rantolare un diniego che l'avrebbe tenuta nubile, e triste, per tutta la vita: con il dipiù di un mondo che non sarebbe più potuto tornare del tutto in sé, peraltro, maipiù...)

Antonia – suo padre Valente in abito da cerimonia, le venuzze blu scovate dalla rasatura a segnargli le guance di raspi azzurrognoli; sua madre Diana nel vestito buono di cotone, chiaro: e il golfino ricamato ancora più chiaro – splendeva, in quella mattina di giugno di parecchie vite prima, vestita del bianco giuridicamente immacolato delle spose.

Anche la casa che sta per abbandonare formalmente – la stessa casa in cui tornerà di lì a poco; e in cui ritornerà tra vent'anni e qualche settimana: la stessa casa per il sempre relativo di tutti i suoi anni, in sostanza: dalla nascita agli sgocciolii della marinatura di cinghiale: piccole pause di giorni a parte – sembra più grande, più luminosa. Ha la bellezza delle cose che, odiate per anni, si stanno abbandonando per sempre. E a cui si può concedere il lusso superfluo di un perdono a buonmercato fatto di grazia, e di compatimento; il rimpianto di quello che avrebbe potuto essere migliore senza il rancore per non esserlo stato, nemmeno alla fine.

La Diana si toglie una lacrima da sotto l'occhio sinistro: poi per superstizione privata se la passa sulla punta della lingua, quasi a volerla esorcizzare: e con quell'ombra lieve di saliva aggiusta il poco di trucco che s'è posato sulle ciglia dell'Antonia.

«Sei bella che mi ti voglio ricordare così», le sussurra sua madre. Il padre aspetta il tempo giusto dell'uscita seduto sulla poltroncina di paglia davanti al camino, il vestito già spiegazzato sulle falde, sulla camicia un cenno di sudore a forma di temporale estivo; ma è ancora troppo presto: manca almeno un paio d'ore a quando si comincerà a ingrumare per i vicoli il crocchio di paesani in attesa della sposa del giorno.

«Ci si sarà vestiti troppo presto?», chiede la Diana a sua figlia. All'Antonia viene da ridere. Si lìmita a camminare avantindietro nel salottino e a dirle: «Oh mamma, e' si aspetterà». Quando – in quella mattina di giugno di parecchie vite prima; a quasi ottant'anni da questo alzarsi di una delle ciotole piene di carne di cinghiale, presa a due mani dalla vecchia Antonia quasi si trattasse di un graal contadino da mettere al riparo in una màdia, mentre Eugenio è ormai alle prese con l'apparecchiatura dei primi tavoli per la Festa di Domani e intanto si chiede (solo fino a un certo punto della propria capacità di dispiacersi) se è stato troppo brutale, con la vecchia Antonia – il trio famigliare riunito in vesti di matrimonio si riscuote al bussare sul rosso del portoncino rosso.

Il tempo inerziale del guardarsi stupiti sul chi vada a trovarli a due ore dallo sposalizio dell'Antonia e sùbito il «Chi è» molto poco interrogativo di Valente scavalca il salottino; e va a sbattere contro le assi *indipinte*: più o meno all'altezza del chiavistello tirato.

«... Amici...», risponde la voce dall'altra parte del portoncino. Ed è quella di Paride Baschi. Lo sposo.

Con l'Antonia sono fidanzati da almeno tre anni – a contarli da questa mattina di giugno del loro matrimonio; deciso con il giusto anticipo dovuto alle premure della Diana, alle smanie possessive di Paride (costantemente infoiato e bloccato dalla verginità intangibile dell'Antonia); e alla ritrosìa altalenante di Valente: che conosceva troppo bene tanto Paride quanto la sua famiglia (col babbo Baschi avevano fatto il militare insieme, trentasei mesi a Udine nel novantotto): tanto da non essere in grado di decidere se un matrimonio tra gli unici due figli fosse o no un'idea buona da *perseverare*.

È la Diana che si muove veloce verso Valente, due passi già dalla poltrona al salottino, la loro unica figlia ferma in un sorriso incerto tra l'incredulità e la sorpresa, un'ombra ancora grigia che le si affaccia in tutto quel bianco del vestito e della cipria e del velo che la precede e l'aspetta *ondoso* steso sul tavolo. Ferma il marito: come se il marito, in quei due tre momenti inaspettati, fosse davvero in grado di decidere cosa fare.

«Paride», la mano della Diana sfiora la spalla del marito con un gesto lieve. «Ma che c'è?... È successo qualcosa?», e sùbito l'accompagnamento dell'Antonia; ora sono in tre nelle stesse due mattonelle di cotto del salottino. Dalla finestra in linea della cucina il torrione a strapiombo sulla vallata sembra esplodere all'improvviso ai colpi di luce di giugno. È un rimbalzo delle nuvole che proietta le tre ombre sulla porta d'entrata: sembrano un'unica montagna arrotondata nelle balze che la finiscono — ma nessuno dei tre se ne accorge.

«Apritemi, Diana... Fatemi entrare, perpiacere...» La voce di Paride non sembra la solita. Se soltanto i pensieri dell'Antonia si affacciassero oltre il bordo dell'attesa, la sua superstizione potrebbe raccontargli che non di Paride il suo promesso sposo – il suo fidanzato, l'amore della sua vita, il diciottenne dalle spalle larghe che ha scansato la Grande Guerra per pochissimo: quel fiato di mesi che l'ha tenuto indenne, e sano, e salvo: per Lei – i racconti di cui sono fatte queste mura di paese potrebbero dirle che non è Paride, che bussa alla porta nel giorno del suo matrimonio, in anticipo; quand'è risaputo che ruolo primo degli sposi in attesa è quello di restare fermi, il testimone di nozze accanto, ad aspettare l'arrivo della sposa: per poi stupirsene, ultimo tra tutti, al momento dell'entrata tra i fiori: dopo, solo dopo che il paese in corteo ne ha seguito il cammino fino al portone spalancato; solo *dopo* che anche gl'invitati sulle panche hanno intuito – e giudicato, in un momento – il biancore in arrivo della sposa, il gomito e il polso al padre, la musica dell'organo che parte e lèvita al clamore della gente che entra dietro di lei a fare calca. Se la sua superstizione potesse parlare sarebbe di dèmoni e di ombre dall'aldilà che le racconterebbe: ché non di Paride si tratta, ma di qualche altro sembiante demoniaco in agguato; un simulacro, uno spirito, un mostro che succhia il sangue dei bambini di notte lasciandoli bianchissimi, e asciutti, per il dolore rauco e ancora più asciutto delle madri, delle nonne, al cospetto di tanto, inequivocabile abbandono da parte di Dio, per qualche colpa incerta di cui non ci s'è resi conto, o a cui non s'è badato per tempo.

Ma la sorpresa non fa pensare; e mentre la voce dell'Antonia si approfitta del silenzio – ché è pur sempre un momento: un momento soltanto; anche la vecchia Antonia, ora che ha deciso di *ripensarlo*, proprio nell'attimo in cui depone una conca e ne afferra un'altra per aggiungere aceto alla marinatura, si rende conto di quanto poco tempo ci sia voluto per cambiarle *una* vita; una delle tante – in realtà il silenzio è già interrotto dalla domanda della Diana, che s'accavalla alla voce della sposa in bianco, «Paride», dice l'Antonia, «Paride ma che c'è», ripete apprensiva la Diana, «porta male vedere la sposa prima del matrimonio... Che 'scc'è?», dove all'affanno della novità inaspettata s'aggiunge lo spettro di un qualche dolore improvviso, un male ingestibile che abbia costretto lo sposo ad affacciarsi e a violare la tradizione nel peggiore dei modi possibili.

«Fatemi entrare un momento, Diana. Perfavore...»

E ora tocca al padre prendere una decisione, finalmente. Un gesto alla figlia, che sale le scale ed è una scia bianca che arriva al piano di sopra: e lì si nasconde e si protegge, seguita dallo sguardo preoccupato della madre, dallo sguardo di Valente: che aspetta che l'Antonia sia *giustamente* invisibile e poi finisce gli ultimi due passi fino al chiavistello, la Diana che un passo indietro copre istintivamente la corsa sulle scale di un qualsiasi Paride impazzito che voglia vedere l'Antonia anzitempo, per un suo folle progetto di sciagura.

Il portone si spalanca sul sole di giugno e sul nero di Paride. Bellissimo nel vestito nuovo – fatto fare su misura da Mignini a Piancaldo: un vezzo e un desiderio di scialo del babbo Baschi per il suo unico figlio che si sposa – nero come un tizzo e illuminato però dalla camicia bianca, ricamata a vista sul davanti, i gemelli di famiglia ai polsini (l'unico oro dei maschi per tre generazioni, a partire da lui e a tornare indietro fino al suo bisnonno); la cravatta di cotone nero che gli pende come un filo a piombo sul piano mutevole della cintura di pelle. Gli occhi neri di Paride sono una luce a sé che inghiotte l'aria del salottino appena Valente spalanca la porta.

«... Ma i' cche c'è, Paride, allora...? ... È successo qualcosa a i' ttu' babbo?», chiede Valente; pensando, da un ripostiglio sconosciuto del cervello, che una sicurezza esibita possa deviare l'ombra dell'incertezza verso lidi magari dolorosi ma chiari, e netti; e comprensibili.

Paride entra senza dire niente, passa accanto a Valente che quasi si scopre intimorito e si sposta per lasciarlo entrare. La Diana si avvicina di due mattonelle lasciando la strada aperta alla scesa della figlia o allo scatto di Paride.

Ed è ora che la vecchia Antonia ha quasi finito di rimestare tra le carni di cinghiale; ora che l'ultimo tramonto del mondo (che sta allagando le colline di là dalla pista da ballo) e la prima luce di quel giugno lontano sono un'identica corsa di fotoni a riempire la memoria di gesti, Antonia e la sua gemella perduta si riuniscono in un ritratto di rughe che vanno via e tornano al ritmo dello sciabordìo di brodo che la vecchia Antonia continua a rimestare.

Paride cammina lento verso la Diana e le scale. «Diana», dice. «Valente», dice. «Forse è meglio che ci sia anche l'An-

tonia, giù», dice. «Ma insomma Paride ch'hai fatto?», dice
la Diana. E Valente incalza il futuro genero con una bestemmia e una presa di bavero, improvvisa, che strappa in
fuori il ricamo della camicia e lascia Paride con la bocca
aperta; mentre l'Antonia – la vecchia Antonia sa, adesso:
sa per certo che già in quello scendere le scale aveva capito
tutto: ora se ne ricorda bene e senza nessuna di quelle ri-
scritture del tempo che la memoria innesta sui ricordi; per
lasciarceli vivere in pace quando ci prendono alla gola—
mentre l'Antonia, in questo momento preciso, scende le
scale e si trova di fronte il suo promesso sposo, Paride Baschi. «Antonia. *C'è da parla'rne*», le dice lui.

Quello che era successo nei minuti e nelle ore successive;
nei mesi; e negli anni che erano seguiti da quella mattina as-
solata fino alla morte cinquantenne del marito *vero* dell'Antonia: tutto quanto era stato per anni materia di leggenda
paesana; e di sconcerto al tempo stesso sofferto e chiacchierato. «Ci ho ripensato», era riuscito a dire Paride nel mezzo di un discorso di più di un'ora che i due prossimi sposi
avevano potuto fare, da soli, a cucina chiusa: per accorta
intercessione della Diana che aveva capito tutto appena un
momento dopo la figlia; e che aveva capito – aveva saputo
da sùbito – di dover allontanare da quella casa, almeno da
quel pianterreno illuminato dal sole, suo marito: che già be-
stemmiava cataclismi e uccisioni di primo sangue mentre lei
lo spingeva e lo trainava – la capacità delle mogli contadine
di impedire i movimenti e *provocarli*, fidando nella complicità terrosa dei lunghissimi matrimoni bambini – lo tirava a
sé e lo portava in camera: dove Valente, forzato dall'incredibile allucinazione degli eventi, non avrebbe saputo fare
altro che piangere e rimproverarsi di non essere stato abbastanza padre da capire che «co' i Baschi, semplicemente, e'
non ci si sarebbe dovuti confónde...»

«Ci ho ripensato», era riuscito a rimarcare Paride, dopo averle spiegato. L'Antonia, raggiante nel vestito bianco come non l'aveva vista mai: tanto che per i primi minuti di silenzio assoluto, mentre le nuvole sfilavano ombra per ombra sui campi di granturco a valle; screziavano di grigio sbiadito i tonfi delle carpe nel Nardile e intanto promettevano una pioggerellina da pomeriggio che avrebbe solo aumentato la sete e il sudore: Paride quasi era ritornato sulle sue decisioni ancora non dichiarate; almeno in apparenza: perché questa era stata l'impressione dell'Antonia, che lui *quasi stesse* per confondersi e ritrattare quello che tutt'e due – tutt'e quattro, a volerci contare anche i due genitori al piano di sopra, in una delle due camere che completavano e finivano la casa – sapevano già. Ma in qualche modo dal silenzio alle parole Paride s'era risolto a farsi forza e a dirglielo, che proprio non poteva sposarla più, che ci aveva pensato e ripensato, in quegli ultimi due mesi; e che non c'era altro motivo che non se la sentiva, si scusava ma non se la sentiva. E che non doveva assolutamente «pensare che ci fosse qualchedun'altra» perché «così nun era e forse e' nun sarebbe mai stato», per come Paride si sentiva in quel momento. E, nel silenzio pieno di occhi lucidi dell'Antonia a Paride, lui aveva continuato quasi un'ora. C'erano stati momenti di tenerezza goffa: con lui che tentava di prenderle una mano – tutt'e due seduti, in cucina, uno di fronte all'altra, lei luminosa di bianco in un modo che a Paride metteva soggezione; lui nero e spiegazzato e molto più magro e patito di come l'Antonia l'avesse visto mai – e lei, *lei* che si ritraeva: come se Paride fosse infuocato; o peggio quel prenderle la mano significasse nient'altro che l'ultimo attacco dissennato alla roccaforte della sua verginità senza più data di scadenza.

Lei, l'Antonia, l'aveva ascoltato parlare; e ripetersi, per più di un'ora. Sempre in silenzio: annuendo alle volte; una volta aveva ceduto alla consuetudine passandogli una mano sulla guancia rasata di fresco, violando in un momento – un momento soltanto – tutte le accortezze decise da quell'inaspettato disastro quotidiano. «E nunn'è che non ti amo, Antonia... E questo te lo devi capire...»

E lei l'aveva capito, probabilmente. Di questo la vecchia Antonia, ora che la vecchiezza l'è venuta a stordire in modo definitivo e convincente, alla fine di una vita lunghissima, non saprebbe rispondere a una giuria del padreterno, se anche glielo chiedesse Lui di bocca sua il giorno del giudizio universale, tutte le anime in fila ad aspettarsi la sorte in una giosafàtte almeno *cinque o sei* volte più grande di tutta la piana in fondo alla vallata, di là dalle curve del Nardile prima della salita verso Piancaldo.

Quello che ora si ricorda – ora che la terza conca portata al tavolo in fondo al Cucinone la fa sembrare una gesuita donna solenne e panciuta in processione, i due coltelli affilati a rasoio incrociati nel mezzo del brodo e fermati dai tocchi di carne – è solo il tempo sbiadito ch'è venuto, quella stessa mattina, dopo l'uscita di schiena e senza ultimi avvisi di scusa di Paride. Un percorso di sei sette pedate sul cotto fino al portoncino e poi via: un addio estremo con l'unico riguardo di *non* sbattere l'uscio, di accostare la serratura piano e di farla scattare con cautela.

Si ricorda di essere salita per le scale fino alla camera da letto dei suoi genitori. Si ricorda – ora sì, si ricorda di nuovo e per sempre; o almeno: finché non se ne dimenticherà di nuovo – di quando suo padre l'ha abbracciata e la Diana ha cominciato a piangere. Si ricorda delle profferte vaghe di omicidio di Valente, ora in lacrime e senzafreni anche lui, sempre seduto sul letto nell'abito buono, la testa poggiata al seno della figlia in piedi quasi fosse lui il figlio disperato da consolare. Si ricorda del diniego netto, inelu-

dibile, con cui ha risolto le smanie vendicative di Valente –
che «era un omo troppo bono, pe dové esse maschio nei
tempi in cui gli è toccato vìve», diceva sempre la su' mamma quando lo *rimpiangeva* – e poi c'è tutta una nube di
tempi incerti in cui il matrimonio s'annulla, la gente si af-
fastella per giorni tra i vicoli e l'uscio; porta da mangiare e,
mentre cerca d'impicciarsi sul come e sul dove e sul perché,
reindirizza un istinto naturale alla cronaca e ai rumori che
avrebbe poi dovuto dipanare il garbuglio, diffuso, che i silenzi dalla cascina dei Baschi non risolvevano: un fumo di
tempo che dovrebbe essere di due, tre giorni: in cui la vecchia Antonia si ricorda di aver ricevuto il prete, don Gof-
fredo, il predecessore di don Muzio e di don Agenore e di
don Ghirlandi, almeno tre preti *prima* di don Sebastiano;
ancora stesa sul suo letto, ancora vestita – per tre giorni e
per tre notti, in una dilatazione compressa del tempo che
nessun ossimoro potrà mai realmente dimostrare, per
quanto lo si *sforzi* – dell'abito bianco delle nozze: ancora
incapace di togliersi il vestito.

Questo, almeno, finché la camera non cominciò a infa-
stidirla per quel mischio di sudore e di paura del passato,
prima ancora che del futuro – di cui non aveva, né intendeva avere a lungo, coscienza – costringendola a spogliarsi
piano, davanti allo specchio dell'armadio, le persiane ac-
costate con la stessa incisione verde di luce che Antonia
aveva deciso per caso poco prima di sdraiarsi a letto, tre
giorni prima. Lasciandosi vedere nuda nello specchio, e luminosa, prima di prendere le forbici dal cassetto del comodino e, sempre nuda e rischiarata da un prisma del sole alto di giugno, cominciare a sfilettare l'imbastitura del vestito, filo per filo, fino a riportarlo all'arlecchino di luce bianca dei pezzi di cotone, lino e macramé che l'avevano com-
posto in forma e foggia di abito nuziale. Con calma, piano,

il biancore della pelle appena intuito mentre si muoveva torno torno il letto, disponendo i pezzi di stoffa ritrovati in una sorta di panneggio degradato del cuore, per tutto un pomeriggio aveva disfatto il suo vestito da sposa, l'aveva spezzettato amorevolmente disponendone ogni parte sul lenzuolo bianco di lino, poi s'era mossa verso l'armadio, aveva indossato un vestito leggero di cotone a fiori – il vestito da casa di sempre, in realtà; il contraltare quotidiano alla particolarità ormai smembrata del vestito bianco – e aveva cominciato a decidere in cosa trasformare tutte quelle pezze luminose, progettandone il destino immediato cui le avrebbe costrette.

E quel vestito – ora se ne ricorda, perché di tutta quella luce antichissima e sprecata ormai è rimasto solo un centrino sotto il vaso da fiori dello stesso tavolo che aveva ospitato il velo nuziale: l'unica traccia che s'era limitata a distruggere; buttandolo via appena scesa, prelevandolo dalla sedia dov'era stato pietosamente trasbordato e deposto dalla Diana e gettandolo con la scarcia muffa e le bucce marcite delle patate – quel vestito era diventato una tovaglia della domenica, e le tendine per la cucina e per la camera dei suoi; e un paio di lunghi drappi da poggiare obliquamente a cascata sul mobile alto del salottino e sul tavolo grande.

Per giorni – poi per mesi; poi, anche se in modo sempre meno luminoso e più sciapito verso il bianco sporco e il crema di quando i colori si estinguono in un'agonia irredimibile, *per anni* – la casa dell'Antonia s'era illuminata di quel bianco nuziale diffratto; in quei mantelli protettivi delle cose che erano anche la traccia, intatta e tristissima (il lutto intransigente di ogni innocenza forzata) del suo matrimonio perso per sempre e per questo inarrivabile.

E ora che Paride è morto da vent'anni; e che davvero, semplicemente, non s'era risolto – in quel momento antichissimo e sconfitto di quella mattina di giugno – a sposarla; e che davvero non aveva nessuna, tanto che ci sarebbero voluti anni, prima che si sposasse; e molti altri, prima di imparentarsi con i Barzelli – con la Lea, la seconda figlia di *Giuliano* Barzelli – e prima della nascita di quello stesso Romolo di cui le aveva parlato Eugenio, lasciandola stordita e *invecchiata*.

Ora che la vecchia Antonia si asciuga le mani odorose di brodo; e si chiede ancora, comunque, se nel trito l'ingrediente segreto della su' nonna Germina è stato o non è stato rispettato; e se ha messo il ginepro. Proprio ora, in questo preciso momento, da dietro il muretto della sala del juke-box parte Perez Prado y su Orquestra con lo *starnuto* inconfondibile di «Mambo n. 5».

La vecchia Antonia si chiede chi possa aver fatto partire la musica; e intanto si asciuga e frequenta a uno a uno i lampioncini sulla pista da ballo in mattoncini rossi. Non vede nessuno e pensa a una qualche sortita veloce di Eugenio mentre lei era distratta. Scorge in ogni porzione di pista i fantasmi lontani dei ballerini che l'hanno frequentata.

Si dice – ma è più un'intuizione incerta che le invade il cuore senza tornare a vocalizzarsi nella testa – che ormai la sua ultima vita è un periodo incerto di passaggio. Un'epoca nuova fatta di tutti questi spettri ballerini che si sovrappongono alle siepi, e all'ovale scavato del nuovo pavimento – spettri tra i quali lei manca, e mancano tutti i balli che non ha mai fatto: la sua presenza di vecchia è un'anomalia che segna il trànsito tra un secolo e l'altro come fosse il timone, semispaccato, di un Gran Carro *minore* che ha perso i buoi nelle stalle luminose dell'infinito; e che ora deve essere trascinato dal bàsto solitario della vecchia Antonia.

Pensa a un futuro sudato che non la prevede, e ai chiaroscuri di luce che ombreggiano il verde delle siepi; mentre la

luce finale di ottobre smuore nel buio di tutti gli autunni
che ricorda. Dietro le colline, le nuvole si accartocciano
spugnose; arzigògoli di luce rossodorata, e decaduta, di
una qualche Bisanzio del Sole.

# 9.
## NOTTE TRA IL 19 E IL 20 LUGLIO 1999 (2)

**Dal televisore il treno curva ai piedi di una collina**

che potrebbe essere la stessa che c'è dietro la cascina vecchia dei Barzelli; Andy Devine sbatte la caldaia della pipa sul palmo, poi il treno entra sbuffante nella stazione di Shinbone.

Walter occhieggia al movimento di camera di John Ford: quando si avvicina – si *avvicina soltanto*: un approssimarsi lieve che sembra quasi carezzarli: quasi si trattasse di un fantasma alle prime armi; o di Dio stesso: un dio comunque abbastanza accorto e sensibile da concedergli la grazia di una nostalgia senzaritorno – si avvicina ai primi piani del vecchio sceriffo e di Hallie: tutti e due che parlano tra loro e ognuno a sé stesso guardando fuori, via dalla nuova Shinbone. «Ma il deserto è sempre lo stesso», dice il Ciccione. E mentre parlano di cactus che-potrebbero-essere-in-fiore – forse. Sì, forse – la cinepresa gli resta attaccata addosso, finché è il calesse che si muove ed esce dall'inquadratura: solo un momento, prima che s'allarghi la panoramica classica della Main Street; ma il tempo giusto perché si abbia la sensazione che anche Dio, alle volte, si ferma rispettosamente a *lasciar fare*.

«Com'è quella cosa di John Ford che ci ha detto Stirner?»

«Quale cosa, *tra le altre*?»

«La battuta... ... sull'Oscar...»

Walter accartoccia con la mano la lattina di coca. La resa in minore di un terminator in una pressa.

«Ah, sì... Al suo operatore... Polemizzando con gli italiani e i francesi, mi pare... ...»

Intanto, nel bianco e nero sfumato del film, il deserto arriva davvero: ma è un deserto morbido di colline e di alberi, quasi una versione limbica e antinfernale di quello che un nordamericano dell'Ottocento potrebbe intuire come «una desolazione».

«... Al suo operatore gridò qualcosa, *tipo* Jack, girami una scena fuorifuoco, ché così vinciamo l'Oscar per il miglior film straniero...»

Fabrizio annuisce e ride. Ma è un riso trattenuto e dilatato, perché apprezza il genio della battuta senza essere d'accordo nel merito.

«Lo sai?...», fa Walter. E però l'interrogativo arriva troppo presto.

«Che?», va di inerzia Fabrizio. Come nella più spicciola delle fisiche galileiane.

«Quando... Quando vedemmo insieme con Maddalena *L'uomo che uccise Liberty Valance* — ché lei non l'aveva mai visto...»

Fabrizio s'irrigidisce. Nonostante tutto quello che è successo, è la prima volta che Walter gli parla apertamente di

Maddalena. La prima volta che la nomina, si rende conto; lui: di là da tutti i rumori di paese e lo scandalo del funerale.

«... Quando l'abbiamo visto eravamo a casa sua, una domenica pomeriggio. Eravamo sdraiati nel... insomma eravamo sdraiati a... a letto... e lei ha cominciato a vedere il film e dopo un po'... Non saprei dirti con esattezza *quando*... Diciamo che comunque ha visto la scena del pestaggio di Lee Marvin a James Stewart... Ma probabilmente già lì il sonno doveva averla presa... Perché... Io l'ho lasciata fare e ho continuato a vedere la cassetta, ché comunque mi dispiaceva svegliarla...»

Fabrizio beve dalla lattina e fa sì con la testa. È preoccupato che un suo qualsiasi movimento – o la *mancanza* di movimento – possa precipitare di nuovo Walter nel groppo scuro del silenzio.

«... Allora io ho continuato a vedere il film... E mi accorgevo che lei ogni tanto riemergeva, dal sonno... Dava... Diceva qualcosa... Vedeva qualche scena e poi si riaddormentava... E insomma...» Ora è Walter a prendere una lattina di coca cola dalla sua parte di pavimento. Preme la linguetta.

«Ti rendi conto che per evitare che il pianeta sia invaso da linguette... separate, no?... dalle lattine... in giro per tutte le strade del mondo... ... hanno inventato questo che è probabilmente il metodo meno igienico nella storia del commercio alimentare?...», porge la lattina a Fabrizio come se volesse offrirgli da bere: ma gli basta il tempo di indicare la linguetta ormai assaltata dalla caffeina. «Ci sarà un posto meno pulito del... dell'esterno di una lattina?»

Fabrizio ripete il sì ballonzolante e si rifugia negli ultimi scampoli della sua terza lattina di birra.

«Allora... ...»

«...»

«... Maddalena s'è svegliata due tre volte... E una volta anche quando John—», beve, «...quando Tom Doniphon arriva ubriaco a casa e dà fuoco alla stanza in costruzione... Quando è disperato perché si rende finalmente conto... quando l'adrenalina non serve più, insomma, e nemmeno l'alcol... quando si rende conto che il futuro gli è cambiato per sempre e dà fuoco alla stanza... E Pompeo lo salva, salvano i cavalli... Si vede che nel gran casino di tutta la scena Maddalena, pure *dal* sonno — te l'ho mai raccontato che Maddalena parla tantissimo, nel sonno?...»

Di fronte al principio di irrealtà di una domanda del genere Fabrizio si lìmita a una smorfia rincagnata delle labbra e a uno scuotere di *no*.

«... *Insomma* Maddalena, dal sonno, evidentemente resta colpita da questa scena del fuoco dei cavalli... E inquadra perfettamente la figura di John Wayne, come càrdine fondamentale della scena, *no?*...»

Fabrizio appoggia la sua lattina vuota sul pavimento, l'accosta alle altre due. Walter è per un istante rivolto al televisore, accetta la manovra involontariamente distrattiva di Fabrizio e si ferma sullo stolzo di Hallie e di Ransom Stoddard nel vedere la cassa.

«... Poi si riaddormenta. Io finisco di vedere il film. Tutta la parte delle elezioni, il dialogo tra John Wayne e James Stewart, tutto: e mi accorgo che lei continua a dormire fino all'ultima inquadratura... ... Va be', finisce il film, io spengo il videoregistratore... Lei si sveglia proprio mentre io rimetto il vhs nella custodia e la guardo... lei si stiracchia, mi sorride... E io: "Piaciuto i' 'ffilm?"... Lei: "Sì, bellissimo"...»

Fabrizio a questo punto non sa se deve ridere o restare in silenzio e in attesa. Nel dubbio, un retrogusto di schiuma gli sale a pressione dall'esofago e gli esce dalle labbra sottoforma di minuscolo rutto.

«E allora...» Beve una sorsata lunga. «E allora io, per ridere insieme, mica per altro... Insisto... E le dico: "Ah, sì... ma a 'mme e' mi sembra ch'hai dormito tutto il tempo"... Qualcosa così. Ma sorridevo... non era... E lei invece, seria: anche lei... anche lei sapeva benissimo che stavamo scherzando ma teneva il... punto... Lei insiste, alzandosi a sedere sul letto... Era bellissima...»

Su questo Fabrizio *deve* dire qualcosa. «Posso capirlo», è tutto quello che gli viene.

«Continua a stiracchiarsi... Irrigidisce le gambe, e le punte dei piedi... Io sempre con questo vhs in mano... Continuo... "Allora raccontami la storia, dài... Dimmi di questo film, che succede?...", e mi siedo sul letto, accanto a lei ... Lei mette la testa nel cuscino, poi mi guarda... *Le*... Le scintillavano gli occhi, Fabrizio... Un po' il sonno, un po'... Una specie di— di splendore *nero* che le brillava dagli occhi come— come se quello fosse l'unico posto dell'universo in cui la luce accettava di *estinguersi*, e di... *spegnersi lì* dopo un ultimo fuoconero che continuava, e continuava... Tutte— tutte le luci dell'universo che si erano date appuntamento là e là dentro brillavano per l'ultima volta, non saprei spiegarlo meglio... ... ...»

Fabrizio si scopre invece a spiare l'arrivo dei tre giornalisti dello *Shinbone Star* nel pieno della veglia funebre per John Wayne. Ma non li vede. Pensa ai *quasi* quindici anni di Walter.

«... ... E lei mi guarda e mi fa: "Certo che l'ho visto... *Con* John Wayne"... E io allora mi ci diverto e le faccio: "E chi era John Wayne?"... ... Lei mi fissa, io lo capisco che ci sta pensando, che non ha la minima idea di quale sia il ruolo di John Wayne nel film... ... Perché s'è addormentata con Lee Marvin ancora mascherato e ha visto... Tom Doniphon solo quando ha bruciato la stanza... "Liberty Valance", mi dice... "John Wayne era Liberty Valance... Che rapinava e bruciava le case"».

Agli angoli degli occhi gli si crea un reticolo di pieguzze, mentre torna sul film senza aspettarsi nessuna replica da parte di Fabrizio. Beve. E il viso è una maschera inamovibile di serenità: un egungun della risolutezza. Dal film, Carleton Young, di lì a non molto condannato all'eternità iterata di dover ribadire una delle battute fondanti la storia del cinema, sembra incalzare il ricordo assonnato di Maddalena Ferreri.

«Chi *era* Tom Doniphon?», chiede il direttore dello *Shinbone Star* a un *sedutissimo* James Stewart. Le gambe di spilungone allargate e le mani in attesa di un qualche cenno da John Ford di cui non è rimasta traccia.

«E quindi, da lì in avanti...», Walter sorride: non c'è rimpianto, nelle sue parole: solo la luce del *presente* quando ci accompagna. «Non ha mai voluto rivedere il film... John Wayne era il rapinatore Liberty Valance e bruciava le case... ...» Finisce la coca cola. «E quindi io mi ritrovo con due versioni distinte e *reali* dell'*Uomo che uccise Liberty Valance*... ... E non mi riesce più di scegliere... ...»

Dalla finestra aperta; dalla conca buia e umida del fosso, arriva un guaito sordo che somiglia allo spalancarsi di una persiana dopo mesi di lontananza da casa.

# 10.
## 3 GENNAIO 2000

**Se è vero quello che pensa la Ronconi, mi sono mangiato mio fratello,**

dice Andrea alla coppia di iridi che lo guardano, a turno, dallo specchio. E che vorrebbe dire, allora, che un occhio è mio e che l'altro — si accorge dell'assurdità dell'èsito del *pensiero* distogliendo lo sguardo dal sé che s'è appena spaventato. Fa addirittura un cenno di no con la mano destra. Quando il pensiero gli continua in «e allora quale occhio è, quello azzurro o quello nero?»

Invece. Con calma. Amedeo e Bella – suo padre e sua madre è dire troppo al troppo, in questo momento – si sono seduti sul divano, uno accanto all'altro, dopocena, mezz'ora fa, trentacinque minuti fa, quello che è. E insieme – lui, Andrea, sulla seggiola nera della tavola ancora apparecchiata, ancora fa in tempo a ricordarsi le briciole di sciapo sparse sulla tovaglia, il bicchiere unto dalle manate del padre, in questo sì, perfettamente suo padre, una fetta di torta al cioccolato nel piatto, nonfinita – gli hanno raccontato, Amedeo e Bella (di concerto con la Ronconi della ASL, *eh*?... ci hanno tenuto a precisarlo, non è che loro accusano il figlio di cannibalismo prenatale così a cazzo, no no, proprio hanno voluto il placet della Ronconi, per *accusarlo*, la Ronconi che lui avrà visto tre, quattro volte in tutto negli ultimi dieci mesi) gli hanno appena raccontato che è molto probabile che i suoi sensi di colpa improvvisi, le sue smanie sempre... *sempree*... – Bella cercava l'innesco meno pericoloso per «scazzi incontrollati», ma non l'ha trovato – insomma tutta una serie di sintomi che ha riscontrato la Ronconi (*riscontrato* è di Amedeo, comunque pensieroso e distratto in modo differente da sua madre, in questo sì perfettamente sua madre, Bella), tutta una serie di sintomi che potrebbero farci pensare *aaaa*... (anche l'allungo stavolta è di Amedeo).

Insomma. «Succede». Poi tutta quella faccenda dell'uno su dieci, dei mille di Corsignano.

Il fatto vero è che lui, Andrea, potrebbe – potrebbe – essersi divorato il gemello di partenza nell'utero di sua madre.

Da qui – perché, ha spiegato la Ronconi ai suoi, «da un po' di anni l'attività psichica del feto è monitorata con attenzione» – la possibilità che Andrea viva «un parossismo di crisi adolescenziali a causa di un senso di colpa difficilmente identificabile ma presente a livello inconscio». Una cosa *naturale*, di cui – qui Bella ci ha tenuto a ribadirlo – Andrea non ha nessuna colpa.

Mentre i suoi gli parlavano, la sacher in punta di forchetta portata alla bocca, Andrea avrebbe voluto esplodere: «*Da chi*, eh? Da chi cazzo viene monitorata la psiche di uno stracazzo di feto?» Cos'è (nell'immaginazione non balbettava mai, *mai*), avrebbe voluto urlargli in faccia – in questo finendo con l'avvalorare le tesi della Ronconi e dei suoi, perciò s'è imposto di trattenersi – hanno preso un ovulo psichiatra e l'hanno iniettato negli uteri per fare qualche intervista ai gameti? Ma che cazzo dice, la Ronconi? Eh?

Non l'ha fatto, però. Non ha urlato. Ha solo fatto cenno di sì. Senza confermare né smentire le chiacchiere di contorno – e di conforto – che erano seguite per mezz'ora. Più o meno.

Solo che adesso, nella sua camera, perfettamente consapevole degli sguardi compiaciuti di Amedeo e di Bella nell'altra stanza; sguardi di genitori pazienti e partecipi che gli avrebbero fatto spaccare a calci la testiera del letto, solo a pensarci. Ora, Andrea. Riflette sul sogno che lo rincorre fin da quando ha memoria. Lui che si trova in una delle case della sua vita (questa in cui vive, quella di suo nonno il babbo di Amedeo, o la casa di Durante) e passa di stanza in stanza con un senso *capestro* di terrore. Ogni volta il sogno è lo stesso: lui sa di essere precipitato nel suo sogno ricorrente, sa che è così ma non ricorda, mai, qual è il sogno. Finché non lo trova. Finché non *si* trova, in realtà. Un sé stesso identico che lo guarda con occhi cattivi – questo è il tremore che gli viene sempre, da sveglio: sta tutto in quell'aggettivo lì, perché da sveglio si ricorda sempre qual è il sogno, la consapevolezza scompare solo mentre dorme, all'inizio – trova sé stesso e cerca di *uccidersi*, con quell'altro Andrea che gli viene addosso e cerca di ammazzarlo. E ogni volta si sveglia mentre fanno a pugni, senza mai – mai – sapere chi ha vinto, dei due.

Solo che. Ora. Per la prima volta dacché si sogna. Andrea si rende conto che l'altro sé stesso ha gli occhi cattivi e *azzurri*. Tutt'e due azzurri e luminosi e lucidi e *cattivi*. Come il riflesso sul ghiaccio del Nardile; appena prima che lo crepi in acqua il primo sole della primavera.

# 11.
## 15 AGOSTO 2000

Il rumore *sottile* che veniva dal cespuglio *gli* sembrò

prenderlo alla gola; un attacco sinestetico che lo costrinse a sbuffare via il fumo aerandolo via con un movimento disarticolato del polso.

Tirandosi su a sedere nell'ombra a chiazze del querceto la mano sinistra di Andrea abbassò il volume su «vivimos juntos un suave romance / que duró lo que dura una flor», lasciando afflosciare il fiore già appassito del tango che riempiva quel tratto nascosto di radura.

Ma la maglietta che uscì per prima dal cespuglio di rose selvatiche, insieme con il faccione inconfondibile e butterato di Durante – la fronte già altissima su una stempiatura a forma di cuore, quasi i suoi diciassette anni rimpiangessero con estremo anticipo un'adolescenza scapigliata mai esistita davvero – era quella, gialla, con su scritto in nero WOMEN'S WRESTLING CHAMPION OF THE WORLD. E la t-shirt, gli occhi castani leggermente cascanti agli angoli, la john-player special incastrata sulla piega sinistra del labbro, emerse dalle rose e dai ramicelli di spini accompagnandosi con uno sbuffo lamentoso e un fruscìo d'accompagnamento al ripiego sussurrato di Alberto Gomez «¿Y dónde estarás ahora / acordándote de mi?»

«Vogliamo far venire qua tutta Corsignano?»

Andrea sorrise rilassato e inspirò forte dalla canna, brillando di rosso tanto la punta dell'ultimo cartoccio quanto la linea rotonda delle narici beccate da un herpes simplex estivo.

«Mientras mi querer te llora / vuela mi emoción hasta ti...»

Durante si lasciò cadere di peso sul pagliericcio d'erba schiacciata accanto ad Andrea. Che si aggiustò meglio rilassandosi con la testa appiccicata alla corteccia resinosa del Pino del *Crucco*. L'unico, tra le querce. Lo sbuffo di fumo si sperse sùbito nel cielo ferragostano; amplificato da una manovra repentina del pollice destro – da 4 a 9 sul lettore dvd a pile – capace di invadere lo sterrato intorno con la struggenza sfibrata di «No puedo olvidar / horas que viví /en una isla de Capri...»

«Certo che cantare "Isla de Capri" al Boschetto è come suonare gli Stones al matrimonio della Lena e di Ottavio...», la considerazione di Durante fu tutt'uno con la manata sul braccio di Andrea e con il séguito innaturale dell'affermazione. «E basta *co* 'sta canna...»

Andrea respinse l'attacco su «ansias de vivir / dulce recordar / de gratas horas pasadas...» smaneggiando l'aria insieme con il dorso peloso della destra di Durante.

«È-è stato fa-atto...»

«Che cosa?»

«Suò-nare gli Stones al... al matrimonio della Lena...»

«Eh, ma mica era d'accordo, *lei...*», ridacchia. «S'è sbagliato Mauro a mettere il cd...»

«...»

«...... E poi che fine ha fatto Gardel...?»

Andrea schiaccia la canna con forza sul terriccio. Durante gli vede l'occhio azzurro scintillare, pietruzza dorata su pietruzza celeste.

«È meglio, Gardel...», finalmente Durante si toglie la sigaretta dalla bocca, rintuzza il filtro disperdendo il tocchetto di cenere.

«È meglio per te, a me fa ma-àle il doppio...», sull'attacco di «Noche de Abril», Andrea fa tornare indietro la traccia tre; e Alberto Gomez, rassegnato all'iterazione, riattacca comunque con lo stesso, malinconico entusiasmo «Yo tuve un amor / sueño embriagador / en una isla de Capri...»

«Oh Gesùccristo...... Sempre la Flavia?»

Andrea lo guarda come se *si fosse trattenuto* dal dire una bestemmia.

«Perché? Chi altro c'è?...» Per una volta, preso dalla nettezza della risposta, ritrovate le forze ritmiche più vere e lontane dal fastidio sincopato che lo devastava, Andrea replicò senza nessun intoppo. Alle volte succedeva, anche per minuti interi. Una volta per tutto un pomeriggio.

Durante sente arroventarsi la lingua con l'aspìro dell'ultima carta della cicca. La spegne infastidito nell'erba. Una famigliola di stoppie s'annerisce dal cespo di radici. Si allunga raccianfando la mano nella tasca dei jeans troppo stretti. Tira fuori il pacchetto nero-oro, schiacciato e sbilenco, delle jps. Arpiona l'accendino bic, sempre nero, frugando ancora con l'ultimo scatto delle dita. Poi si riaccende la sigaretta con due colpi incerti sulla rotellina.

«Ormai ste sigarette le fumate solo te e Giorgio dei Bruni, del negozio di vetri...»

«E la Rosalba...»

«Te, Giorgio e la Rosalba».

Durante succhiò una bella passata di fumo dalla sigaretta, quasi celebrasse la conferma. E annuì.

«Che poi "Isla di Capri" qui-i-a *a*al Boschetto va-a benìssimo...»

Durante alzò gli occhi sul Pino del Crucco.

«Certo proprio *qui qui*, diol*àe*...»

«Perché? Te ci credi?»

Le buchette da varicella sulla fronte di Durante raccolsero la luce del primo pomeriggio e sembrarono ad Andrea, per un momento, allagate da un'acqua giallognola e agitata.

«Dicono tutti che è stato qui, che Argante ha accoppato il tedesco... Anzi...», indica con la punta delle jps lo slargo tra le tre querce e gli Alberi della Strega. «Putacaso proprio laggiù, alla scesa prima degli alberi... e poi l'ha sepolto *cqua*...»

«E vabbe' e tutto di qui? Il rogo de-e-lla Pallina e l'ammazzàta di Argante...»

«E che ti devo dire... ... eccheppalle però sempre sto tango...»

Gomez, gorgheggio su gorgheggio, era appena tornato su «Labios de miel que besaron mis labios...»

«Lascia fare, vìa...», dice Andrea alla cartina che sta riempiendo di tabacco e degli ultimi sminuzzi di marijuana. «Un po'-o d'erba la-a vuoi?»

Durante soffia il fumo contro le rose. Poi alza gli occhi controluce: la cornice del pino e lo strattone di *cerqueto* gli riempiono i polmoni di una serenità ingiustificata.

«Sembri la mi' nonna quando mi chiede della *bieta*...»

Andrea sorride, lecca il bordo della canna, la osserva versocielo con l'occhio nero aperto e quello azzurro strizzato: come impugnasse *solo* un mirino di precisione di un qualche fucile invisibile puntato allo stomaco, di calcio. Gli sembra passabile.

«... Sarà il *pposhto*, che aiuta le *strhonzathe* o le *leggenh-de*...», Durante parla a boccapiena, la sigaretta di nuovo ben piantata labbro-labbro.

«Ché poi sono la stessa cosa. Dipe-énde solo da-*a* chi le racconta».

Durante rimarca un respiro contro il Pino.

«E però si potrebbe stare proprio sulla tomba del tedesco ammazzato da Argante a guerra chiusa. A smanettare che ne sai che ci trovi qua sotto?»

Andrea accende il rivolino di carta e tira a sé la prima bordata di erba.

«Qua sotto è pieno di ossa di cinghiali, come dappertutto...»

«E di ossa di lepri sfrante, di ovuli marciti, di porcini macerati e di puzzolentissime madonne di tartufo...», Durante smanaccia contro il fumo di Andrea, «e di marie giovanne del Ceppo...», poi inspira il suo, respira, «e di ossa d'*omo*: e che credi che non ce n'è?»

«Qui», ad Andrea sembra che una qualche illuminazione gli abbia presidiato la testa, forte della vampata di marijuana che gli sommerge le narici. «Sarà la stessa cosa anche questa. Dipende da chi le ha sotterrate — e *se*, le ha sotterrate...»

Sull'inerzia già trascorsa di «Noche de Abril», Andrea annulla il minuto e mezzo di nuovo tango per ritornare sulla traccia tre. E Gomez non sembra neppure stanco di ricominciare.

«Che resistenza, sta testa di cazzo, eh?», dice la parte più profonda di Durante ad Andrea. Che gira la mano libera dalla canna in un mulinello accondiscendente e poco lucido.

«Lascia che l'arte *fluisca in te...*»

«L'arte un paio di coglioni, Andrea... E quanto la vòi sona' sta smortìa...»

«Ma come?», Andrea si gratta *la maglietta grigia* contro la corteccia del Pino. I capelli cortissimi e dritti sulla testa sono pieni di rèsina; come la schiena: ma non sembra farci caso. Anzi, sul peso leggero della domanda ancora inconclusa chiude gli occhi e si gode il tremolio momentaneo del pianeta sotto il suo culo.

Se Dio si affacciasse per un attimo dal ciglio spumoso dei cirri in movimento, di là dall'orizzonte frastagliato di Monte Arlecchino, oltre a dare una gigantesca, improvvisa, luminosissima e incredibilmente *inquietante* prova della sua esistenza, vedrebbe con il suo sguardo acuto e onnicomprensivo due ragazzi – Durante Salvani e Andrea Bui: in questo ferragosto di finesecolo, calcolando la giunta bisestile, rispettivamente di diciassette anni, otto mesi e ventiquattro giorni il primo: moro, quasicalvo, punteggiato dall'acne e dalla varicella come fossero battesimi epidermici di ogni suo picco nevrotico e umorale; a tre giorni dai suoi quattordici anni il secondo: i capelli castano chiari tracciati di rèsina, a spazzola, un'eterocromia delle iridi congenita che gli conferisce, da sempre, un'idea stevensoniana di doppiezza al tempo stesso solare e preoccupante; apparentati entrambi da una cuginanza prima e carnale: perché il padre del primo e la madre del secondo sono fratelli, Salvani entrambi: Alighiero e Bella, rispettivamente: tutt'e due portatori di quei cromosomi comuni che hanno, *però*, regalato a Durante una vita di inadeguatezze e di amori sfioriti sul nascere; di desideri appagati solo in virtù di una certa, *sciarmante* simpatia nera e disperata in grado di supplire alle mancanze innegabili (eppure affascinanti, ricordiàmolo) del fisico; e ad Andrea, *invece*, un carisma involontario di sovrana imperfezione (il naso troppo largo e schiacciato, l'attaccatura asimmetrica dei capelli, un eccesso di magrezza *costante* alternata a periodi di imbolsimento spurio che, al primo impatto, lasciano disorientati e con un senso vago di malattia leggera in agguato) che però, fuso e anzi sottolineato dalla meraviglia cangiante degli occhi, rende il secondo tra i due del *blocco* Salvani (mica vorremo appellarci alla banalità nominale del cognome paterno, per sottolineare la tirannìa inarrivabile della biologia?) assolutamente sereno; e disposto all'esistenza e all'amore con la gratuità solare del suo genio (perché di questo anche, si tratta, nel caso di Andrea) ancora inappagato e fuorimira; e della leggerezza smemorata e colpevole (perché incomprensibile a chi càpita come un *presente* fortuito) della propria bellezza negli anni – *li vedrebbe*, questo Dio incerto sulla soglia, in una tacca precisa del tempo; in un secondo di consapevolezza estrema che in qualche modo li riguarda ma di cui non hanno nessuna coscienza.

Ché se fosse così facile, capire che i momenti cruciali ci s'inchiodano addosso: se fosse così semplice farlo da soli, senza dover aspettare gli anni e i mesi a venire, fino a una parvenza di brillìo appena prima di capirlo e poi dimenticarlo per sempre, fino a dimenticarsi *anche* di sé: allora non servirebbe neppure questo Dio raccogliticcio che immaginiamo sul bordo dell'infinito, quasi fosse un inquilino del piano di sopra cui s'è smurato il soffitto.

E infatti Dio non s'appalesa – nemmeno questo Dio di seconda vista – e i cirri continuano il loro movimento inerziale fatto di spruzzi piumati e di pioggia. Qualcosa s'è incrinato, da qualche parte di qua e di là dalla Via Lattea. Su 30 Arietis B, nel cuore muto della costellazione dell'Ariete, a centotrentatré anni luce dal sistema solare – mese luce più, mese luce meno – un brandello di fotone tra gli altri viene riconosciuto dal suo fotone gemello, anche lui dilavato da un *accechìo* improvviso di luce da fuori, una cascata di luce da Kepler-86 che si svilisce in un brillìo ormai sfocato e però a due passi dal Cigno, a milleseicentosessantasette anni luce da quell'agnizione distantissima e contemporanea. (Giorni-luce bisestili a parte). Nel centroscuro dell'Universo, il corrispettivo *enormemente più largo* della substantia nigra di Sömmering, le galassie ancora bambine, a due miliardesimi di secondi dal Grande Botto, sembrano possedere (per un decimo di miliardesimo di secondo) un loro barlume minerale fatto di interrogativi e carbonio in polvere cosmica; ma è solo un cenno di tosse entropica che si avvòltola nel freddo *iniziale* del primo scoppio di luce nel buio. Su Shaula, la stella più luminosa tra i brillanti della coda dello Scorpione, un'esplosione termonucleare avvizzisce in un rosso *invedibile* a forma di amanita. Un fruscìo inascoltabile, le verruche laminate della luce che la ingozzano di splendore. Poi più niente.

E noi che dèi non siamo, ma solo esseri umani a cui è testardamente caro essere umani, ci accorgiamo che il momento cruciale di cui né Durante Salvani né Andrea Bui, cugini primi divisi da differenti effetti chimici su base metabolica *abbastanza* simile, sdraiati a fumare nel sole dell'ultima estate del xx secolo, il momento – di là dalle pause imperscrutabili di cui potrebbe avvantaggiarsi l'universo ogni volta che *si* riflette *su di sé* – del quale non avranno mai contezza o ricordo è solo la continuazione di una domanda dopo un respiro di felicità controsole.

«Ma come...?», ripete Andrea sottolineando l'impastatura della voce. «Prima vu-*oo*i che andiamo a lezione di tango pé-*pe*rché dici che *ci sarà u*-utile col tempo a rì-morchiare... E poi rompi—», sorride, chiude la bocca assecondando un rictus minimo da erba, «rompi i coglioni se ascoltiamo Alberto Gomez...»

Durante gesticola a colpi di palmo contro le bizzarrìe trigonometriche di un moscone. Si strappa il filtro di bocca con un rumore inevitabile di pelle lacerata.

«Emmadonna diddìo, Andrea... perché? Tu vedi gente che ci insegna a ballare il tango, in questo merdosissimo, schifosissimo Boschetto del cazzo?»

Alberto Gomez ripete a controcanto e – in un barbaglio infinitesimale e semiconsapevole a Durante sembra che lo stia pigliando per il culo – «y en la emoción de sus besos tan sabios / desglosaba mi alma un cantar...»

«Guarda che tu lo schifi tanto, il-*iil* Boschetto. Ma "Isla di Capri" è adattissima, te l'ho d-*detto*...»

Durante ripete il rito ossessivo e mortale della terza sigaretta di fila. Due filtri a filodoro schiacciato accanto a lui, nell'erba. L'accende, la punta svampa in una scartocciata scura che dà fuoco a una strecciolina malpressata di tabacco.

«Adattissima una sega, Andrea...»

«... ... "Isla di Capri". Capri... Lo sai che viene da kàpros? Dal greco...»

«E' *h*tte che ne *ss*ai del *gh*reco?», l'interruzione è un colpo di fucile a jps armata.

Andrea inspira e sorride, intontito. «Più di te, mi sa...»

Durante reagisce controvoglia alla verità delle sue pochezze scolastiche e al suo *secondo* seconda Liceo. Al Luigi Chiarini di Corsignano. Lo stesso dove Andrea comincerà il ginnasio, di lì a un mese. Settimana più, settimana meno.

«Oooh, abbiamo il giovane leopardino del Ceppo... È nobiliàre che lo puoi aggiungere al cognome o vale solo se torna la crociaccia di casa Savoia?...»

«M'ha dato ripetizioni la Ferreri. La Maddalena Ferreri, l'anno scorso in terza...»

Durante pare immediatamente interessato.

«Ma la Ferreri quella della storia con Walter?»

Andrea si ripiglia dallo stordimento. Si fa serio come può essere serio un ragazzino di tredici anni, undici mesi e ventotto giorni che già si fa le canne e studia il greco antico da sé.

«Ma pe-*per*ché, tu ci credi anche te?»

«Non è che ci credo. Io lo so».

«... Sai una sega, tu, di Wa-*a*lter e della Ma-*aa*ddalena Ferreri».

«Io lo so perché conosco bene Walter».

«...»

«... E te lo sai».

L'*eh-wah eh-wah eh-wah eh-wah* di un fagiano, mezzo chilometro a monte, sottolinea «en un beso un cantar» quasi fosse la traduzione dimorfica del singhiozzo di Gomez.

«Ora Walter si può esse' inventato tutto il cazzo che vòle lui... ... Ché è se-*em*pre il figlio di q-*cu*uel co-*o*glione di Salvo, non ce lo dimentichiamo...»

«Dài, Andrea... Ora perché la Maddalena t'è simpatica, ma la storia c'è stata, fìdati... ... Pensa al casino del funerale dell'Agnese...»

Andrea si scosta dal tronco con un *ffr-atth* di resina sul cotone che si fonde con «Noche de Abril»; ormai avanzata di un buon mezzo minuto sulle ceneri della distrazione iterativa di Andrea.

«Il trojajo al funerale dell'Agnese l'hanno fatto l'A-*an*tonia e quelle altre co*h-co*mari del cazzo quando—»

«*Sta' zitto*o... Ché l'Antonia è una di quelle che ha addomesticato, invece... L'Argìla, dirài; e la Norma dei Rosignoli...»

«Eh, sai che bella congrega di cadaveri. Al cimitero. Tre megere. Hanno fatto scopa...»

«Ridài con l'Antonia...»

«E vabbe', l'Antonia no. Ma ioo... Fu-*u*nerale o non funerale, e' no-*o*n ci credo... il casino è nato dopo perché è successa tu-*uu*-tta *quew-quella* cagna-*a*ra del *cin-inghiàle*...»

«Oh, 'ssenti. Ma a 'mme chemme ne frega poi se la Ferreri è stata o no con Walter. E' son cazzi loro...»

Andrea, però, non è così possibilista. Lo si vede – lo si vedrebbe, se ci fosse qualcun altro a guardargli le ruzze dell'occhio azzurro, la cupezza dell'occhio nero; non necessariamente Dio: basterebbe qualcuno che non fosse Durante – lo si vede chiaramente che Andrea è turbato.

«E insomma, *appunto*, cazzo "Isla de Capri" va bene, *giùpperdiquì*» – e intanto però anche «Noche de Abril» è finita e il cd è scivolato di soppiatto nella traccia cinque, «Ahora no me conoces» – «... perché Capri vie-*e*ne da kàpros...»

«E 'ssai quante capre ci saranno, nel mondo... ... mica solo qui...»

«*Kàpros* in greco significa "cinghiale"... *Cinghiale*... ... Ma certo tu sei quello che traduce dal latino capillae con capelli... *Quelle*, erano "capre"... ... *cinghiale*...»

Uno sparo di luce s'immerge nelle tenebre eterne del Canopo Fosco di Amerigo Vespucci, la Nebulosa Sacco di Carbone: la zona nera del cielo dove sembra s'imbrùnino tutte le avvisaglie luminose della Croce del Sud. Dal Sole parte una scintilla millesimale che impiegherà otto minuti e trentatré secondi (millesimo di secondo in più; millesimo di secondo in meno) per beccare Durante proprio nel centro esatto della sua ferita butterata più temuta dallo specchio: quella alla radice del naso, nella tundra microscopica tra le sopracciglia. Otto virgola trentatré; per decenni l'orario della terza campanella nelle scuole del mondo occidentale; nel Vangelo di Matteo il verso in cui i mandriani fuggono, entrano in città e raccontano il *fatto* dei porci indemoniati, precipitati – loro sì, inconsapevoli e purissimi – dalle foie dittatoriali del Figlio con il loro carico indesiderato di dèmoni da tre soldi.

Il tempo che – nell'improbabile, cosmico svantaggio di un improvviso spegnimento del Sole – ci vorrebbe all'umanità, tutta, a tutta la vita abbarbicata per milioni di anni alle gonne larghe di questo pianeta ridicolo e materno, per ritrovarsi improvvisamente, e senzaritorno – otto minuti; e trentatré secondi – nel cuore freddo e metallico dell'Universo al buio.

Nel Vangelo di Marco, il momento in cui anche Gesù Cristo s'incazza della stupidità di Pietro e lo chiama Satàn. Nemico. «Lungi da me», il corrispettivo aramaico e corroborante di un vaffanculo. Otto virgola trentatré. Nel libro ottavo dell'*Eneide*, al verso trentatré, si parla della foce del Fiume; di «uccelli abituati alle rive, e al suo àlveo»: il porto e il riparo per un universo lungo e spigoloso quanto l'*intero* Occidente. Gli stessi uccelli che ora s'accalcano sulle rive del Nardile, più a valle; solo invecchiati di specie in specie, la memoria animale e protettiva che s'è rinsaldata a ogni richiamo, al passaggio strenuo di tutti gli inverni; fino nel gesto yeatsiano, e colorato, del loro inarcarsi e volare. Nell'*Odissea*, Alcìnoo ricorda che nessuno straniero, *Nessuno* che sia giunto il verso precedente a casa sua, nella sua terra, resterà a lungo a piatìre un aiuto e una compagnia. Odisseo tra i Feaci, una parvenza di casa, un'accoglienza luminosa nell'Egeo notturno del rientro, l'alto mare aperto della giovinezza perduta; un mezzo *nóstos* necessario quanto un'ubriacatura e però, alla fine, gradito al Nettuno dei Greci come una ragade anale nella coda squamata del suo Cocchio. Otto minuti. Trentatré secondi. Nel Vangelo di Luca il riepilogo *antescritto* della meraviglia spietata e crudele dei porci, di nuovo. La legione che esce dall'uomo ed entra in loro, nel branco: e solo il cuore atterrito di chi ha troppo sofferto, o quello, impatteggiabile, del figliolo hippie di Jahvé nell'esercizio intrattabile delle sue funzioni di dio *possono non* piegarsi a un inchino di dolore nei confronti di questa fuga a precipizio sciagurata. Nell'innaturalità sciamanica, e sprecona, di un intero branco *doppio* di prosciutti e di meravigliosi zamponi e di lonze e di capocolli lasciati a lessare e a marcire al caldo insopportabile del deserto, una volta affogati nella broda di uno stagno biblico e salato. Nel Vangelo secondo Giovanni, nell'arzigogolìo fumoso e splendido delle sue menzogne sontuose – perché affastellate nell'oro imprescindibile dell'arte, e della rifinitura, nei fasti bastardi di tutte le tradizioni votate *ad unam*; menzogne: perché a guardare bene la Torah era già bastante per spiegare tutti gli evangeli; e però in linea esatta con la Torah s'è aggiunta parola a parola fino all'asso pigliatutto di Saul, e la Luce di Damasco. Un colpo di Luce partito otto minuti e trentatré secondi prima e che l'ha trovato a cavallo, nella leggenda, e d'un tratto ha permesso che un popolo si snaturasse in promesse solo garantendo un risparmio incontrollato di prepuzi. In Giovanni, proprio nel centro scuro delle menzogne, il Figlio parla di verità che renderà liberi ascoltata e *contrariata* dai suoi stessi discepoli. Che forse erano troppo pavidi per vedere – e accettare – che già da quel versetto in poi il Figliolo teneva le dita incrociate. *Otto. Trentatré.* Millesimo di secondo in più o in meno; grafema segnato o pensato in meno, o in più. Otto. Trentatré. Tic-*tc.* Tìc-tàc-tóc. Il rumore delle gocce di Luce sulla grondaia del Tempo.

In quegli otto secondi e trentatré che partono di scatto nel momento in cui Andrea ripete *cinghiale*, Apperbohr s'è *appena* avvicinato ancora di più al crocchio di alberi che lo nascondono allo sguardo degli Alti sulle Zampe. È da un po' che girella e zampetta torno torno la collina. Da quando il primo degli Alti sulle Zampe, quello che ha un sasso che fa suono, ha cominciato a fare nuvole e vento dalla bocca e ha – Apperbohr non riesce a trovare bene la parola che valga tanto per lui quanto per la nuova lingua degli Alti sulle Zampe *da quando* ha preso a *intenderla* – *ripetuto*, potrebbe essere la parola, il suono, la volta dell'albero sulla collina dietrosole, la volta dei massi a ciglio del Nardile, la volta delle creste a balza alle falde mezzane del monte Arlecchino, lo chiamano gli Alti sulle Zampe, *ora lui lo sa perché li ha sentiti*, e le volte del suono – *musica*, si chiama: e lui lo sa perché *li ha capiti* – sono *uno* e *due* e *tre*: *uno* come l'albero che chiamano il Pino del Crucco e *due* come *i due massi* sempre sul punto di cadere a valle, sul torrione naturale dietro la — *diga*, la parola è *diga*. E le balze mezzane dell'Arlecchino sono tre. E l'Alto sulle Zampe che il verso dell'altro, quando è arrivato, ha sempre chiamato Andrea, ha continuato il suono che gli Alti sulle Zampe chiamano musica, e quella musica gli ha fermato, per un attimo, per un istante lunghissimo e però — *calcolabile*, la parola che ha raccolto durante la passata della mattina presto lungo le vie del paese. Di Corsignano. Gli uomini, quelli che Cinghiarossa chiamerebbe uomini e Apperbohr pensa Alti sulle Zampe, chiamano la Terra Su Piena di Sassi *Corsignano*. E i *rvrrn* come Lui, che gli Alti sulle Zampe chiamano *cinghiali*, la parola che l'Alto sulle Zampe che *si chiama* Andrea ha detto e che lo rende *nervoso*, e *impaziente*: *broarr*, e *mù-fimm*. E che lo sta attirando verso di loro, verso la musica: e ora Lui *sa* che nella musica ci sono *altre* parole degli Alti sulle Zampe che Lui non capisce, perché non sono gli stessi suoni degli Alti sulle Zampe che chiamano Corsignano la Terra Su Piena di Sassi. Questo Lui lo sa, e trattiene i grugniti. Ora che la musica e l'altralingua sono cambiate. Ha sentito *cinghiale* e s'è avvicinato.

Da quando l'Alto sulle Zampe nel sasso luminoso ha detto *Ripènsaci, amico. Ripènsaci.* In quel momento nel tempo, è stato come se tutto quello che aveva sentito dire dagli Alti sulle Zampe fino ad allora si fosse— *rinsaldato, stretto, legato, aggrappato,* il mondo gli è diventato una litanìa di sinonimi, anche se di quest'ultima parola ha solo una sensazione di tepore caldo che non gli spiega nulla: quando l'Alto sulle Zampe ha *bruciato* il— *quella stessa cosa* che *Andrea* e *l'altro*— Durante, ora continuano a *usare per mandare fumo nel*— Hawwn... Cielo. La parola è cielo. Terra. E cielo. Quando s'affatica, da quando s'affatica, alle volte la lingua degli Alti sulle Zampe gli si compone sottoforma della lingua prima dei *rvrrn* come Lui. Da quando l'Alto sulle Zampe ha detto *Ripènsaci, amico.* È cambiato tutto. E ora lui deve capire. Per questo trattiene i grugniti e conta— questa è la parola, conta, i respiri. Geloso, e segreto; dietro il muro di pruni all'inizio del Boschetto.

«Ma che fai? Usi i motivi delle bocciature mie per trattarmi da coglione?»

Andrea si alza in piedi; «Ahora no me conoces» svetta nel languore di «Aunque dejés mi alma trunca, / no podrás olvidar nunca / lo de nuestra juventud...»

«*Kàpros* è cinghiale. Capri. L'isola dei Cinghiali. Più Isola dei Cinghiali del Boschetto prima dell'*Entrata*...»

Durante schiaccia il terzo filtro accanto ai cadaveri raggricciati degli altri due. *Starebbe* per prendere la quarta jps di fila quando un Andrea barcollante gli ferma il gomito.

«Eddài, aspetta un po'...»

Durante lo guarda dal *basso* stempiato dei suoi *comunque* quasi diciott'anni.

«Ma tu vuoi davvero che dico a zio Amedeo che ti bombi a manetta...»

Andrea respira e ride, non necessariamente in questo rapporto di causa ed effetto.

«Tu *d*-dìglielo così. Ché così pensa che-*che* mi ammazzo di seghe».

«Ecco. Glielo dico così. Che ti ammazzi di seghe. E che ti bombi a manetta. Vedrai che capisce la differenza...»

«Lascia *s-tà*... Che *s-sei* te quello che la vecchia An-*tonia* dice che*e* la notte f-*fai* co-*co*me i' pporo Frediano...»

Durante non replica. Se l'aspettava, questo bel risultato dell'incontro con la vecchia Antonia, fuori dal cappànno dei Sereni. «Poi uno *dice*...», fa ad Andrea. «Lo vedi che ho ragione, quando le cose me le sento?...»

Durante e suo cugino condividevano la convinzione che, tra i tanti futuri plausibili mentre si inverano, ci siano sempre dei canali incerti – canali di compensazione, li chiamava Durante – delle fasi di passaggio condizionate da movimenti, piccole scelte, cadenze o intuizioni che ce lo fanno quantomeno intuire, quel futuro preciso che ci prevede tra gli altri.

«Ero a caccia, madonnadiddìo...»

«Dammi una si-garetta, va'...», gli dice Andrea.

Durante si accorge che gli ha permesso ben due canne – lui che si rifiuta di bombarsi perché vede lo spettro scuro e commendatoresco del su' póro babbo Alighiero; e le premure della su' mamma, Bice, che se lo sapesse che i' 'ssu figliolo e' si tira le canne e' prima ne morirebbe e poi gli romperebbe, bello quasi maggiorenne che 'llui è, il ransagnolo sul filo della schiena; non fuma né hashish né marijuana ma in compenso si concede il privilegio polmonare di tutto il tabacco pressato che riesce a procurarsi: questo senza scompensi da parte di sua madre Bice né scalmàne notturne dello spettro inquieto del póro Alighiero, morto poco prima dei trent'anni per la banalità irrintracciata di un infarto – due canne, pensa Durante: senza rinfacciargli da sùbito la sconsideratezza di essere un drogato già prima dei quattordici anni e del ginnasio. Solo un paio di rimbrotti blandi fino a *qui*.

«E cche c'è, allora? No-on te n'eri accorto...»

Durante fa per mettere mano al pacchetto di john player special, poi ci ripensa.

«Sono stato dalla Stefania, all'Agenzia quella che cià a Torracchio...»

«Ebbe'?»

«Troppo. Costa troppo. Non è solo il viaggio a Dublino: anche se vado in ostello costa troppo...»

«... E 'cche fai, ci rinùnci?»

Durante si alza in piedi anche lui mentre si strofina via il fastidio con la paglia secca sui jeans. «Non è rinunciarci», dice, «è che non ci dovevo nemmeno pensare, con *du-gent*cinq*h*uantamila lire in tutto...»

Andrea raccoglie la bustina con il tabacco e la sacchettina con l'erba. *Finalmente* si rende conto e spegne la voce tremolante di Gomez – le oscillazioni *ottonate* dei settantotto giri – sulla delusione sdegnata di «Yo no sé cómo podés fingir / este asombro in mi presencia».

All'inizio della radura, Apperbohr sente un peso nello stomaco, ora che l'Alto sulle Zampe chiamato Andrea ha spento il sasso che manda la musica; e però continua a spiarne i movimenti riparato dalle ombre del Boschetto, a cinquanta metri da dove Argante Magnini ha ucciso a roncolate l'ultima ss rimasta in paese dopo il passaggio della Val d'Orcia, nel quarantaquattro, un nazista poco più che ventenne che gli aveva stuprato la figlia e poi s'era addormentato imballato di vino rosso: ché gli aveva bevuto anche tutte le bottiglie di sangiovese da conserva dell'anno prima; e Argante l'aveva visto addormentato, sdraiato sull'erba appena sul lìmite del cerqueto. A cinquanta metri da Apperbohr. Quarantasei anni prima. E gli s'era avvicinato, mentre russava come un *omo incinto*, aveva raccontato Argante al vecchio Stirner e all'Osvaldo, il nonno di Walter Malpighi e il babbo dell'Agnese — «Russava, quel tocco di merda». E allora Argante, prima che il nazista riprendesse conoscenza, l'aveva girato bene sulla schiena e poi gli aveva dato due roncolate, in fila. Nel mezzo della fronte. «L'osso ha fatto *schiocche* e la roncola mi s'è fermata proprio sull'osso...», aveva raccontato ancora sotto choc a Stirner e all'Osvaldo – *Galoppo*, negl'incanti partigiani – che allora era uno dei capi dei gap della Val d'Orcia e della Val di Chiana, *su*, fino *su su* a tutto mezzo Trasimeno; e poi di là fino a Piancaldo e di qua da Torracchio e da Taverne di San Biagio. «E allora per esse' sicuro ch'era morto, gli ho ridato un'*altra* roncolata. E un altro *schiocche*... Epperò la roncola e' 'un m'è venuta più via e ho dovuto lasciargliela costaggiù tutt'incastrata, madonna pesta, ché 'un veniva via... E l'ho seppellito così, sotto i' 'Ppino grande del Boschetto, a cento metri dall'Alberi della Pallina...», proprio dove ora Durante e Andrea stanno parlando di Irlanda e di Dublino: mentre a cento metri ancora aleggia, sperduto e solo, il fantasma del rogo di Annina Bandini, detta Pallina, bruciata come strega e «donna del demonio *affatturata* e *affatturante*» il 13 di novembre del 1786. Diciassette giorni prima che il Granduca Leopoldo, Signore *illuminato* di queste stesse terre che ora Apperbohr, o Cinghiarossa – così lo chiamerebbero gli Alti sulle Zampe, se soltanto qualcuno potesse spiegarglielo – percorre a balzelli e a corse dubbiose a bosco a bosco –diciassette giorni prima del decreto con cui uno Stato, per la prima volta in Europa e quindi nel mondo, ratificava la fine della pena capitale. E ancora s'aggirava, più che giustamente risentita, la larva senzapace della bellissima Annina; incazzata tanto nelle notti di luna manca quanto nei giorni assolati – ché in paese, negli ultimi due secoli, l'avevano vista e parecchio: talmente inviperita coi corsignanesi e con i vivi in generale da seccare i coglioni agli uomini che passando continuavano, pure da morta, a guardarla con lo stesso desiderio che l'aveva fregata *più di cent'anni prima*; e – qui sta il bello – a far godere all'improvviso le donne: una fiammata *a venire* che le prendeva senza farsi annunciare dal punto piùcheperfetto della clitoride – a far legna la mattina presto, con le ceste a lavare i panni al Nardile – e le avvolgeva. «Le fiamme del paradiso: ché inferno certo solo gliòmini col cervello piccolo *quanto i' rresto* 'e potrebbero mentovarlo...», aveva raccontato la Gaetana dei Mommi di Budo, ché aveva visto la Pallina, la strega bambina che regalava orgasmi contadini con quasi cent'anni d'anticipo sui sacrosanti roghi dei reggiseni; e di certo n'era rimasta talmente *scottata* da tornare, e ritornare – giustamente – quasi tutte le mattine della sua vita a venire confidando nel ritorno (anche svelto, e senza sguardi d'amore o di complicità) dell'apparizione. «E' nun è per di'...», confidò a un dipresso dalla Madonna Nera la Gaetana alla Diana, la mamma della vecchia Antonia. «E col mi' marito qualcosa c'era stato, porànima... Ma la vampata della Pallina, Diana Mia...», e qui muoveva le mani in circolo, salva da qualsiasi malizia, «... e' se 'un ve lo dicessi e' finirei sì all'inferno davvéro...»

Durante si stiracchia ostentatamente, allargando la w di women's sulle fosse lontanissime delle costole.

«E' ci sono cose che senzasoldi non si possono fare. Punto».

Andrea fa una cosa che spiazza Durante. Si china e abbassa lo stereo a 1 mentre dice a sé stesso: «Qué-sto sempre...»

Durante si accende l'ennesima jps. Ormai ha perso il conto anche lui; non vuole nemmeno abbassare lo sguardo e costringersi a pensare al numero di sigarette che fuma ogni giorno. Abberbohr, invisibile, si accosta al cespuglio che conclude la corona più esterna dello spineto a ridosso degli Alberi della Strega.

«Ora te la faccio io, la citazione. *Aristodamo*. Quando dice che "l'uomo è denaro"...», e sorride.

Andrea lo guarda; stringe la mano destra – il pollice il lato più corto della *L* rovesciata – *contro* il muscolo tensore che gli sta urlando da qualche minuto un principio di fastidio e di pizzicore che, inevitabilmente, si trasformerà in una momentanea, semelica zoppìa. Con la sorpresa di chi vedesse il prete mettersi a fare giochi di prestigio al momento della consacrazione dell'ostia – «*ecco qui*, ora c'è... ora non c'è più... *transustanziàta*...»: «Don Sebastiano, è nella manica destra, si vede benissimo...» – Andrea risponde prima a sé stesso. «Ma non è— *Aristodamo......* È Alceo...»

Durante lo guarda con lo stesso imbarazzo del sacerdote costretto a restituire l'ostia sottratta al calice («Vabbe'... Non era transustanziazione *transustanzazione*... Ma conta i' 'ppensiero, no?...»).

«... "Così infatti raccontano di Aristodamo a Sparta"», recita Andrea a Durante. «"Di quando disse che 'l'uomo è denaro'... / ché infatti è giusta e buona massima, sulla carta, / visto che un povero all'onore è poco caro". È una di quelle che ho *tradotto*...»

Durante succhia dalla sigaretta nella speranza inconsapevole di inghiottire la carta senza passare dal rogo. «Eccheccrìsto, Andrea... ... Tu sei *veramente* sprecato qui a Corsignano... *Veramente*... ... Anzi... Non solo a Corsignano...»

Ad Andrea, già pronto a un gesto minimo del braccio per sedare lo stupore di Durante, viene da ridere.

«E... Do-*ove* do-*ddovrei* andare, seco-ondo te...?»

Il sorriso di Durante risponde *Irlanda*.

«Che è la-*la* provincia della provincia d'Europa... Se-*sse* ne sono andati via tutti, dall'Irlanda...»

«E poi l'hanno rimpianta. Tutti».

«... ... Perché da-*da lontano* la Provincia la-*la ricordi* solo nelle cose più b-*belle*... Co-*ome* gli amori finiti...»

«O i morti... ... ... ... Ma 'icche cazzo ne sai tu degli amori finiti, Andrea?... ...»

«Ma che ne sai tu dei mo-*orti*... ...» E si accorge che – con tutto il suo ancora inaccettato genio compositivo – è sempre, comunque, un *coglioncello* di meno di quattordici anni. Che si fa le canne e le seghe; non necessariamente in quest'ordine.

«*Scu*-usa...»

«... ...» Durante schiaccia la jps a terra con la punta dell'adisas biancoblù. «E di che?... ... Qui tanto... A Corsignano è come nei racconti di Sherwood Anderson... È una Spoon River dei vivi...»

E visto che è un coglioncello chiacchierone, però, il pensiero lo travàlica mentre tira su la sacchetta verde dello zaino, e ci ficca dentro lo stereo ancora *acceso*. «Durante... Corsignano è una Spoon River *dei morti*... ... È que-*esto* i' 'ffatto... ...»

Un trattore e un cane, di là dalla spianata di granturco a ridosso della Diga, si mettono in competizione per capire chi riuscirà a fare più rumore. Nel primo pomeriggio di ferragosto. Apperbohr *fiuta* l'abbàio dell'awgr e si costringe a un grugnito *a forma di foschia*. C'è qualcosa che immediatamente non gli torna, nell'impressione. Ma non fa in tempo a capire cos'è.

«... Autòs d'exéfugon tanàtu tèlos... *Ma* sono sfuggito al confine della morte...», Durante lo dice e sorride soddisfatto. «Questa l'ho detta bene... ...»

Andrea annuisce. Neanche lui saprebbe dire se perché è d'accordo con il verso di Archiloco o con suo cugino Durante.

Se Dio si affacciasse in questo momento, probabilmente dalla nebbia delle nuvole si porterebbe con sé le anime più trascurate del mezzoparadiso dove staziona quando è giù di morale.

«C'è che alle volte mi sembra che siamo tutti morti e inutili, Andrea...» Mentre s'incamminano per lo stradello di là dal Pino del Crucco, Durante non pensa che si sta accendendo un'altra sigaretta. Andrea non glielo fa notare più: sa che non servirebbe a frenarlo, ormai. «Davvero... a chi interessa Winesburg, la Provincia... Corsignano. Tutte le Corsignano del mondo non interesseranno più nemmeno a tutti i corsignanesi del mondo... E in ogni piccola patria del cazzo senza più un centro di qualsiasi tipo cui rivolgersi... tutti si sentiranno in diritto di fissare le regole in modo provinciale...»

«Tu Coohrsigna-àno la pensi femminile?»

Durante sbuffa via il fumo e non gli risponde. Mentre attraversano il varco nello spineto – a cinquanta metri dallo stradello da dove è arrivato Durante, a un centinaio da dove è nascosto Apperbohr – Apperbohr si muove verso destra di cinque, sei zampettate laterali. Laterale è una parola nuova per lui: ancora non saprebbe definirsi a cosa serve; anche se la usa già.

«Sta cambiando tutto, Andrea... E noi rimaniamo qui, schiacciati, come la maggior parte d'Italia... finché magari ritornerà un momento, io questo lo so, in cui il luogo conterà meno di zero; saranno solo i soldi, e le enclavi di ritorno nelle grandi città. Bisognerà solo seguire i soldi...»

«E perché. Coh-cosa c'è di nuovo, in questo?»

«Il problema è che ricomincerà a non esserci niente di nuovo...»

È di solito in questo punto dell'Eterno Ritorno che – tutte le volte, a ogni contrazione – l'intero mezzoparadiso si complimenta con Lui per le scintille geniali dell'Ecclesiaste.

«Siamo in mezzo a due ere...», conferma Andrea. «*En mesò toòn duò Zòon*... "A metà strada tra due ere diverse del tempo"... ...»

«Ma *zoòn* "animale" di che?»

«Zòe *vita*, non animale... ...»

Durante, con tutto lo sforzo, non conosce abbastanza il greco antico per capire la congruenza tra le declinazioni. È uno dei motivi per cui non riesce quasi mai a tradurre per bene.

«Lo sai», gli dice Andrea, «che è lo stesso errore che ha fatto Girolamo nella Vulgata? ... Quando ha tradotto la Bibbia... A un certo momento ha trovato che Gesù... Yehoshua... era nato en mesò toòn duò Zòon... "proprio nel mezzo tra due ere"... E però lui ha capito zoòn animale, non vita e tempo. E così ha tradotto che era nato tra due animali... ... Poi mèttici la mangiatoia, le stalle, gli animali che ci possono stare... ... Ché certo Gesù bambino tra un leone di montagna e un lupo grigio, fiato caldo o non fiato caldo, non sarebbe stato poi così tranquillo ... E vài con il bue l'asinello e il presepio... ...»

«Andrea», l'ultima boccata. «Guarda che non è sempre un bene sapere tutto. Io lo dico per te».

«Ma i-io mica so tu-utto...»

«Hai ragione». Schiaccia il filtro fumante, affossandolo nella polvere bianca dello stradello. «Ho sbagliato io. Tu non sai tutto. *Sai troppo*».

**Affiancato da un lacchè qualsiasi e da un Lee Van Cleef**

più giovane ma già abbastanza cattivo, Liberty Valance sta spiegando a frustate a James Stewart la legge del West.

Walter sgranocchia le ultime patatine nel piatto, fissandole come se volesse concedergli una chance. È un momento tra gli altri in cui Fabrizio sta cercando a forza le parole esatte da dirgli. Lo guarda, la bocca semichiusa pronta a spezzare l'aritmìa delle grandi pause. Ma poi si ferma. Walter, sempre gli occhi fissi sulle briciole di sale, gli *risponde* senza guardarlo.

«Meglio certi silenzi, alle volte». Lo guarda. «Mica sarà che mi devo preoccupare *io*, di te, poi?»

Fabrizio si stropiccia la guancia destra. Fissa lo schermo.

«Ma tuo zio Tonino dov'è?», gli fa Walter d'un tratto. Come fosse quella *la* domanda che aleggia su di loro con le premure cieche di un pipistrello da salone.

Fabrizio lo guarda come se dovesse rispondere della vita dopocena di Caino.

«... Lo sai, tu?... Se n'è andato Giorgio, lui ha detto che faceva un giro... Sono sei ore che è fuori di casa...» Versa dalla busta altre patatine sul pavimento di scottex. «Comincerò a preoccuparmi solo dopo mezzanotte... Probabilmente è in giro per il Ruvello...»

Walter annuisce, si porta una manciata di patatine alla bocca e strabuzza gli occhi come ricordasse qualcosa di straordinariamente importante. Poi incita a gesti e mugugni Fabrizio a guardare il televisore.

«*Mmgh*...», inghiotte il bolo di patatine con uno schiocco della lingua sul palato, «*ghe*cco... ... Guarda...»

Fabrizio, il piatto di prosciutto di nuovo in mano, è immobile e concentrato all'appello perentorio di Walter. Dal televisore, nel cuore della Main Street di Shinbone sfila – evidentemente capocarovana – John Wayne; seguito dal calesse rugginoso guidato da Pompeo.

«Vedi?... Memorizza i movimenti – *il* – *passaggio* ... Guarda... Da destra a sinistra... Ecco: vedi, ora John Wayne e Woody Strode entrano in paese: ecco... ... Passano davanti all'Hank's Bar, al General Store e alla Cantina... La superano ed escono dopo la... *la soggettiva* del... *come se fosse* il Peter's Place a *guardare*... curvano sicuramente — guarda: all'altezza dello *Shinbone Star*... dall'altra parte della Main Street... Vedi? *Guarda*... Ora il calesse entra da destra... Ma non sarebbe solo quello, perché esce a sinistra ed entra a destra, cinematograficamente è perfetto— *ma* vedi la disposizione? Se entrano da qui vuol dire che entrano direttamente nella cucina... dove poi l'avvocato Stoddard metterà i suoi libri e farà lo sguattero, no?...»

Sempre a cavallo – in un'immagine ch'è da sùbito anche una condanna – Tom Doniphon sveglia Hallie addormentata, mentre Pompeo *parcheggia* il calesse e James Stewart proprio davanti alla scala.

«Guarda...»

Walter sembra talmente preso che Fabrizio non può fare altro che guardare.

«È l'entrata di servizio... Quindi è in linea con una delle uscite davanti, se dopo ci fai caso... ma attenzione: vuol dire che il vicolo da cui loro sono entrati avrebbe dovuto essere *a sinistra* della casa e della scala di Hallie... Poi sarà sempre a sinistra... ... È da lì che Pompeo passa il fucile a Tom Doniphon al momento del duello...»

Walter afferra un'altra manciata di patatine dalla ciotola e se le ficca soddisfatto in bocca con rumore insistito di sbriciolìo e frammenti da divano.

Fabrizio gira lo sguardo su di lui, poi torna al film. Non del tutto persuaso di quello che ha appena sentito.

«Scusa, ma magari ce ne sono due, di vicoli...»

Walter reagisce con stizza.

«Ma no! Ma non hai visto? Loro vengono da fuori Shinbone e *oltrepassano* il Peter's Place...»

«Ma quindi che vorresti dire? Che John Ford ha risparmiato sulla scenografia?... Scusa, avrà avuto la stessa casa *per*—»

«Ma che dici? Ma mica... Considèra che anch'io me ne sono accorto dopo una ventina di volte che lo *vedevo*... E anche... anche qui, guarda: James Stewart è moribondo...»

Pompeo lo solleva a braccia e i tre entrano nel retrocucina del locale.

«... ... Tom Doniphon ha appena detto che non ce la farà, se nessuno lo cura... ... E poi alla fine l'unica cosa che fanno è mettergli un po' di... acqua calda in faccia e... su quello che tra pochissimo diventerà l'unico taglietto sulla fronte...»

Fabrizio resta leggermente spaesato dal tono di Walter.

«Ma insomma allora questo film è un capolavoro o no?»

«...»

«...»

Walter continua a fissarlo come si potrebbe guardare Lazzaro che si lamenta con Gesù per il cattivo sapore della colazione che ha preparato, *la mattina dopo*.

«È un capolavoro proprio perché ti ci vogliono almeno venti volte, per notare cose che – in un'opera d'arte *meno capolavoro* – noteresti sùbito... ...»

# 13.
## 19 LUGLIO 1999

Fu nel *preciso momento* in cui il sogno diventò il gol di Arcadio

del quattro a zero alla Spal, al novantesimo del nove febbraio millenovecentonovantasette, il Siena ormai dilagante e appagato, il sorriso sbiadito e stanco nel naso bizantino dell'attaccante, lui che – nel sogno – era sdraiato sul rigo di porta e batteva la mano sul pratino del Paolo Mazza come gli arbitri di lotta, o i judoka che chiedono scampo al tatami; fu *proprio* quando sentì nel sonno, per la prima volta dacché s'era addormentato, il naso umido di sua figlia premergli contro il pomo d'Adamo, rasato male, i puntini neri e sparsi della barba di tre giorni a irritare il naso di poco più di sei mesi di Carola (che sua nonna Teresa, la madre di Federica, continuava a chiamare Caròla, come una sua bisnonna – consapevolmente – ma in realtà come una «favola contadina» senza averne nitidamente il sentore): fu esattamente quando il sogno diventò un miele sonoro di sfarfallìi di luce, e lo sciaguattare della saliva di Carola gli s'impresse nell'orecchio destro proprio mentre si perdeva dietro una sagoma dorata, e luminosissima, della Madonna del Campicello, la statua a rilùcere controsole, portata a braccia dal vecchio Prospero: ma un *vecchio Prospero* più giovane di almeno trent'anni, la folla di fedeli (tutt'i paesani; mentre nel sogno lui fluttuava a mezz'aria e si beava dell'indaco e dell'oro degli angeli più estroversi, i baluardi della cristianità, diffusi tutt'intorno come se l'unico mezzo per dipingere l'aria fosse il *pastello*, morbido e poroso oltre l'intarsio zecchino della Madonna in coro, lui che sente cantare – Gesù, Gesù miobéne – chissà perché sempre la Madre in mezzo a prendere decisioni, questo fàllo, questo no, questi assètali, di qua parecchio vino e pani e pesci a strafogàrsi – stampàtemi nel cuor le vostre pene— e *fu* proprio nell'esatto istante in cui Marcello si avvede, stordito e incredulo, nel sogno, che tutt'i paesani sono in realtà il vecchio Prospero con trent'anni di meno: ecco che la voce di Federica dice quella cosa, Ti ho tradito, ma non è così breve e soffuso, il suono, è più una frase che sgorga dal centro esatto della mezz'aria che lui sta *volicchiando*, nel sogno, mentre quella stessa mezz'aria processionale diventa il salone e il divano dove lui, e sua figlia Carola, stanno dormendo abbracciati in attesa di Federica che adesso, nel sogno – ma ormai la voce l'ha svegliato: si ritrova con Carola stretta a sé e il viso schiacciato tra il collo e la gola, umida e impiastricciata della saliva casearia di sua figlia – Ti ho tradito si staglia nel cuore bianco del soffitto più come una grande insegna pubblicitaria su un silos ai bordi dell'AI – TI HO TRADITO – che non come un sussurro notturno cui rispondere con uno *shhhh*.

E però fu proprio quello, in quell'esatto istante in cui Marcello aprì gli occhi e si ritrovò sua figlia avvinghiata a sé e Federica – splendida, si deve dire, nel tailleur crema, le labbra spente da qualche *mancanza* momentanea di rossetto e gli occhi azzurri e scagliosi fissi contro di lui in dormiveglia – fu proprio quello che Marcello fece. «*Shhhh. Svegli la bambina...*»

Di tutte le frasi da dire *contro* una frase del genere— se lo dice ora, da solo, il tramonto ormai con le spalle voltate a qualsiasi desiderio di marinai; a cinque mesi di distanza dall'abbandono del tetto coniugale di Federica – con bambina – e nel pieno di una domanda ricapitolatrice.

«Cosa le avrei dovuto dire, invece di *shhh*?»

Di là dalla Chiazza del Nardile dietro il Mulino dei Caraffi, dove l'acqua ristagna per una pozza di dieci metri di diametro: trasformandosi in vasca per le carpe almeno finché una qualche piena non la fa strabordare oltre il muricciolo; a un chilometro e mezzo dalla falda spugnosa sottocollina, in piena ombra da sottobosco, Apperbohr sta mugugnando tra sé una serie di *mmgrggh mrhhh* di soddisfazione – senza sapere cos'è, «la soddisfazione» – rotolandosi nel fango appena inumidito dalla scesa della sera sul bosco. (La pioggia calda del pomeriggio – niente di più di un rovescio da burla; una pioggerellina sbiadita che puzzava di ferrigno e di stantìo, quasi le nuvole di servizio fossero fatte di amianto – era stata comunque utile per fornire il giusto punto di guazza per il fango.)

«Che dovevo fare, urlare? ... *Lanciarle addosso* la bambina?...»

Da cinque mesi; da quel giorno di aprile in cui Federica era piombata in casa nel cuore della notte, di ritorno da una notte (parziale) di sesso con *qualcuno* – di cui comunque: e questo nonostante l'abbandono, la separazione, l'annuncio di divorzio; e la nuova capacità perentoria di non rispondergli al telefono e di fargli vedere Carola una

volta alla settimana solo per mano di sua madre Teresa —
non aveva voluto dirgli il nome.

«Ti ho tradito», aveva praticamente urlato lei; Apperbohr a cinque mesi da quel giorno di luglio sperso tra gli
odori della collina – le ultime mimose, i fiori di melo quasi
dipinti alla fine dei rami nel campo di Arduino dei Monni
– alle prese con un sogno stranissimo (anche se non sapeva
che cosa fosse «un sogno»; né avrebbe potuto accrescerlo
di «stranezza») di corse e di fughe dagli *awgr*; con la sensazione *letteralmente* ineffabile di essere un *apperbohr* ancora inesistente se non nel *futuro* – avesse saputo dire (o pensare) che cosa *fosse poi*, «il futuro». O *un apperbohr*.

Lui aveva chiesto di non svegliare la bambina, semplicemente. Ancora intontito dal sonno, l'unico pensiero di rilievo era stato per Carola. Questo, si ripete. Ma sa che non
è vero, mentre Apperbohr – non visto – sta uscendo dal boschetto degli Alberi della Strega e zòccola passo passo lungo i sassi bianchi del viottolo che dovrebbe portarlo al
principio del Ruvello: il tratto di bosco che attraversa e *pènetra* la pelle in muratura di Corsignano come una voglia
verde a forma di bottiglia. *Se solo Apperbohr* sapesse, cosa vuol dire «voglia»; o «bottiglia».

Rifugiarsi nell'idea pretestuosa della bambina da proteggere era una deriva della verità cui lui continuava a
prestarsi; per evitarsi di accettare quello che aveva sempre
saputo.

A patto che Federica restasse, sarebbe riuscito a sopportare qualsiasi tradimento.

Non gli sarebbe importato neppure saperlo, se soltanto
Federica – *la* Federica – si fosse limitata a dirglielo (magari
appena prima di addormentarsi, insieme, il letto caldo solo dalla parte *di lei*: perché Marcello l'avrebbe aspettata
sdraiato dalla sua parte; per evitarle il freddo del ritorno e

intanto ascoltare, in silenzio, anche decine, centinaia di volte, *ti ho tradito*: contro ogni sua convinzione, contro la radice più profonda del cristianesimo che aveva cercato di *impararsi* dentro negli anni. E tutto, si dice, filtrando il pensiero e fissando le colline, tutto sarebbe stato comunque in linea con *la forma* sminuzzata del cattolicesimo più retrivo: quello dell'espiazione, e del silenzio *péso*; e della penitenza in vita contro ogni forma di gioia vitalistica della *carne* e del *sangue*, anche momentanea.

Lo sbadiglio – ma Apperbohr non lo chiama così: né ci ragiona mentre lo fa: si tratta perlopiù di un prurito leggero nella testa, una sensazione di pericolo che non trova mai conferma e che ogni volta si mostra in maniera differente – somiglia a un piccolo ruggito, mentre imbocca il viottolo a zigzag appena dopo la curva, a cento metri dalla Chiesina sotto Portarossa. All'entrata settentrionale del paese, quella rivolta verso Piancaldo a sinistra e la piana di Taverne di San Biagio a destra; l'estrema destra della *pianura* oltretoscana: la lunghissima distesa fino ai primi colli di Perugia.

Gli verrebbe da fumare, se fumasse. E si chiede perché per darsi un ristoro minimo cambiato di segno. «Cosa avrei dovuto fare?»

«*Shhhh*. Svegli la bambina».

Federica – bellissima, *nel vestito color crema* spiegazzato e acciaffato *come se fosse stato sfilato freneticamente, accartocciato sotto i piedi e poi gettato via, da parte, nella foga dell'*amore – aveva gridato davvero, forte, svegliando Carola che aveva preso a gridare anche lei *a sirena dei vigili del fuoco, più o meno*, tanto che Marcello si era distratto – mentre Federica aveva appena finito di urlare TI HO TRADITO! e proseguiva nel cànone tradizionale del MA CHE CAZZO D'UOMO SEI?!, e anche qui Marcello era più stupito dal tono esclamativo della domanda che dal senso di quello che *la* Federica gli stava dicendo – si era distratto a pensare al tono da vigile del fuoco del pianto di Carola.

«Fede...», le aveva detto, cullando a ballonzolii la bambina; ormai in piedi lui, sempre in braccio lei.

«FEDE UN CAZZO!... ...» Federica era al centro della stanza; nemmeno avesse dovuto farsi dipingere da una classe di studenti dell'Istituto d'Arte. «Hai capito quello che ti ho detto? L'hai *SENTITO*?...»

«E certo che l'ho sentito, mica sono sordo...» Carola partecipava alla discussione proseguendo nella sua imitazione solo leggermente diffratta dell'APS Fiat OM 160 dei pompieri di Massignano di Torracchio.

Nel suo riparo tra gli odori, Apperbohr, cinque mesi prima, si era svegliato di soprassalto con un desiderio – ma non avrebbe saputo spiegarlo come «desiderio» – *insaziato* di more selvatiche. Non avrebbe saputo ordinarle al telefono con quel nome (avesse saputo cos'erano un «ordine» e un «telefono»; ma sapeva dov'erano. Questo – almeno in quell'istante notturno e affamato – gli era bastato).

«Marcello... ... ... Io davvero non so più cosa fare... *Davvero*...» E, nel centro bagnato e apparentemente irreparabile del pianto di Carola, in quel *davvero* pieno di un antichissimo affetto sepolto — *ché c'era davvero, in Federica, tutto un mondo lontanissimo e quasi completamente perduto di amore (per quello che voleva dire: ché in quel momento – non solo in quel momento – sia lei sia Marcello non avrebbero saputo raccontarselo: nemmeno sottorischio della vita; nemmeno avesse significato la loro fine. Che era poi quello che stava succedendo: lei bellissima, le guance già piene di quelle dilavature tribali che il rimmel garantisce a ogni addio truccato, il vestito crema irrimediabilmente gualcito, per quella notte; lui forzatamente serio, e silenzioso, la bambina urlante in braccio, pensieri inverosimili sui*

*mezzi di trasporto dei pompieri della Toscana sudorientale;
mentre in quel* davvero *Federica riponeva l'ultimo gesto di
grazia a quell'amore intraducibile che aveva provato davvero), mentre lei non* poteva *(il peggiore dei doveri) fare altro
che* implorarlo, *una parola sola per implorarlo di non essere lui, per una volta, di non essere il Marcello che era diventato negli anni: di essere, per una volta, un'ultima volta* ri-
mediabile *soltanto, il Marcello che lei si era* immaginato *che
fosse; aveva* creduto *che fosse: in anni comunque così felici,
per lei, almeno a guardarli da dentro il cuore dentale di quel*
davvero, *che alla fine anche se di finzione s'era trattata, le
sarebbe— anche a lei, in un modo talmente affine e complice con Marcello da far capire, sùbito, che non ci sarebbe stato nessun riavvicinamento: ché non c'è nulla di più distrut-
tivo di una doppia identità che parla da sola e non si capisce; non c'è nulla di più irreparabile dell'amore – per quello
che vorrà dire – quando sostituisce la pena condivisa all'attrazione: Federica aveva provato a implorarlo a modo suo,
senza nemmeno rendersene del tutto conto, mentre* Marcello— aveva fatto la cosa peggiore. Aveva minimizzato.

Per un istante rattrappito quanto i sogni immediatamente prima del risveglio, Marcello s'era ricordato di quando
Eugenio del Circolo e sua moglie Vera gli avevano regalato
– a Federica, per il compleanno, il ventuno di aprile; ma evidentemente anche a lui, visto che vivevano nella stessa casa
– una pianta carnivora. Una *Nepenthes adnata*, per la precisione. Un'ascendenza *sumatriana* e una discendenza corsignanese. Comunque abbastanza *indiana* e gradevole da
essere ribattezzata Kalìna. L'avevano tenuta appesa nel bagno, in un portavaso saldato con dei lacci di cuoio al soffitto. «Ha bisogno di molto caldo; e di umido...», era stata la
Vera a spiegarglielo. «E quindi *ciànno detto* che in bagno è
*casa sua*... Voi vi fate la doccia, i vapori la... la ristòrano...

Insomma la *dovete mettere in bagno...*» E ce l'avevano messa: Marcello aveva impiegato un pomeriggio intero – un pomeriggio di domenica, Federica al quinto mese seduta a leggere sul divano – per fissare il portavaso. Ma Kalìna non era sopravvissuta neppure fino al parto. L'ultima cosa che era venuta in mente a Marcello, prima di parlare, era di quando era andato a leggere nepenthes sull'Enciclopedia Motta di Scienze Naturali (il dizionario enciclopedico che suo padre *bonànima* aveva fatto rilegare, dopo aver comprato settantadue dispense settimanali in edicola, negli anni Sessanta); e – senza che neppure lui capisse bene perché – gli aveva fatto impressione sapere che in greco significava «indolore».

«Scusami», le aveva detto. «Mi viene da chiederti scusa...» Per un attimo anche il pianto di Carola s'era quietato: quasi la sua natura biologica femminile fosse *esplosa* per osmosi con quella della madre: tutt'e due devastate dalla pochezza di genere dell'uomo di casa. Solo Marcello non se n'era accorto.

«Scusami tu, se ti ho costretto a tradirmi...»

Nel silenzio irreale di quei tre secondi, l'ultima parola d'amore di Federica, appena sussurata. *Mavàffancùlo.*

A cinque mesi da quel battesimo di una fine durata nove anni, Marcello decide che non può rimanere in casa. Guarda l'ora sull'orologio a parete della cucina, le otto e trentatré. A un chilometro e mezzo in linea d'aria dall'orologio – costringendosi a un calo diagonale di altitudine di circa diciannove metri – Apperbohr è fermo e perso a seguire il volo sconsiderato di un calabrone. Poi viene distratto da una luce accesa (anche se non saprebbe davvero definirla così); un lampo giallo da sala da pranzo nella casa di fronte alla collina. Quella dove Giorgio Bruni vive con suo figlio Fabrizio e suo fratello Tonino. Ma questo, Apperbohr, non lo sa.

# 14.
## 19 AGOSTO 2000

«Continuano, incredibilmente, le curiose attività *quasi* vandaliche

di un branco di cinghiali nei boschi tra Corsignano e Budo».

[*Sorride; una leggera ombra di nicotina sul bordo frastagliato – in basso a destra per lo spettatore – dell'incisivo sinistro.*]

«Ce lo racconta Tarcisio Nèdoli nel suo servizio».

[*Inquadratura a mezzobusto di Eleonora Antenati: afferra il primo foglio della risma che ha davanti a sé e lo appoggia alla sua sinistra, sfogliandolo via. Inquadratura di 2" di Eleonora Antenati che guarda fissa la telecamera; lo studio è quello del Tg3 Toscana –* NOTA DESCRITTIVA *#.*

La stessa espressione di un basset hound cui abbiano appena comunicato l'importo del suo anticipo rateale sulle tasse dell'anno prossimo.]


«...»


[*Silenzio imbarazzato e immobile di Eleonora Antenati. Parte un servizio sui Papaboys a Tor Vergata per la Giornata Mondiale della Gioventù. Si sente la voce* off *di Ugo Pulici:* «la veglia di stanotte è stata per tutti quan*ttvrrp – rumore di supporto digitale costretto allo stop –* NOTA DESCRITTIVA #. Lo stesso rumore che potrebbe fare un lavandino ingorgato stappato da una mano che tolga il tappo dal sifone interno: il tutto, però, con volume quasi azzerato: per sentirlo c'è bisogno tanto dell'inquietante mano piccolissima quanto di un grosso orecchio e di un udito pressocché perfetto.]

[INQUADRATURA DI PELLEGRINI IN PREGHIERA]

«Evidentemente non si tratta di *cinghiali...*»

[*Sorride a forza, cerca di prendere tempo; si sente un brusio elettrico di 3" e una voce dalla regia dice* qualcosa *che gli spettatori più accorti possono* interpretare 'sc... ndfzz... Adessfz...*]

«... Mi dicono dalla regia che il servizio di Tarcisio Nedoli ora è pronto...»

[*Sul volto ancora professionalmente preoccupato di Eleonora Antenati parte un fermo immagine che poi si* trasforma in servizio *con* br-rr incipitario *della voce di Tarcisio Nedoli.*]

[CINGHIALI]

«*br*-rr*n*on si può certo dire che il gruppo di cinghiali che da qualche mese si muove tra le Macchie della Toscana sudorientale – in particolare: tra Corsignano e Budo; nei boschi fino a Torracchio e Piancaldo – seminando prima ancora che il pànico una certa apprensione meravigliata tra gli abitanti—»

[*Si vedono cinghiali in movimento sulla provinciale tra Corsignano e Massignano di Torracchio; le immagini sono sfocate, evidentemente riprese da un dilettante con una macchina fotografica digitale* – NOTA DESCRITTIVA #. Le immagini, della durata di circa 11", mostrano un gruppo di circa dodici, tredici cinghiali che si spostano compatti da un lato all'altro della carreggiata. Quattro di loro fissano il muso contro l'*inquadratura*. Dalla sinistra arriva un cinghiale di un'ottantina di chili con una bizzarra striatura amaranto-scarlatta sulla *cinghia* di setole intorno al collo; e sulla *schiena*, lungo la striatura della spina dorsale fino alla coda — spicca all'improvviso rispetto alle colorazioni bianco-avorio-giallognole dei suoi compagni; dietro di loro si conclude un corteo veloce di cinghiali in carrellata. Si vedono i due chiudifila: il penultimo ha tra i denti un'assicella chiodata di legno – forse presa da una staccionata? – l'ultimo ha tre, quattro cartocci di granturco infilati in bocca.]

«non siano dotati di uno strano gusto per lo spettacolo. Stamattina presto, infatti, più o meno intorno alle cinque e mezza, il branco di cinghiali che qui vedete ripreso da Luigi Molari, il fedele di Taverne di San Biagio che insieme agli altri pellegrini era nel pullman diretto alla Giornata Mondiale della Gioventù di Tor Vergata, a Roma, *hanno costretto—*»

[*Sulle immagini dei cinghiali, continua la voce* off *di Tarcisio Nedoli; costruzione a senso e tono colloquiale compresi* – NOTA DESCRITTIVO-RICOSTRUTTIVA #. Dalla cadenza, i natali passati di Tarcisio Nedoli dovrebbero essere trascorsi, più o meno fino alla tarda adolescenza, nelle zone del Trasimeno settentrionale; o, meglio, *latamente* nordorientale.]

«tutti i cinquantasette Papaboys del torpedone a uno spavento che fortunatamente si è risolto con un nulla di fatto, vero?»

[*Dai cinghiali si passa a un'inquadratura a mezzobusto di Tarcisio Nedoli – un cappello di paglia a falde* strette, *un gilet* multitasche *nero, i baffi lunghi ai lati, un'idea di barba non fatta che vorrebbe essere accattivante ma che invece trasmette una sensazione* soprapelle *di poco pulito* – NOTA DESCRITTIVO-RICOSTRUTTIVA #. A diciassette anni, nel 1984, Tarcisio Nedoli, secondo figlio di Mario e di Stefania Franchi, era rimasto impressionato dalla visione di Greystoke. *La leggenda di Tarzan.* Pur non avendo nessuna particolare somiglianza con Christopher Lambert, Tarcisio ragazzo s'era votato all'epigonìa ricostruttiva dopo aver sentito, senza volere, il commento di una sua compagna di scuola (Maria Innocenti, di Castiglione del Lago, destinata purtroppo a morire prestissimo: a Roma, nel 1994; per un infarto da malformazione cardiaca congenita). «Ma l'hai visto quando *corre* verso la carrozza, co' 'i 'vvestito da *cavallerizzo?*», aveva detto Maria, inequivocabile. E Anna Maria – quasi un complemento, una prosecuzione da banco a banco che si completava in strada, nell'àlveo a imbuto di Vicolo del Teatro – aveva riso, annuendo: «Anche a 'mme m'è *parso proprio di sì...*»

C'erano volute poi due visioni consecutive – una curiosità pericolosa che avrebbe dovuto far riflettere il buon Tarcisio, forse; se tutto non fosse stato oscurato dalle nebbie incerte e fuorifuoco degli amori adolescenziali – per capire con esattezza quello che le due Marie (più o meno) s'erano dette. Fino all'*agnizione* (immaginàtelo, il Tarcisio diciassettenne, che fuori di metafora indaga con il suo sguardo più privato i calzoni di Christopher Lambert in corsa); fino al riconoscimento stremato di un'appartenenza di genere. E a una frase mentale la cui linearità assunse però i toni patetici di un risvolto interrogativo. «Ma che la Maria parlava davvero d'i' *'ppisello* di Christopher Lambert?»

Con i risultati di un'appropriazione del tutto indebita, da lì in poi (ché assumere Christopher Lambert come referente *fisico* dei propri, inevitabili, tentativi di miglioramento giovanili significava, per Tarcisio, una continua esposizione al ridicolo). E di una domanda *irrisolta* che però il buon Tarcisio diciassettenne – forgiato dalla cattolicissima, paesana omofobia pedagogica dei coniugi Nedoli (e di don Paolo, il parroco di San Domenico) – s'era nel tempo assolutamente *evitato*. Con gran peccato della sua vita famigliare, in sostanza.]

«Guardi, io le posso dire che è stato *come morire...*»

*[Luigi Molari è visibilmente preoccupato. Risponde alla domanda del giornalista Tarcisio Nedoli, ma non sembra essere realmente* presente, *e vìgile: parlerebbe nello stesso modo anche se fosse da solo –* NOTA DESCRITTIVO-RICOSTRUT-TIVA #. Luigi Molari – *che ha dei bellissimi occhi blu: non* azzurri, *o* celesti: blu. Quello stesso blu cupo, oscuro *e imo* e profondissimo che hanno i neonati quando si affacciano

curiosi – incoscientemente curiosi – sui primi giorni di vita; e che evidentemente nel caso di Luigi Molari s'è conservato, quasi fosse una traccia dell'inizio che ha avuto e della fine che lo aspetta senza pause di vita nel mezzo.

C'è però che, a contrasto della meravigliosa intensità degli occhi *blu*, Luigi Molari (un cappellino bianco con visiera, la scritta GIOVANNIPAOLO! in perfetta evidenza) è *fatto* ad albero di Natale stilizzato. Ha le spalle strette; e i fianchi a fiaschetta le cui maniglie bombate s'infilano poi d'improvviso, a ipotenusa, fin dentro le ascelle. Nella proiezione ortogonale del suo corpo, l'unica mascheratura possibile è il piano verticale della pancia: che però, ora, l'inquadratura mostra di profilo nella sua inevitabile morbidezza di forte assimilatore di grassi saturi. (*Perché*. Se potesse barattare un grado cromatico di blu per un metabolismo anche solo di poco più veloce, Luigi Molari lo farebbe. E se questo costituisse poi la base per una pur scarsa – a fronte dell'attualmente *inesistente* – possibilità di conquistare Rita Cordiali, la sua dirimpettaia nella casa di Taverne di San Biagio: Luigi baratterebbe la consistenza divina della sua bianchissima anima immortale, cappellino con visiera compreso, con chiunque – contratto sanguinolento, coda biforcuta, corna, occhi di brace *o no* – gli si presentasse come assistente mefistofelico dei dèmoni preposti alle trafile burocratiche dei desideri.)]

«... Sì. Il pullman ha cominciato a fischiare a raschiare sull'asfalto e noi ci siamo trovati sballottati tutti...»

[*Tarcisio Nedoli si porta il microfono* a gelato *alla bocca*.]

«Ma i cinghiali, *mi diceva*, sono apparsi appena dopo la curva...?»

[*Tarcisio Nedoli passa il microfono al* mento *di Luigi Molari.*]

«...»

[*Luigi Molari ci pensa, emette un* mmmh *baritonale di almeno 2".*]

«... *Guardi...* Io ero parecchio indietro, però ho visto la frenata di Carlo... L'autista... L'autista si chiama Carlo... E poi sono andato di corsa in avanti malgrado il *botto...* Ché è scoppiata, *guasi*, la *gomma* davanti... E insomma avevo la macchinetta in mano —»

[*Guarda in alto, continua a parlare* da solo *con Tarcisio Nedoli.*]

«e ho fatto le riprese, di scatto... C'erano questi cinghiali che *sfilavano*, ora io non so bene come spiegarglielo, perché poi intorno le persone erano spaventate, gridavano... La mi' cognata, la moglie del mi' fratello s'è sentita male... Insomma i cinghiali c'erano quelli, *tr'o* quattro, che stazionavano, no?»
«Che sbarravano la strada?»
«... Sì, l'ha 'vvisto, *no?* C'erano questi, *tr'o* quattro... Con uno che guardi ora —»

[*Ride nervosamente.*]

«se glielo dico... sembrava... sembrava la *guida*, i'ccapo...»
«Il *capocinghiale?*...»

[*Ci sono veloci scambi di microfono tra i due.*]

«Sì...»

[*Fa cenno di sì con la testa, ride.*]

«E però dietro c'era il branco...»
«Eh, gliel'ho detto... Dietro c'era tutto 'sto branco... Ma
ciavéveno... In bocca, no? Legni, cartocciate de grantùrco,
pezzi *de carne* che sembrava... Roba... Ora non lo so, l'ho
'vvisti, ho ripreso l'ultimo *tratto*...»

[*Sull'*ultimo tratto *all'intervista si sostituisce un fotogramma dell'incidente e della strada bloccata.*]

«Ecco ora *da casa state* vedendo un'immagine della situazione stamattina sulla SP 211 BIS verso l'A1... Una *situazione* che fortunatamente s'è risolta... Da poco, *ma* i vigili del fuoco sono stati bravissimi... E insomma—»

[*La telecamera riprende di nuovo Tarcisio Nedoli e Luigi Molari; sempre il bosco dietro di loro.*]

«—ora cosa farete? Mi avete detto che riprenderete il
viaggio verso Roma?»
«Eeeh, sì... Ora ch'è arrivato l'altro pullman... Certo,
ancora siamo un po' scossi ma insomma è 'n 'occasione che
noun se pò lascià perdere, credo...»

[*Inquadratura di 3" degli altri cinquantaquattro pellegrini e dei due autisti mentre entrano nel pullman; sembra
una versione buñueliana e amplificata della fila per il bagno nei campeggi; sulla fiancata del torpedone si legge la*

*scritta* TAMBORLINI TOURS OPERATIVE – Via delle Cave di Canapina, 23-25 – 05015 Budo (SI).]

«E ci lasciamo però con l'ultima immagine, quella che ancora non è stata mostrata e che riguarda il branco che alla fine... Come vogliamo dire? S'è sciolto...»
«Eh, sì...»

*[Sorride, fa ancora cenno di sì con la testa.]*

«... Alla fine*eee*, i cinghiali che facevano... *cordone*... E' sono andati là per l'insù...»

*[Indica con la mano il bosco in salita appena dietro il cappello di paglia – e la calvizie – di Tarcisio Nedoli; Tarcisio Nedoli si gira seguendo il movimento ascendente della mano del Papaboy.]*

«... e invece l'altro, quello che sembrava il... *capocinghiale*—»

*[Alla voce fuoricampo di Luigi Molari ora si sovrappone una ripresa di 4" in cui si vede un cinghiale dalla cinta amaranto-scarlatta che corre veloce a valle da solo; tagliando la strada a una fiat 126 in avvicinamento.]*

[CINGHIALE CHE ATTRAVERSA SALTANDO]

«... E quello è corso a valle che *guasi* la macchina che veniva piano piano lo pigliava, anche se... poi si son fermate tutte... E insomma è corso via di là per di giù di qua...»

*[Indica la valle oltre il bordo rettangolare dell'inquadra-*

*tura. L'inquadratura si stringe sul PrimoPiano di Tarcisio Nedoli.*]

«E insomma continuano le *strane* attività di questo curioso branco di cinghiali che ormai sta raggiungendo le cronache nazionali... Anche se – e questa potrebbe essere una vittoria della cultura sulla natura –»

[*Sorride con intenzione.*]

«nemmeno il cinghiale più risoluto può impedire a un gruppo determinato di fedeli di raggiungere il Santo Padre... *A voi in studio, dalla strada provinciale 211 BIS è tutto.*»

«Grazie, Tarcisio Nedoli—»

[*Eleonora Antenati si finge addosso un sorriso e intanto cerca di mettere a fuoco meglio l'orologio a cristalli liquidi sulla parete oltre la telecamera.*]

«—E ora, però, dopo una parentesi cinghialesca, andiamo davvero a Roma, a Tor Vergata, per vedere anche noi come è stata accolta la comunità cattolica toscana da Giovanni Paolo II—»

[*Il sorriso di Eleonora Antenati diventa il nero di 1" con cui si ritorna alla voce di Ugo Pulici senza il* ttvrrp – NOTA DESCRITTIVO-RICOSTRUTTIVA #. Eleonora Antenati continua a pensare – un rovello incessante – al fatto di essere stata per anni la preferita di suo padre – politico locale in caduta – finché non era stata sostituita, nelle sue grazie, dalla sorella maggiore. Che, a differenza di lei, aveva scelto di continuare il mestiere paterno. E – qui il rovello si trasforma in pena mascherata – che le sue gambe, ora protette dalla scrivania, sono davvero troppo *grosse*, in relazione alla magrezza sgraziata del busto. Le cosce, soprattutto. E questo, anche se non riesce né ad ammetterlo né a rivelarselo (se non sottoforma di questo rumore meccanico di fondo che la rende costantemente inquieta), le procura dolore.]

# 15.
## NOTTE TRA IL 19 E IL 20 LUGLIO 1999 (4)

**Walter s'interrompe distratto da un grugnito e un grufolìo**

poco distante dalla finestra aperta.

«Ma che cos'è?»

Fabrizio non gli dà molto peso: prende la lattina aperta dal pavimento e si piazza il piatto con il prosciutto sul grembo.

«O è il cane dei Baskerville o mio zio Tonino che ci prepara un qualche scherzo dei suoi alla Kato...»

Vera Miles è al capezzale del suo futuro marito. Un cenno sospetto alla finestra, un'altra manciata di patatine, poi Walter ritorna al film. Tiene le patatine nella sinistra a conca e ora ne mangia una per volta per farle durare.

«... ... *Guarda* — guarda ora...», dice Walter. «... ... Vedi? ... ... Lo vedi che gli toglie di mano la bottiglia?... ... Hallie e Tom Doniphon», deglutisce, «... sono come marito e moglie... ...» Punta l'ultimo pezzetto di pane e carta contro il cappello di John Wayne. Inghiotte l'ultimo boccone, mastica. «Ma è troppo tempo che sono marito e moglie senza aver— *consumato*... ...»

«...»

«Ha aspettato troppo. John Wayne ha aspettato troppo, e quindi ha permesso al... legame che c'era tra lui e Hallie di... modificarsi, *trasformarsi*... È il punto fondamentale della vita, quello del *tempo* e della *trasformazione*... ... Il lungo periodo va bene per i sassi... ... Se poi t'interessa un millennio o 'ddue di vita rocciosa e improponibile... ...»

Fabrizio lo fissa con sospetto. Poi si fa coraggio.

«Walter. Ti posso dire una cosa?»

«Dìlla. ... ...» Ci pensa. Gli scappa un ghigno strambo. «Che fai? Le premesse?»

«No no... ... Io... Ho sempre pensato che l'Agnese fosse la più bella donna di Corsignano».

Walter non si scompone, appoggia la ciotola con le patatine rimaste sul tavolinetto.

«Lo pensavano in tanti».

«... ...»

«Lei non ci ha mai fatto caso». Si ricorda all'improvviso della bara spaccata, del cinghiale in corsa.

«Sai cosa pensavo, mentre... il cinghiale faceva cadere il cavalletto e Agnese... ... E ho faticato, per non ridere... ... Che per come era lei... L'ho sentita: l'ho *sentita* proprio che diceva *ooh*, ecco come si riànima questo mortorio di funerale... ...»

A Fabrizio e a Walter scappa da ridere in quel modo sinistro, e libero, che ha sempre a che fare con la vita quando do rimane.

# 16.
## 21 DICEMBRE 1999

**Tlunf. La piacentina cartòccia sul tavolo**

con rumore crocchiante di foglia. Il fante di coppe prende
il sei di coppe.

«E una», fa Germano. «Ecche *fée? Guadi* al basso con la
briscolina...?»

In questo stesso momento, un centesimo di grado più a est,
Adriano Andreoli è al bar di Vittorio che parla *con Vittorio* di Raniero. Che gli ha fatto il torto di andarsene, due
sere prima; costringendolo a un commiato di cui avrebbe
fatto volentieri a meno: lui, e Stirner; che l'ha accompagnato anche in rappresentanza del vecchio Osvaldo. «E
dico di sì», gli fa Vittorio, mentre ripone i boccali spaiati
ad asciugare sulla griglia. «Era Santo dei Novati, *no* Raniero».

«Era Raniero, madonna della madonna... è stato *lui*...»

È notte di solstizio, a Corsignano, dopo le dieci; Vittorio tiene aperto il bar solo per il grande rispetto che ha avuto *e ha* per Raniero Vannuccini, classe 1919, di dicembre, ottant'anni compiuti appena prima di presentarsi al portone di San Pietro e di trovare chiuso, visto che lui e' 'un ci credeva, «a Domineddio, alla su' mamma; e a tutt'i santi che in ogni tempo *le* furono graditi».

«O' 'cche è ch'*era*, Raniero?», fa in tempo a dire Elvio, entrando; il giaccone *mimetico* verdemarrone pieno di nevischio, gli stivali inzaccherati di mota. «Si pòle, un'*averna*?»

Vittorio accenna di sì con la testa; Adriano segue l'entrata del guardacaccia con il bicchiere di rosso in mano: la staffa per il viaggio scuro di Raniero, magari in boschi meno bui di quelli che l'avevano visto alla macchia nella sua giovinezza resistente, quando Yanez era uno dei tre, quattro partigiani più in vista nel tratto di colline che vanno da Budo, a Torracchio: e di là fino al Lago e oltre, dove la Toscana e l'Umbria si fondono in un'unica chiazza a scale di verde e di terredisiena.

«È stato lui, *quello* del grido in piazza...», ribadisce Adriano. Vittorio sorride di no col capo; e intanto piglia l'averna dalla mensola bassa, appoggia il bicchiere sul bancone.

«È inutile che insisti, *Vittòrio*... è stato Raniero», e beve.

«Ma a fare che?», chiede Elvio facendo segno a Vittorio di smettere di versare.

Adriano appoggia il sangiovese *gentile* a tre, quattro centimetri da dove Elvio toglie il bicchiere di averna portandoselo alla bocca.

«Il dieci di giugno del '40. Ciài presente la piazza davanti al Municipio? Be'... Il municipio tra l'altro l'avevano costruito da poco, tutta 'sta colata di marmo *finto* pe' 'ddà casa al podestà, ma insomma... Allora. Avevano messo – sai Primo dei Vescòvi e Vanni Carretti, tutta la ghenga che 'nsomma e' se nun è all'inferno e' ddio e 'cchi 'ppe' llui e ce la porti sùbito, no?... E *insomma* avevano messo du' tre collegamenti con la radio... Certi altoparlanti, per allora erano soldi, eh? Erano tutti tronfi, per l'armamentario ch'avevano tirato su... ...», prende il rosso. Beve. Riappoggia il bicchiere. Elvio lo segue appoggiando l'amaro accanto al sangiovese.

«... Tutto giusto tranne che *unn'era* Raniero...»

«E' mi ricordo bene, '*nvece*...», Adriano gli dà sulla voce. «*Insomma*».

Una pausa, come volesse far svaporare l'uggia per l'ottusità di Vittorio con una traccia cageana di quattro secondi e trentatré decimi.

«... E' ci fanno... Ci obbligano ad andare tutti in piazza... Proprio: *costringono* – quelli che lavoravano... che tornavano dai campi... Addirittura... Prendono tutti i bambini delle scuole di Corsignano, le maestre... Il pomeriggio... Tutti sti bambinetti in grembiàle... Tutti in piazza, costretti... La milizia d'i' 'ccazzo che ciavévano a piglià i nomi... E' manca poco che fanno l'appello... E insomma intorno alle sei... sei e qualcosa, insomma... Trasmettono il discorso d'i' '*Bbuce* a piazza Venezia...»

Elvio sorride, riprende l'amaro e beve: «S'i' unn'è all'inferno...»

Adriano afferra il bicchiere di vino per brindare e conclude, lo stesso rispetto che si deve a Hashanà haba'a b'Yrushalayim, «... e 'ddio o 'cchi ppe '*llui* e ce lo porti a calci 'n'culo...»

Anche Vittorio partecipa alzando – lui, astemio – la bottiglia di amaro.

«Comincia il discorso... Ciài presente? Combattenti di terra, di mare, dell'aria... ... L'ora delle decisioni irrevocabili... Il discorso... Della dichiarazione di guerra...»

Elvio fa di sì con la testa e Vittorio lo segue per simpatia meccanica.

«E insomma, tutti frenetici epperò zitti... Io stavo seduto, in fondo, sullo schienale di una delle panchine del rialzo del giardinetto... Ciài presente dov'è», indica a ottanta metri e rotti in linea d'aria da lì, «... dov'è ora il *Monte?*...»

«Sotto i pini», conferma Elvio.

«Eh... E' c'era un'altra panchina ancora...... ma la gente ce n'era a mucchi, fino al magazzino di Davide... E insomma questo brusìo, me lo ricordo ancora, io ciavévo dodici anni e m'avevano portato su a forza... E unn'è che ne capissi proprio proprio... Non fosse stato poi pe' Stirner, e 'l vecchio Osvaldo... E Raniero, pe' 'll'appunto, e' chissà che 'ffine avrei fatto...... E tutti lì, madonna, a ascoltà sta solenne testa di cazzo che ci mandava al macello... E tutti lì – ll'òmini, le donne... C'era chi era contento davvero. Ci crederesti, te? Che ti dicono "ora ti prendo, ti porto a morì e te *nun pòi di' un cazzo* sennò ti s'ammàzza uguale"...... E quelli lì a sembrà che s'andasse a ballà co la Loren...... O co' Amedeo Nazzari, va' a sapé te...», fa un gesto come per dire *uguale*, fa niente.

«E quando s'arriva alla fine. Quando il Gran Coglione dice La parola d'ordine è una sola... vincere... e vinceremo!... quando conclude...... appensà che c'è rimasta in mente a tutti, quelli che c'èrano...», guarda Vittorio, preparando un trionfo della memoria, «anche quelli che i' 'ccervello gli è andato in vacca e' *un* si ricordeno le cose *importanti*», un po' gli scappa da ridere, «come questo rincoglionito *cqua*...», il barista non replica: c'è abituato, «... comunque il discorso di quella Bestia se lo ricordano...», Vittorio annuisce, il viso atteggiato a chi molto ha ascoltato, nella sua vita: e quindi sa dare il giusto peso alla forma delle parole, «E insomma...»

«E insomma, Adrià?», fa Elvio, che aspetta da un pezzo una morale privata nella tragedia pubblica.

Adriano giocherella con il cerchio bordato del bicchiere. «Quando arriva a Popolo italiano! Corri alle armi e dimostra la tua tenacia, il tuo coraggio, il tuo valore!... Quando esplode, dagli altoparlanti, il grido di quelle facce di merda di piazza Venezia...... Che quanti saranno stati? *Migliaia*... E quanti saranno morti *in festa*, di quelle decine di migliaia che riempivano la piazza, eh?... Davvero a pensacci ti viene lo sconforto per la razza umana, a parte poche persone...... E insomma si sente questo vociàre da Roma che è talmente improvviso e *urlato* che per qualche secondo... Pe' ppoco, ma qualche secondo sì, qui a Corsignano si fa silenzio... Sai una sega se fosse perché lì a piazza Venezia lo vedevano, quella facciadimerda, e allora sapevano quando urlare meglio di qua... Fosse perché un qualche cazzo di brivido di morte fosse corso pure pe' Corsignano... che mica tutti, anzi... Però quando il Buce conclude, Roma esplode e gli altoparlanti trasmettono questo scrocchìo qui a Corsignano si fa silenzio...... E nel silenzio, qualche secondo dopo Popolo italiano dimostra il tuo valore!... dalla fine della piazza, dall'ultima fila... Proprio all'entrata *ora* del magazzino di Davide dei Sereni che prima c'erano le botti d'olio dei Carretti... Si sente chiara la voce di Raniero», nessuna replica finale di Vittorio, «che grida al Duce negli altoparlanti "A 'mme nun mi ci contare!" *Pausa*. "Coglione!"...»

Sulla risata di Elvio, otto chilometri e trecento metri circa più in basso – a un lancio di pietra dalla villa di via delle Nespole 19 dove l'avvocato Germano Barbi sta giocando a carte con Stefano Agostini, notaio di Fiesole, amico d'infanzia; con Roberto Crociani, macellaio e salumiere, rinomatissimo, di Trèfole in Chianti. E con Amedeo Bui, armista della «Caccia e Pesca di Bui & Figlio» di Corsignano (dove il figlio dell'insegna, si sa, è sempre lui) – un'ombra nera a forma di cinghiale saètta da fosso a fosso approfittando del nevischio e della foschia: una tregua minima alla Luna in perigeo: la prima notte da centotrentatré anni a questa parte. Un settimo in più di luce riflessa che aspettava da un secolo *e un terzo*.

Amedeo ci pensa su un attimo, *considera* il piatto con il milione e duecentomila lire; *l'avvocato* tira il *cavallo di spade* d'obbligo sul fante che ha tirato lui – Crociani e Agostini chiamati fuori per questo giro – «e' vvìa *uno*...», fa.

Poi aspetta il cinque di spade di Amedeo mostrando il *tre*, le due lame rovesciate, la centrale a sfidare all'arma bianca tutto quell'inutile intarsio fiorato ad *h* spezzata; lo raccoglie senza nemmeno poggiarlo sul panno verde di flanella: lo usa – semplicemente – come spatola d'acquisto. Rovescia le due carte coperte sulle altre due. Poi dichiara sorridendo il re di spade, con una minima torsione del polso; Roberto Crociani bestemmia *di ammirazione* sorridendo sottobocca, il neo sul labbro sembra allargarsi *anche lui* per lo stupore. Il notaio è più interessato ad Amedeo.

Che regala al suo re il sette di spade, un istante di azzeramento stordito che non gli ha ancora assediato di bruciore le pareti dello stomaco: quando il colpo di pugnale sembra ancora sospeso e *altrui* e poi ci si accorge – ed è lì che princìpia il dolore – del sangue che scende dalla ferita.

«E guarda te che sciabolàta, eh?», fa Germano raccogliendo le ultime due carte e ammucchiandole senza guardare le altre. «E poi ho *rischiato*, ché erano tre ma l'asso era *fòri*», maramaldeggia l'avvocato Barbi sgozzando le speranze superstiti di Amedeo. «Te' dov'era, st'angioletto del cazzo...», mostra a tutti alzando la prima carta coperta del mazzo di mandata. «Se ciavévi più coraggio era tuo, Crociàni», dopo un rapido calcolo delle *mani*.

«E che dovevo fa'?» si sente dire Amedeo. Più che una domanda è una giustificazione a sé stesso. «Tre briscole, *i' ffante*, il sette, il cinque... E se non giochi con tre *brische*...», il tono è quello dei rosari per i morti, al terzo giorno, quando sono ormai rimaste attive e partecipi solo le bizzòche più teatrali infatuate di don Sebastiano.

Dal piano di sotto un rumore di scale calpestate annuncia l'arrivo di qualcuno.

«E sei andato a' *bbestia*, Amedeo...», Germano conta con precisione i soldi, «unmilionecentonovantottomila lire... Ché quello sgrullo del Crociani è venuto a giocà coi soldi contati...»

«Unmilione*ddùe*», fa Amedeo, in un rigurgito obbligato di *charme* al minimo sindacale. «Due *e quattro*».

Poi si *guarda addosso* nel gesto impacciato di chi voglia giustificare la mancanza di contante, come due milioni e mezzo di lire per una serata tra amici a giocare a Bestia fosse la base di buonacreanza, la posta da diecimila lire che il novanta per cento dei corsignanesi sperperavano in famiglia.

«Devo fare un assegno», si giustifica in qualche modo Amedeo *per la terza volta*; proprio mentre nel salone del primo piano emerge, dalle scale di legno, Davide Sereni.

«Oh Davide...», lo accoglie Germano ammazzettando il denaro accanto al posacenere pieno di cicche. «Ecché sei venuto a giocare?», prosegue, cogliendo una marlboro rossa dal pacchetto semivuoto. Raspa il bic di plastica nera dal tavolo. La domanda è a mezzastrada tra l'irrisione e il giudizio risentito; e però trova anche il tempo, *mielato*, di annacquare i dubbi di Amedeo. «Oh Bui, e certo che va bene un assegno», Crociani s'è alzato per sgranchirsi le gambe verso il mobile bar accanto al finestrone che dà sui campi, la Luna enorme che staziona, livida, creando una Ъ rovesciata tra l'orizzonte e il cateto a spuntoni delle prime colline dopo Taverne di San Biagio, prima dell'imbocco per il cimitero di Macchiareto. Una luna da Biancaneve disneyana senza il conforto, trasparente, di nuvole che l'aggìrino dalla parte del lato scuro.

«Ci fidiamo», dice Germano. «Mica s'è *bestie*». E stavolta non riesce a mascherare la risata di soddisfazione.

«Germano ci sarebbe da decìde quella cosa», si avvicina Davide.

«Arrivo, arrivo... Oh che si fa una pausa un secondo che vado di *llà* a risòlve *sta cosa* con Davide?», domanda *ordinando* le fila Germano, già in piedi, la figura magrissima che si alza *con lui* e sìbila tra la sedia e il bordo curvo del tavolo di mogano; la laniccia della flanella verde bruciacchiata da qualche minuscolo crasto di tabacco incandescente.

Stefano Agostini accenna al pacchetto di marlboro e ne prende una senza aspettare il conforto di un sì da Germano. Che infatti *non arriva*. «Ciài d'accénde?», domanda ad Amedeo, che ha già tirato fuori il libretto degli assegni e sta firmando, un ictus momentaneo del futuro, *Amedeo Bui* appena sotto *duemilioniquattrocentomila#*. Con i soldi *spicci* che s'è portato dietro e l'assegno, nemmeno alle dieci e venti di quella che dovrebb'essere una nottata di gioco che si *spegnerà* all'alba – «le carte cadono alle cinque», ha annuciato al primo giro Roberto Crociani – lui è già *sotto* di tre milioni e novecentomila. Lira più, lira meno. *Quattro milioni*. «No», *fa di no* Amedeo, «ho smesso tre anni fa».

Sono le undici e un quarto *di notte* e il bar di Vittorio è ancora aperto. I bicchieri e le bottiglie – due Prugneto Gentile Rosignoli doc di Corsignano, una mezza piena; un Averna mezzovuoto e uno Stock 84 ancora attappato col cartiglio – hanno traslocato dalle mensole e dal bancone e sono finiti, tutto il vetro che c'era, sul tavolo grande accanto al biliardo.

«Era il '35 o il '36», ormai non è chiaro se il brillore negli occhi sono schermaglie chimiche tra il riso e il lutto o la brina del Prugneto Gentile, «Raniero era in carcere a Perugia, l'avevano beccato con i volantini della propaganda... s'era preso tre anni... che poi glieli commutarono, ora non ricordo bene quando uscì, certo prima del '39... alla fine del '39, relegato alla casermetta qui di Corsignano, poi confinato qui, una cosa strana che centràva il su' babbo ora non mi ricordo... E insomma nel '35 o nel '36 era al vecchio carcere, dove c'è ora Piazza Partigiani, proprio... nella vecchia Piazza d'Armi, più o meno... ... e un giorno arriva Pio XI in visita... ... Sta a scrive l'enciclica *soccazzo io* qui dalle parti di oltre Mestigliano», smanaccia a indicare i confini estremi della provincia *e oltre*, «e decide di andà a visità i carcerati di Perugia... ma senti un po', scusa», come folgorato dall'interrogativo che – difficile stabilire il prima e il dopo nelle illuminazioni di passaggio – straripa dalle sopracciglia di Elvio, «ma 'll'hai avvisata la tu' moglie che stai costì co' nnoi, sarà in pensiero...»

«Sta' zitto», Elvio si versa da bere. «Mica so' pe' andà a 'ccasa... Comincio il giro dopo mezzanotte che c'è paura p'un bracconaggio di là dall'Arlecchino la notte tardi...»

«E che *'ffai* bevi in servizio?»

«... ... ecché mi denunciano i *cignàli?*»

La risposta del guardacaccia viene messa da Adriano sotto il tappeto del cervello, un sussulto di polvere nel rigore contadino degli Andreoli. Si versa altro sangiovese *nel sangiovese*.

«Insomma. Arriva Pio XI al carcere... Gli mettono tutti i carcerati nel cortile, lui fa un discorso dei suoi... Raniero raccontava che era tutto uno smadonnare dei poveri che devono accettare di essere poveri e dei ricchi che hanno a 'ffa l'elemosina, sicché a Raniero già gli giravano i coglioni, di vedésse quella faccia di gufo senza poté andà via nemmeno a rincantucciàsse in cella, vìa... ... E fa tutto sto discorso...», Adriano si distrae un momento seguendo Vittorio che porta una delle due bottiglie di vino fino al secchione del vetro, la lascia cadere dentro al sacco di plastica azzurro.

«Fa tutto sto discorso...», Vittorio è già seduto accanto a lui, «e poi decide di scendere in mezzo ai carcerati, scortato, che voleva fa' il magnanimo, ma mica era cretino... ... scende in mezzo ai carcerati, e vuole conoscere i politici... ... Va *ggiù*, scende... ... Stringe le mani. Comunque è il papa, molti sono *di qua* e credenti, anche se compagni, si sa, e insomma l'unico che quando arriva Pio XI non gli tende la mano è Raniero. Tanto che uno dei secondini gli sforza il braccio col manganello... ... "No no", fa il papa... Ché mica poteva fa picchià un *derelitto* davanti a 'llui, no... ... E insomma *sorride a Raniero* e gli fa... "Figliolo", *dice*... Diceva Raniero che la voce sembrava quella di *monicelli* ma più *impostata*... Ciài presente *monicelli l'attore?... il regista, dirò*...»

Elvio e Vittorio fanno di sì con la testa, ma non sono del tutto sicuri di aver capito. Anche Adriano, che la ripete da sempre così come l'ha sentita, potrebbe *non esserne sicuro*.

«Insomma... Gli fa... "Figliolo... Se Lei"... gli dà del *lei*... "Se Lei capisse che Benito Mussolini è davvero l'Uomo della Provvidenza... Se *lei* si fidasse un pochinino di me, del suo Papa... ...", come fosse un babbo ch'ammaestra un figlio, insomma...»

«E Raniero?»

«Raniero lo guarda. Sorride pure lui. "Santità", gli fa. "*Voi* credete che un òmo nato da madre *vergine* è morto appeso a una croce e dopo tre giorni è risuscitato in carne e ossa... ... *capirète se* non mi fido *proprio proprio* della Vostra lucidità di giudizio"...»

Alle due e mezza la Luna più grande dell'ultimo secolo *e un terzo* vorrebbe addormentarsi dietro le dune orizzontali di Capannucce; e invece no, è tenuta sveglia da questo rimescolìo di carte nel cuore della Scalaccia, alla Scesa dell'Arlecchino, le finestre che dànno *le spalle al monte* e fissano i loro occhi di vento sul mais che s'allontana, notturno, fino alle provinciali che portano a Perugia, e ancora più lontano, dove certi vecchi di Corsignano non sono mai stati e fatìcano anche a pensarci, nonostante la fine del secolo breve e l'ombra parabolica dei ripetitori. Un fruscìo di cinghiale fa cadere una pala appoggiata – male – sul muretto di sasso che separa l'uliveto dall'aia.

Roberto ha un minimo sobbalzo *casuale*, di qua dai doppi vetri; Stefano lascia andare tutt'e tre le carte, non ha nemmeno una briscola e ha già perso più o meno trecentomila lire. Il notaio compra due carte. Vince poco meno di quel che ha perso il Crociani, può arrischiarsi nel gioco senza troppe paure.

Quello che vince tanto, uno sproposito inaspettato – visto poi che la partita è stata organizzata all'ultimo momento – è Germano. L'avvocato Barbi è *sopra* di una cinquantina di milioni (lira più, lira meno); il che lo porta a continui, fastidiosissimi sorrisetti accondiscendenti verso l'intera tavolata, pause immotivate da anfitrione, tempi morti da spezzettamento di stecche di marlboro e distribuzione di sigarette – «prendete e fumàtene tutti», il sottotesto neppure così implicito – profferte di superalcolici, sospette – eccessive? – pause-bagno da *tirate* private decisamente poco ecumeniche.

E, come in tutti i sistemi limitati, le variabili nascoste sono presto identificabili con un breve còmputo elementare. «Se su quattro persone due più o meno pareggiano e c'è invece uno che vince tanto— *quanti cazzo di soldi ha perso Amedeo?*»

«Allora, Amedeo. Ch'hai deciso? Compri o no?»

Sul piatto ci sono quindici milioni in assegni. Tutt'e tre suoi. Amedeo ha in mano il tre di spade; ancora spade: sembra che tutta la serie non abbia fatto altro che comandare *spade*. Evidentemente è una percezione travisata, ma Amedeo prende a sudare tra il colletto e l'affilatura a rasoio dei capelli, sulla nuca. Un sudore nervoso e acido che gli arrossa la pelle – lo sa, anche se non lo vede – e gli procura bruciore.

Roberto Crociani ha comprato due carte. Ha una briscola e s'è buttato *a pesca*. Germano in questo momento è mazziere; e ancora non ha dichiarato le intenzioni di gioco.

«M'è rimasto solo qualche desiderio», prova a scherzare fuoriluogo – e fuoritempo – Amedeo. «Làsciamelo sperare qualche altro secondo».

«Cazzi tuoi, Bui. Io ho tutto il temp-fo». E gli esce un tonfo sordo dal labbro per via della marlboro. Ha gli zigomi così scavati che quasi gli fanno ombra sulle guance. L'accenno di barba, scuro, pastoso, che le ore della notte gli stanno facendo esplodere come un eczema *in polvere*, a poco a poco disvela e svelle le protesi caratteriali dell'avvocato Barbi.

È l'ora degli umori rappresi, del sudore da melatonina frastornata; è quando i duelli tra la veglia e il sonno strattonano il ciclo circadiano fino a ritrovarselo ingrassato, e bolso.

«Ne compro due», si decide alla fine Amedeo. Germano le conta dal mazzo e gliele passa, coperte. Amedeo le infila sotto il tre di spade che s'è tenuto.

«Una per me», conclude Germano. E si serve.

È di mano Crociani. Che esce di briscola. Un cavallo di spade che svirgola al centro del tavolo. Amedeo *legge* le due carte, confidando in un'altra briscola almeno. Sotto il tre c'è il fante di coppe. Nulla di fatto, con Stefano e Germano che aspettano; Roberto s'è alzato e gli s'è messo alle *tre e venticinque*, in quel tratto di *arco* alle sue spalle che gli fa sentire il peso della presenza senza permettergli la stizza di un «eccàzzo Roberto e dietro no...» Legge l'ultima carta. Spizza dall'angolo sinistro, alto; e arriva solo bianco. Un altro millimetro, il sudore che cola ormai lungo il filo disturbato della spina dorsale. Ancora bianco. Infine uno scatto, *deciso*, chirurgico. Che gli mostra sette soli rossi sorridenti cerchiati di un'aureola gialla. Sette lune grasse di Méliès senza neppure il beneficio di qualche razzo-proiettile da schiacciargli contro quegli occhietti sorridenti del cazzo.

Deve rispondere al cavallo, ma non è poi mica proprio detto che per forza Germano debba avere l'asso, no, mentre cala il tre di spade a forza, quasi volesse mozzargli tutt'e due le teste *speculari*, a questo *coglione* col cappello di piume di struzzo e i capelli da paggio e questo cristo di daga tenuta come fosse la trombetta di Harpo Marx; finché il Bambinello appeso tra le rose alla scimitarra curva dell'asso di spade non cade, *ultimo* e *finale*, come fosse la falce del tempo che s'è voluta far aiutare da un putto che si crede la versione *ninetta* di Gesù Bambino.

Alle due e cinquantacinque – stando almeno all'orologio da polso di Roberto Crociani; il cronografo citizen di Stefano Agostini fa cinquantasei – la macchia scura in movimento del cinghiale è lontana almeno otto chilometri e qualche centinaio di metri dalla villa di via delle Nespole.

Girella nel buio e nel freddo – la Luna, *digradante* verso le falde più disarmate e ospitali del pianoro, sbadiglia ancora la sua rotondità anomala con soddisfazione: un settimo di gravidanza di sé stessa esposta al firmamento come un premio a punti dall'Eternità – fino ad annusare il terrore (almeno: quello che Apperbohr identificherebbe con *terrore*) nel sudore acre di Davide Sereni, un mazzo di chiavi rigirato con rumore metallico nel pugno destro semiaperto, la silhouette sagomata nera nel nero del magazzino, a porta aperta. Apperbohr lo studia e cerca di capire cosa faccia; ma Davide Sereni è semplicemente fermo, in piedi. Due metri oltre la soglia del suo magazzino, la porta di ferro spalancata, l'aria gelata dell'inverno che gli entra contro la schiena a folate. E poi quell'odore, Apperbohr ne avverte la struttura come se inspirasse a uno a uno i filamenti che la compongono: levistico, prima; poi il sedano vero e proprio. E un retrogusto anomalo di nocciole amare. Quasi avesse la consistenza mortale di un incubo, Apperbohr è tanto intimidito dall'*odore* quanto dall'idea – inequivocabile, persistente: come se ammorbasse l'aria intorno con la sua evidenza perentoria – che il terrore della sagoma nera che suda non riguardi quell'*odore* di polvere e chiuso che prende possesso del magazzino. Se non fosse così incerto delle sue conclusioni, Apperbohr direbbe che ha terrore di *sé*.

Ma è troppo buio e deve tornare indietro verso la Scalaccia. Per studiare un percorso alternativo che non lasci indietro né Neekw-jjam né Feenz-sstnér, in caso di fuga.

L'alba, quando appare, fa rumore. Un concerto di luci, il suono metallico di stoviglie che accompagna Scott LaFaro in «All of You» la domenica del Village Vanguard; la cascata di schiuma della doccia di Dio appena sveglio.

Amedeo fuma – la prima marlboro dopo trentatré mesi e otto giorni – il naso schiacciato contro la condensa del vetro. Il fumo si spande *riflettendolo* e slargandosi sulla finestra fino agl'infissi, bianchi. Il sole che sfólgora improvviso dalle *due* del cielo gli chiude gli occhi, rossi e infiammati per il sonno e per il nuovo ritorno della sigaretta. Dopotutto, aver ricominciato a fumare è quasi nulla, rispetto al fatto di dovere ottantacinque milioni a *uno che si dice presti a tutta la provincia*. Amedeo fuma: e fatica ad aggiungere *a strozzo* alla constatazione; forse, se nasconde la verità al suo stesso pensiero, la preoccupazione perde peso.

All'ultima boccata uno scatto istintivo in avanti gli fa sbattere la fronte contro il vetro. Nello spiazzo dell'aia, veloce oltre il roveto che nasconde i tralci di uva passa, gli è sembrato di rivedere quel *cazzo di cinghiale con la striscia rossa* del funerale di Agnese. Si stropiccia gli occhi; e pensa che lui non ce li ha, così tanti milioni da dare a Germano Barbi.

«*Oh*. Sta' tranquillo *Amedè*. Che qualcosa si risolve sempre. Ora non ci pensare...», gli ha detto l'avvocato. E gli ha coperto il dorso della mano, sul tavolo, con la sua.

# 17.
## 25 DICEMBRE 1999

**A cinquantatré anni, nel 1984, lo stesso giorno del suo compleanno,**

Alvaro Muzzi aveva fatto il primo intervento all'occhio destro. I laser a eccimeri erano stati perfezionati da poco; le tecniche geniali ma evidentemente troppo invasive di José Ignacio Barraquer – con quella trafila di rimozione congelamento *correzione* e *riposizionamento* del disco corneo nel paziente – stavano per essere superate quasi senzaritorno.

La mattina dell'intervento il suo oculista – il dottor Felci: la persona che lo seguiva più o meno da trent'anni e in cui Alvaro riponeva la fiducia che il mondo, di solito, riserva ai santi più introversi o ai peccatori più *esposti* – era arrivato con un paio di cioccolatini (gianduiotti, per la precisione) e glieli aveva poggiati sul comodino. Alvaro era in tenuta bianca da paziente (la gravità della sua miopia, lo stato pericolante – e pericoloso – della rètina e del nervo ottico aveva imposto una sedazione più forte del normale).

«Questi li mangi tutti e due tu», gli aveva detto Felci, serio. «Ma solo se io sbaglio l'intervento».

Alvaro l'aveva guardato pieno di sorpresa; un pizzicore da sesto senso spidermaniano che cominciava a fluttuargli sulla chierica — ché di capelli ne aveva sempre avuti pochi; e fini. Era nato di otto mesi, il nove marzo del 1931: e s'era ritrovato da sùbito con un palato non formato del tutto; occhi e ossa troppo fragili per questo pianeta: e un'insana tendenza a rompersi il malleolo del piede destro in più punti della sua infanzia contadina e tribolata.

Il dottor Felci – Ulisse, Felci – aveva preso il primo gianduiotto, l'aveva scartato; poi l'aveva inghiottito gettandoselo direttamente sulla lingua. L'aveva masticato frettolosamente — sempre sotto lo sguardo tra l'incuriosito e il preoccupato del suo pur devotissimo Alvaro Muzzi – quindi aveva (comunque masticando rumorosamente) afferrato l'altro gianduiotto. Che aveva seguito il fratello nella grotta nera e decisamente *polihfhemica* del dottor Felci. Aveva strizzato un occhio ad Alvaro a bocca piena. E sempre a bocca piena «*Tchi vediamo dopho*», gli aveva detto.

Nella sala operatoria, mentre il conto alla rovescia cominciava a fare già effetto dopo il novantanove (*avanti, avanti*, gli sussurrava l'anestetista), l'ultima cosa che Alvaro aveva pensato, prima del buio chimico – la premorte metabolica di tutti quelli che non confidano in un'esistenza ulteriore – era che, a cinquantatré anni compiuti, continuava ancora a doversela *vedere* con la *fretta*, insostenibile, del mondo che gli viveva intorno.

Nato ultimo dopo una serie di aborti spontanei della madre – e con le preoccupazioni *ottimine* che lo presentarono da sùbito come un sopravvissuto, già dopo il secondo giorno di poppate – Alvaro era vissuto per i primi tre anni praticamente da solo. Forzato a crescere in fretta: e autonomo, e indipendente; in questo trovandosi vittima della vita nei campi dei suoi — Ettorina e Rinaldo Muzzi, tutt'e due braccianti stipendiati nel piccolissimo podere dei Gernaldi, sulla strada di grano che dalla vallata sotto Corsignano portava (e porta tuttora) fino a Taverne di San Biagio, *e oltre*, sconfinando: più in là di Capannucce, fino a Mignone Basso, e San Martino dei Colli, e Mestigliano.

Di quei tre anni – com'è normale – Alvaro non aveva neppure un'idea vaga: solo una sensazione di solitudine che gli si era confermata negli anni successivi: quando, pur delegato già a sei anni della protezione e della salvaguardia dei cugini più piccoli (tutti apparentati dalla cascina dei Gernaldi) si era trovato costantemente solo, e *perduto*. Anche incapace, visto che il mondo che vedeva era, da sempre, quel mondo sfocato e deformato che i suoi occhi lo costringevano a *vedere*, di rendersi conto che – anche in un'ipotesi totalmente *soggettiva* dell'universo – la sua percezione di base era minata da una carenza di luce di cui non era colpevole; e che però conferiva ai suoi gesti e alla timidezza delle prime parole una linea d'ombra sottile che riverberava dalle cose e gli scavava addosso lo sguardo degli altri. (Anche se non riusciva a *vederlo*.)

Cresciuto riservato e silenzioso perché non aveva trovato in sé un altro esempio praticabile, nessuno – né Ettorina, né suo padre Rinaldo; né tantomeno il vecchio dei Gernaldi: ché certo dei figli dei contadini si curava «come delle scorregge della su' mamma bonànima ora ch'era bell'e 'mmorta lasciandogli pure i campi a 'ssudare, madonnaschiànta» (questo aveva detto Antonio Gernaldi alla Caterina Cinzi, quando lei gli aveva chiesto un anticipo sulla semina per comprare il vestito della cresima alla *su' figliola*) — *nessuno* aveva mai chiesto conto al piccolo Alvaro del perché si muovesse così piano, quando andava al pozzo ch'era già scuro; o semplicemente si trovava a dover uscire di notte in campo, o nel casotto. Nessuno dei famigliari, prima dell'Aida; e soprattutto prima del 1955 del suo matrimonio e della *prima* visita al suo Ulisse privato (grazie alla Marisa, *la su' moglie*: che aveva trovato deprimente e inaccettabile la constatazione del marito di «vederci così praticamente da sempre: e sarà così che ci devo vedere...») — *nessuno* s'era curato *davvero* di capire perché la lentezza previdente di Alvaro lo lasciasse sempre un po' disorientato di fronte ai cambiamenti: o come mai rispondesse alla fretta incalzante dei suoi – Rinaldo in primis, soprattutto quando *il padrone* gli s'era sfogato contro – con una ponderata, frenata ripetizione della vita degli altri *intorno*. Quasi dovesse replicare una coreografia di movimenti di cui non aveva esatta cognizione solo concentrandosi sul tono di voce *di chi glieli chiedeva*.

*Miopia refrattiva* era la parola magica con cui la vita di Alvaro Muzzi s'era data appuntamento, il 9 marzo del 1931, con il corpo che ad Alvaro Muzzi apparteneva. Miopia che, negli anni – fortificata in modo inversamente proporzionale alle derive osteopatiche di Alvaro – s'era trasformata (la bellezza dinamica delle malattie, quando si offrono agli ammiratori, ammiccano al microscopio e – in definitiva – sognano una gloria futura ratificata nelle enciclopedie: *come tutti*) in *Miopia degenerativa progressiva*.

Che s'era impadronita degli occhi di Alvaro già nel Quarantatré del passaggio del fronte; e della guerra in Val d'Orcia. Quando – la scuoletta elementare di Corsignano tenuta a bada dall'Aida («la nonna della Federica: la moglie di Marcello – *dirò... insomma: l'ecss moglie di Marcello*, no?... La madre della *Teresa*...») – proprio l'Aida s'era fatta carico di prendersi a cuore questo dodicenne segaligno e spaesato (epperò sempre dignitosissimo: e riservato... «Hai presente *La maschera di ferro*... Le storie di... dei *lord* scambiati, chenesò... ... E' sembrava che *nun* fosse figliolo dell'Ettorina, da quant'era riservato...»: questo aveva raccontato l'Aida alla Teresa, ormai invecchiate tutt'e due, una sera che ricordavano la guerra quasi rimpiangendo di non avere più le forze per ricombatterla).

E s'era resa conto che tutta quella lentezza – e però anche il modo in cui rispondeva alle frégole di fretta di tutti gli altri intorno – non dipendeva dal fatto che «è il figliòlo più scionchio della nidiata: e ho fatto solo questo», come diceva – mezza balla di vino in corpo: e spesse volte rideva, dicendolo – quella testadicazzo di suo padre Rinaldo.

Semplicemente, Alvaro non ci vedeva. E non ci aveva visto mai. Però. Troppo *vedente* per ricorrere da sùbito all'evidenza nera della cecità (e quindi al conforto saltuario: e alla *pena* di massa che il paese riserva ai ciechi, e agli storpi); e troppo *miope* per concedersi il lusso di un'esistenza gratuitamente comune: Alvaro s'era reinventato il mondo non per difetto di conoscenza, ma (anzi) per eccesso di fiducia e di ottimismo.

«Ma te ciài bisogno d'occhiali, amoremio», gli aveva detto l'Aida; anche costringendolo a un rossore prepuberale alle prime avvisaglie di sesso («... e sì che mite sarà stato mite: ma che l'Aida era un gran tocco di donna e *lo vedeva anche lui*», avrebbe tradotto in terza persona Alvaro a chiunque avesse indagato, sottopelle, le crepe più fonde della sua adolescenza sfocata).

E poi l'aveva ripetuto, l'Aida, al padre e alla madre. «Alvaro e 'un ci vede bene, Ettorina... Bisognerà compra*lli* dell'*occhiali*, in qualche modo...»; e, senza permettere alle incertezze – minime – di amor proprio dei Muzzi di ammutolirsi in un silenzio imbarazzato, aveva sùbito aggiunto che «la scuola, sapete — *e se ne pòle fa' carico la scuola...*»

La scuola, in realtà, era l'Aida stessa. E Alvaro s'era ritrovato sul naso – delicato: una variante tenuamente senese delle pitture etrusche dalle cartilagini scalene, o dalle narici esageratamente larghe – il primo paio d'occhiali della sua vita.

Prima, c'era stata la visita dal dottor Pascucci, a Piancaldo Alto. L'aveva fatto sedere su una poltroncina di pelle rosso bordeaux (o, per Alvaro, una grossa *sedia* dalla consistenza porosa del càlo del sole). Poi – immaginàte la penombra di uno studio inerzialmente polveroso, il freddo del tardo pomeriggio di un dicembre degli anni Quaranta, il buio *semi*totale per Alvaro, le macerie del palazzo di fronte, *nuove nuove* (per un innesco venuto male di un plotone della Wehrmacht che s'era portato vìa un tenentino biondo di Brema e cinque pecore di passaggio: la fortuna del pastore, Ermanno Sterri: nemmeno di Piancaldo Alto, di Budo, era stata l'attardarsi a guardare le cosce della Silvia attraverso un portoncino accostato: guardàte di che farina sono fatti i miracoli del diavolo), macerie protette dal panneggio nero che oscura la stanza lasciando una delle pochissime brutte lampade da tavolo art déco a fare il lavoro sporco del Sole – il dottor Pascucci aveva acceso una candela e aveva chiesto ad Alvaro di fissarne la fiammella.

Alvaro l'aveva fatto; Pascucci ne aveva ricavato una sua certissima anàmnesi solo fidando nella dilatazione e contrazione delle pupille del bambino. Aveva preso una sigaretta francese, finissima e lunghissima e l'aveva accesa alla fiammella della candela. Poi si era alzato – il cli-*iic* diverso dell'interruttore della lampada da terra – e aveva messo una tavola optometrica sul cavalletto,

# BNLD
## RHOTN
### UDCDQD
#### RDMYZKTBD?

coprendo con il braccio bianco del camice dalla quinta riga in giù.

«Leggi dalla prima... Sai leggere no?»

Alla domanda diretta Alvaro aveva risposto sì – sapeva leggere – ma l'ordine di leggere, *quello*: non era colpa sua. Quello che invece – alla luce della lampada da terra e del barlume alle sue spalle – Alvaro *poteva intravedere* era più o meno

;

l'intuizione di qualche lettera ripassata dal fastidio della mano – e della penna, sbiadita comunque – di un dèmone alcolizzato e irriguardoso della luce. Non si trattava di leggere. Si trattava di *vedere*.

«So leggere, sì», aveva detto Alvaro. «Ma *da qui* non posso...»

Fossero gli anni della guerra o la pochezza del vecchio dottor Pascucci – settantanovenne, recluso nel suo studio

di Piancaldo Alto come fosse l'ultimo custode della luce
*però* condannato all'ombra da troppe bollette non pagate
– l'oculista si limitò, l'Aida sempre in attesa nel salottino di
là dalla porta, a prescrivergli un paio d'occhiali *semplici.*
Le diottrie mancanti messe quasi a caso sulla base dell'os-
servazione delle pupille.

*Così.* Alvaro venne gratificato dalla pegola spessa di una
montatura nera, *grossa*; su due lenti molate un po' alla
buona e pietosamente sfumate in giallo. La prima volta che
li indossò, un peso nuovo sul naso, una leggerezza mai av-
vertita dal cuore (e dal cervello), ad Alvaro sembrò il momento più strano e meraviglioso di tutta la sua vita. Poi il
cuore (e il cervello) gli si strinsero in due terrori paralleli e
*incrociati*, proiettandolo in un punto *vicinissimo* e nero del
suo futuro. Si spaventò per *quanto vedeva* (epperò, mentre
coglieva la ricchezza spropositata di quel regalo, la sua al-
varità più profonda gridava di disperazione per tutto quello che, *fino ad allora*, aveva perduto). Poi si spaventò per il
terrore che quella vista *nuova* e *meravigliosa* fosse un regalo a tempo. Qualcosa che avrebbe dovuto ridare di lì a poco indietro; con la sciagurata consapevolezza di chi, cono-
sciuti i piaceri all'*hashish* del Vecchio della Montagna, sia
poi trascinato a calci in culo nella sua nuova vita di assas-
sino drogato. (Ché è poi lo spauracchio oppiaceo di ogni
fedele, dacché il pianeta è pianeta.)

Quindi venne un terzo incubo interrogativo, che in qualche modo accorpava in sé entrambi gli *spaventi* e che però
li superava in forma, destrezza, misura e tormento. Come
avrebbe fatto a *reggere* tutt'e due i terrori – entrambi in
bìlico, l'uno la negazione dell'altro e al tempo stesso l'uno
l'*accrescimento* e il *rimpianto* dell'altro – per tutta una vita? Come càpita a chi, improvvisamente, si trovi costretto
a darsi una qualche risposta approssimativa ancora prima

che la vita impari a formulare la domanda *adatta*, Alvaro imboccò per un tratto *tutt'e due le biforcazioni* del bivio: e *vide* – pensò così un verbo da cui si sentì, di nuovo, proditoriamente preso per il culo – *vide* che la prima strada portava alla follia e la seconda alla disperazione; se gli si metteva *fretta*.

Scelse di tenerle a bada riservandosi il lusso frenato – moderato, oculato – di un terrore al giorno. E imparò a gestirli; quasi a provare nostalgia per il terrore assente, quando sottotraccia si lasciava prendere dallo sconforto della pressione opposta.

*Questo*, fino al 18 aprile del 1948, il giorno delle elezioni. Quando un camioncino che trasportava le suore di Santa Maria dell'Ingrazie al *voto* per la Democrazia Cristiana – fosse l'imperizia del pilota assoldato da don Agenore; o il suo stato di ubriachezza già dalle tre del pomeriggio – *lo prese pieno*, Alvaro distratto dalla campagna oltre i Muraccioli, l'entrata alta di Corsignano: quella che, i muraccioli sospesi sulle travature di pietra del paese, portava direttamente all'Arco di via del Passaggio; la vallata stesa come un mantello verde, e ombrato di nero*chiaro*, sulle pieghe dirupate dei boschi dell'Arlecchino.

Incidente che, da quel giorno di primavera in poi, costrinse Alvaro a scendere a patti – per quel che poteva – con i suoi incubi peggiori. Il colpo gl'inferse l'obbligo di vedere *tutto* sfocato e *rovesciato*, nonostante gli occhiali. Questo, fino al matrimonio con la Marisa e gli anni di *preghiere*, prima; di minacce, poi, che lo portarono al suo compleanno del 1984.

S'era svegliato nel tardo pomeriggio stordito, pieno di speranze per il futuro e, soprattutto, bendato. Una benda enorme a proteggere una gabbiola *a lingotto* di plastica trasparente, perché non filtrasse la luce nemmeno a convertire quello stesso *lingotto* in oro.

Di ritorno a casa con la su' moglie – l'unico figlio, Sereno (nato nel 1957, due anni dopo il matrimonio), era stato accanto al padre per i sette giorni di ospedale, facendo spola tra Corsignano e Piancaldo; per poi tornare a Pescara, dove s'era trasferito: con le stesse oscillazioni sentimentali che lo avvicinavano e lo allontanavano proprio in quei mesi dalla prima moglie – Alvaro aveva lasciato, senzafretta, che si concludessero gli obblighi delle due settimane. Poi, aiutato dalla Marisa – ché Ulisse Felci gli aveva garantito che sarebbe stato «un gioco da ragazzi» – aveva prima tolto la benda. Quindi la gabbiola: sempre a occhio forzatamente chiuso, al primo avviso di bagliore. Finché s'era trovato libero; la stanza studiatamente in penombra, la sveglia poggiata sul canterano, a due metri e mezzo dall'*occhio destro* («la saprai piazza' na sveglia su' i ccanterano, no?», la domanda tecnica del dottore); Alvaro aveva aperto l'occhio: per un momento l'aria gli era sembrata liquida, un bruciore a forma di *giallo* – pur sforzandosi, in quel preciso istante non sarebbe riuscito a trovare paragoni che non implicassero una minima sinestesia subcorticale – gli aveva preso l'occhio per poi sparire, in pochi secondi, come se l'aria della stanza gli avesse verniciato via il bruciore lasciandolo alle prese con la vista, memorabile, delle otto e trentatré del mattino del 23 marzo 1984.

Le lancette nere che si stagliavano nette; e senza macchie o nebbie (l'occhio sinistro chiuso quasi dovesse abbattere la sveglia a fucilate). Lo sfondo bianco della sveglia limpido, e lattiginoso, *come Alvaro non l'aveva visto mai*. E non aveva fatto in tempo a voltarsi verso il viso della Marisa per comunicarle tutta la sua gioia, irrefrenabile, *improvata* (fino ad allora) che – già nell'emiciclo della girata, a occhio destro pronto all'esplorazione del mondo con tanto coraggio incosciente da trascinarsi dietro, da lì a qualche mese, anche l'occhio sinistro – s'era accorto (lo stesso colpo di fucile che si trasforma in un rinculo, sembra, e in una botta di calcio allo sterno: per poi scoprire che è invece la pallottola che ha perforato il torace) *di non riconoscere sua moglie*.

«Pallìno», gli aveva spiegato due giorni dopo Felci – lui mano nella mano di lei, tutt'e due seduti in silenzio davanti al dottore; e sconvolti come adolescenti cui si sia rotto il preservativo *la prima volta* – «e di queste cose dell'occhi mica si sa tutto... Evidentemente tu avevi... come ti posso di'? Un'immagine di lei che però ti si è... fermata negli anni, a mano a mano che la vista calava... Epperò lei... Oh, Marisa, sei sempre una bella donna... Se non fosse che voglio bene a' i' ttu' marito e magari ci proverei anche». Aveva riso, un po' forzato; avevano riso anche loro. «Ma sei un po' invecchiata in trent'anni, *no*?... ...»

Così. Da quel 1984 del *mito*, la vita – e la vista – (un sibilo infinito, un'*esse* tortuosa che avvolgeva a spirale gli occhi neonati di Alvaro) diventarono un tutt'uno preziosissimo e deformato. Cui Alvaro, per circa tredici anni, fino alla foratura improvvisa della rètina, delegò la propria felicità sospettosa venendo a patti con quell'idea di immortalità faticata che, comunque, aveva sempre tenuto in serbo per la vecchiaia.

Una volta arrivato, il futuro radioso della *vista*, era sembrato troppo stremato dal presente della vita. Alvaro ci si era abituato; ma non era stato sufficiente.

Perché la rètina del *destro* – come spiegò un invecchiatissimo Felci al suo pupillo – era non solo compromessa ma *irredimibile* (il dottore usò proprio questo verbo biblico e pretenzioso, per segnare ieraticamente un passaggio irreversibile). Questo, insieme con le tecniche sorpassate degli anni Ottanta – l'avanguardia di un tempo che si commuove invano per scintille che, ormai, sono appannaggio stantìo degli artisti peggiori – impedirono qualsiasi intervento di recupero. Tanto al *vecchio* destro compromesso del tutto; quanto al sinistro ormai raggiunto dalle gradazioni seminevose dello *zero virgola* —

\* \* \* \*

*Così. Di là dalle premesse nascoste alla vista da ogni vita.*

\* \* \* \*

*Quando* lo *vediamo,* in questo presente natalizio del 1999, Alvaro Muzzi è un uomo che distingue a fatica le sfumature di buio intorno e la poca considerazione della luce nei suoi confronti. Ma non si arrende. Ha imparato a guardare di nuovo tra le righe del mondo, cucendosi addosso un braille pencolante sulla realtà che – certo com'è, per una qualche forza segreta e saldissima, che quello spiraglio di infinito non gli verrà comunque mai a mancare: perché è il pareggio con il punto di partenza; e il retaggio dovuto per sempre – lo rende sereno, nel nome augurale che ha voluto per suo figlio; ora di là, in casa, con sua madre e sua moglie – la terza, Gianna – e suo figlio Guglielmo, di sette anni, il nipote perfetto per Alvaro: visto che ha ripreso le chiacchiere di sua nonna Marisa e gli occhi *memorabili* di Ettorina.

Lo vediamo, Alvaro, mentre entra nel capanno, in giardino, gli avanzi di ossa della cena nel pentolino di peltro. Ha aperto solo sfiorando le dita della mano sinistra e la chiave nella feritoia seghettata del lucchetto.

«Furia», sta dicendo. La voce un po' roca di sessantotto anni che si contano con le miglia di un esodo; non con il tempo che c'è voluto per *radunarli*. «La mi' Furia, oh come sta?»

Parla in terza persona al suo cane, per darle un'importanza amorevole; e intanto cerca a tastoni, chinandosi, il pentolino più grande per versarci dentro gli avanzi. «Oh che credevi che ti si lasciava digiuna i' 'ggiorno di Natale?... Teh...», e rovescia le ossa con rumore di smalto sotto la pioggia, «Teh, vìa, godi anche te... ...» Poi segue la linea della luce che filtra dalla finestrella retinata fin da dentrocasa. «Ossènti che puzza di salvàtico che c'è *c*qua... e sarà i'ccaso che doman domanlaltro si dia una pulita, *c*qui... O che si fa?», accarezza il pelo ispido del cane con la mano destra. «Senti te che pelo sporco e' tu ciài... ... Domani si risolve, eh? Ora bonanotte però, *Furiella*... Si va via...»

Gli è sempre piaciuto parlare con la Furia. Che ormai è il suo cane da più di dieci anni. Ed è come se fosse di famiglia. Come la Marisa, scherza ogni tanto; come Sereno e Guglielmo. Non s'azzarderebbe a fare la stessa battuta facile con la Gianna. Non perché non le voglia bene. È solo perché a parità di bene ha paura di troppa confidenza. È solo una questione di rispetto.

Si richiude il lucchetto alle spalle e, per un momento, la luna gli riverbera un disco di luce negli occhi che lo rende stordito; e felice.

La Furia sonnecchia slegata vicino al cancelletto rosso – ché Sereno e Guglielmo se ne sono dimenticati, prima di cena, di riportarla nella cuccia nel capanno – e sogna un sogno frattale di bolle di luce e pelo di gatto.

Apperbohr, mentre s'insinua (a colpi di *tlang-tatlang* contro il cielo di dicembre) nella feritoia che ha sfondato lui poche ore prima nella latta del capanno, mentre esce controluna sforzando il grasso e il pelo degli ottanta chili, pensa agli ossi; che erano buoni anche a ingozzarcisi di *fretta*; e a questo strano Alto sulle Zampe che parlava di *furia* e che però non ha avuto paura di accarezzarlo.

# 18.
## 26 LUGLIO 1999

«Io ho capito le cose...»[1]

«Chi?...», gli chiede Chraww-nisst [la resa dei nomi propri è abbastanza difficile e pressocché *impressiva*; ci limitiamo qui e di séguito a indicare una sola volta tra parentesi quadre le versioni *plausibili* dei nomi corsignanesi dei rvrrn; *da qui* Chraww-nisst, «Musolindo»], alzandogli il muso contro il grugno.

«Come *chi*? ... Io. Ho capito *le cose*».

Chraww-nisst sniffa un punto preciso nell'erba. «Qualcuno mi sa che ha pisciato proprio qui... Mi sa ch'è stato Neekw-jjam [Neekw-jjam, «Setolìspido»]... È l'odore di Neekw-jjam...»

---

1. Sia per quelli che conoscono sia per quelli che non conoscono il *cinghialese*: da sùbito rimandiamo al «Prontuario» nell'appendice *Cinghialerie* e alla resa *diretta* del capitolo 18 qui in traduzione.

«Ma mi stai a sentire?»

Da una siepe cespugliosa di ginepro spunta la zazzera irsuta di Neekw-jjam.

«Che c'è?»

«E chi ti ha chiamato?», gli fa Apperbohr [com'è già noto, «Cinghiarossa»], sgrunfiando.

«C'è Neekw-jjam», fa Chraww-nisst ad Apperbohr. «Ha pisciato proprio qui...», e lo ribadisce bofonchiando contro i fiori bianchi del coriandolo. «Ci hai pisciato tu?», fa Chraww-nisst a Neekw-jjam.

«Chi?», Neekw-jjam si avvicina a Chraww-nisst e ad Apperbohr.

«Chi *che cosa*?», chiede Chraww-nisst a Neekw-jjam.

«Chi ha pisciato?», fa Neekw-jjam.

«Dove?» Chraww-nisst gira il muso dalla parte di Apperbohr. «Chi ha pisciato?», gli fa.

«Perfavore», fa Apperbohr, eccitato dagli odori intorno e però *costretto* a cercarsi una sponda che in qualche modo lo aiuti a *capire*.

«Perfavore», ripete Apperbohr.

«Di chi?», chiede Chraww-nisst. Poi sniffa di nuovo il coriandolo. «Mi sa che ci ha pisciato Neekw-jjam, qui», dice. Fissando Neekw-jjam.

«Quando?», chiede sorpreso Neekw-jjam a Chraww-nisst.

«Perfavore... *A me*... Fate un favore a me...»

«Che cosa? Quale favore?», domanda Neekw-jjam a Chraww-nisst.

«Cos'è un favore...», semplicemente *dice* Chraww-nisst.

«Quella cosa che fate se uno vi chiede di ascoltare e voi lo ascoltate...», Apperbohr sente distintamente i battiti frenetici e aritmici che gli schiaffeggiano il petto da dentro; e capisce che si tratta del cuore. Del cuore: e del sangue che gli scorre lungo tutto il corpo massiccio e peloso che si ritrova — *addosso*. La parola potrebbe essere *addosso*.

«Ho capito le cose, vi dico... Ho capito ma è tutto...»

«Quali cose?», gli fa Neekw-jjam.

«Quando l'Uomo con il cappello ha detto "Ripènsaci, amico"... L'ha detto...», spiega Apperbohr.

Neekw-jjam incrocia lo sguardo di Chraww-nisst. «Cos'è un cappello?», gli chiede.

«Un fungo. Un alto sulle zampe con un fungo, ha detto», gli risponde Chraww-nisst.

«Quali funghi?», chiede Feenz-sstnér [Feenz-sstnér «Lupirìsa»] arrivando a piccoli passi dallo stradello verso la Diga, più a valle. Si piazza dietro Apperbohr, lo saluta. «Quali funghi?», ripete. Feenz-sstnér è una cinghialessa di cinque anni che conosce Apperbohr da quando erano i figli di due cucciolate dello stesso tratto di bosco. Lei di primavera e lui d'autunno. Chraww-nisst e Neekw-jjam sono di poco più giovani; vengono tutt'e due dalla fascia meridionale del Boscogrande, vicino a Budo, ma ormai si sono trasferiti qui, sotto Corsignano, da parecchi mesi. Da parecchi di *quelli* che Apperbohr sta imparando a chiamare mesi secondo le *cadenze* – crede che più o meno questa sia la parola – degli Alti sulle Zampe.

«Sei tu che hai pisciato qui nel coriandolo? Perché *invece* a me sembra l'odore di Neekw-jjam...», le fa Chraww-nisst appena lei gli accenna uno sbruffo roco di saluto. Neekw-jjam abbassa il grugno sull'intrico di coriandolo. «Chi ha pisciato?»

«Perfavore, ascoltatemi un — minuto...», implora sempre più frenetico e rugghiante Apperbohr, smusando a ventaglio tutti e tre. Feenz-sstnér annusa anche lei il coriandolo e poi indica Neekw-jjam a Chraww-nisst. «Mi sa che ci ha pisciato lui...»

«Quando?», le fa Neekw-jjam. Poi fissa il coriandolo, alza il muso su Chraww-nisst.

«Ho davvero bisogno che mi aiutate a capire...», infigge gli occhi negli occhi di Feenz-sstnér.

Lei annuisce. «Ma si capisce, dall'odore. È stato Neekw-jjam...»

«A fare che cosa?», le chiede incuriosito Chraww-nisst.

«A pisciare nel coriandolo, credo...», gli risponde Neekw-jjam.

«Quando?», domanda Chraww-nisst a Neekw-jjam. «Quando che cosa?», chiede Feenz-sstnér, apprensiva, a Chraww-nisst. Poi gira lo stesso interrogativo sospeso ad Apperbohr, annusa il coriandolo.

«*Vi prego di ascoltarmi* un minuto... L'Uomo con il cappello dentro il sasso luminoso ha detto "Ripènsaci, amico"... ... E a me è venuta come tutta una cascata di *cose*... ... Io ho capito le cose, capite?... Le cose... Ma non è tutto chiaro— non c'è quasi niente di chiaro... È come se l'acqua della cascata fosse fatta di *cose*...»

«Quali cose?», fa Feenz-sstnér, preoccupata dai grugniti ansiosi di Apperbohr.

«Cos'è un sasso luminoso?», chiede Neekw-jjam a Chraww-nisst.

«Sei tu che hai pisciato nel coriandolo?», gli chiede Chraww-nisst di rimando. Di scatto, Feenz-sstnér si rivolge ad Apperbohr come se dovesse chiedergli *la* domanda *ruggente* della sua vita.

«Che cos'è un *prego*?»

«Chi ha pisciato nel coriandolo?», domanda Neekw-jjam ad Apperbohr. Un fruscìo tra i cespugli dietro di lui, l'irruzione ballonzolante di Mm-eerrockwr [Mm-eerrockwr, «Baffazzurro»], a piccoli passi rigidi e a zampe divaricate.

«Hai pisciato nel coriandolo?», chiede Mm-eerrockwr ad Apperbohr. La striatura acquosa e vagamente indaco dei baffi scintilla al rosso del tramonto, di là dall'Arlecchino.

«Quando?», fa Chraww-nisst all'ultimo arrivato.

«Quando *che cosa*?», chiede Feenz-sstnér a Chraww-nisst.

Apperbohr si allontana di quattro, cinque, sette metri arrancando all'indietro. Si gira verso i tronchi di quercia – *cerqua*, dicono gli Alti sulle Zampe di Corsignano: e non saprebbe spiegarsi quale voce gli ha indotto (*indotto* dovrebbe essere la parola) la spiegazione paesano-botanica che gli è frullata in testa: *ora* che sta accettando di capire *cos'è* una «testa» – poi ritorna nel gruppo.

«Oi...», gli fa Chraww-nisst.

«Com'è?», lo salutano a sprazzi Mm-eerrockwr e Feenz-sstnér. Neekw-jjam sta sniffando a piene narici la barba di coriandolo.

«Tu sai chi ha pisciato nel coriandolo?», gli chiede.

«Io ho capito le *cose*, *Mm-eerrockwr*...»

(Si rivolge a Mm-eerrockwr chiamandolo per nome; il che è quasi una novità, nei dialoghi tra di loro. Perché quando un *rvrrn* – ché così si chiamano tra loro per *indicarsi* quelli che gli Alti sulle Zampe *di Corsignano* chiamano *cinghiali* o *cignàli* – incontra un altro *rvrrn* il nome: quel minimo *principio* che ha *definito* e *stabilito* ognuno di loro in un impulso battesimale, in uno sfolgorìo sfragistico e istintivo fatto di impressione biologica e di decisione materna, è sempre sottinteso e lontano; un ricordo ancestrale condiviso che rassomiglia a un gesto ereditato della specie, più che raggrumarsi in una specificazione identitaria. I *Rvrrn* sono *i rvrrn* e ognuno di loro è un *rvrrn*. I nomi si conoscono ma a che servono, i nomi? Se sono accidenti precipitati, da sùbito, in una memoria concava e profonda come il passato; o potenzialmente guasta e disperante come il futuro. Ma a che servono il passato o il futuro, ai *rvrrn*? Se, semplicemente non ne hanno cognizione; e già il presente gli si sfalda addosso in una catena di momenti in cui causa ed effetto hanno il loro bel daffare, per restare vivi. Simile, se non tale appunto è la saetta digressiva che colpisce il collo inturgidito di Apperbohr, quando si espone con Mm-eerrockwr.)

«Io ho capito le *cose, Mm-eerrockwr...*» Mm-eerrockwr, di poco più grande di Apperbohr e di Feenz-sstnér, per la stazza e per una sorta di basilare, chimico carisma *rvrrnesco* avrebbe potuto – anzi: avrebbe *dovuto* – essere il capobranco riconosciuto e riconoscibile dei circa quarantotto, quarantanove cinghiali che costituivano – e *costituiscono*, in questi giorni di sole dell'estate del millenovecentonovantanove (se solo i *rvrrn*, di là dalle incandescenze *appercettive* di Apperbohr) – il branco sparso di cinghiali nei trenta chilometri di diametro che dalle tavole di Capannucce arrivavano fino a poco prima dei campi di mais a ridosso dell'A1, all'altezza di Budo. Avrebbe dovuto: se solo Mm-eerrockwr non fosse stato, per natura, il più *etimologicamente* «solitario» tra i porci solitari che abitavano Boscogrande e le spinaie dopo l'Entrata. Se soltanto non avesse preferito le fiutate di rosmarino selvatico e il caldo spugnoso del fango caldo sottomonte (solo i grilli e le cicale a ronzargli sonnolenza tra palpebra e palpebra) ai doveri privilegiati (ché i privilegi doverosi non sono comunque appannaggio *consapevole* dei *rvrrn*) di – più o meno – guida anche momentanea, e marginale, di un gruppo di cinghiali.

«Quali cose?», gli chiede Mm-eerrockwr.

«Si può sapere dove hai passato la notte, poi?», chiede Feenz-sstnér a Mm-eerrockwr.

«In un fosso», le risponde Mm-eerrockwr.

«Quali *cose?*», domanda Chraww-nisst a Neekw-jjam.

«Perché? Sei tu che *hai pisciato* nel coriandolo?», domanda Neekw-jjam ad Apperbohr.

«Un fosso!? E dove?», domanda piena di *apparente* sorpresa Feenz-sstnér a Mm-eerrockwr.

«Perfavore», sbuffa e grugnisce Apperbohr. «Devo parlarvi, è importante... ...»

«Cos'è un favore...», *dice* semplicemente, di nuovo, Chraww-nisst.

Mm-eerrockwr indica a narici dilatate una distanza lontanissima oltrecespuglio, stolzando. «Laggiù», risponde a Feenz-sstnér.

«E non ti hanno dato fastidio?», chiede sbalordita Feenz-sstnér a Mm-eerrockwr.

«Chi?», fa Mm-eerrockwr a Feenz-sstnér.

«Chi *che cosa?*», gli chiede lei.

Apperbohr quasi *ruggisce*, un grugnito che di solito si riserva alle battaglie per l'accoppiamento e che invece ora si regala qui, il cuore che gli fa tremare le vene pulsanti della *fronte* – gli verrebbe da pensarsi «la fronte», infatti: proprio lì dove il pelo gli si sta infoltendo, e drizzando, in previsione della stagione immediatamente prossima – *il cuore* che lo bastona da dentro e gl'impone di *rivelarsi* per quello che *crede di avere capito*.

«Insomma basta! Mi è successa questa cosa qua... È una cosa che ci *riguarda*, riguarda tutti noi, riguarda tutti i *rvrrn!*»

Feenz-sstnér e Mm-eerrockwr ammutoliscono. Gli occhi fissi sui fremiti convulsi di Apperbohr, le narici di Mm-eerrockwr dilatate come se dovesse proteggersi a corazza dal cozzo vicinissimo di Apperbohr. Neekw-jjam lo guarda dubbioso.

«Sai chi ha pisciato nel coriandolo?», gli fa Chraww-nisst.

Il crepuscolo si spande sul bosco come una carta velina nera che s'accartoccia albero per albero, pietraia per pietraia; si imbéve dell'acqua del Nardile e avvolge tutto un mondo vegetale con la sua frusciante, perentoria supponenza.

# 19.
## 21 LUGLIO 1999

**Arletta e Marzia Traversari erano sorelle, su questo**

non c'è nessun dubbio. Giusto per cominciare con un mònito melodrammatico e dickensiano che però è importante
tenere bene a mente. Arletta e Marzia Traversari erano sorelle e si somigliavano come i due reggimano sul tettuccio
della Panda 4x4 verde militare di Felice. Con questo, non
si vuole dire che fossero identiche: tra Arletta – che era la
primogenita – e Marzia c'erano tre anni. Nell'estate del
1999 hanno ventinove anni Marzia e trentadue Arletta.
Poi – potenza della cosmèsi e del «MAI DI LUNEDÌ! Coif-
feur per Signore» di Torracchio – Marzia era rossa e Arletta bruna.

Qui si vuole solamente sottolineare una somiglianza
portentosa. Che però si notava solo quando le due sorelle
di Piancaldo Basso si trovavano vicine: altrimenti scattava
la metafora un po' forzata – bisogna comunque dare il ri-

salto che mèrita alla fiat di Felice – dei due reggimano. È fisicamente impossibile vederli in un'unica occhiata, anche se si è sul sedile posteriore; ma ogni volta che ne guardi uno sai con esattezza inconscia – da esperienza visiva pregressa, considerazioni spicciole sull'entropia dell'universo di base in cui si vive – che sono praticamente uguali. Come le due sorelle Arletta e Marzia Traversari di Piancaldo Basso, per l'appunto; facilmente rintracciabili (*così* il primo contatto con Felice Interlenghi, due anni prima) sulla pagina degli annunci del *Corriere dell'Umbria* (sezione Perugia), del *Tirreno*, del *Corriere di Siena* e dell'*Eco della Chiana*, elencate con precisione sotto l'incipit trialfabetico dell'AAA, categoria (da Arletta genialmente trovata, va detto: la resa talentuosa dell'etimologia prima di *invenzione*, una sera di stanca e di tristezze inattive) «intrattenitrici sociali».

Ecco. Dopo i doverosi preliminari, si vada a incominciare.


[*Quello che il* Cinghiale *sente* #1a.]
Apperbohr grufola e sgrunfia parlandosi addosso da solo — la parola continua a essere *addosso*, più o meno; e gli dà l'esatta percezione della distanza tra il suo corpo (*corpaccione, massa, massiccio, mole*) e tutto il resto. Quest'aria notturna fatta di ombre e qwhùu-wuh di *civette* — dovrebbe essere questo il nome che gli Alti sulle Zampe danno ai qwrohr, riesce a ricordarselo perché passando sotto-*casa* di un Alto sulle Zampe una-*voce* ha gridato «madonna diddio a 'sta *ciovetta* l'abbatto a roncolate com'è vera la corona d'i' vvenerdì santo...» – questo buio pieno di *spigoli*— la parola gli è venuta all'improvviso mentre zampetta zòccolo-zòccolo sui sassi franosi del vecchio braccio del Nardile, asciuttato dalla Diga. È una giostra asfissiante di odori, che lo assalgono nel solito

modo: e però dalla notte prima — per la prima volta in vita sua ha contato qualcosa che dovrebbe significare due cicli: notte, giorno, notte quindi presumibilmente giorno: e questa nuova percezione di un sé che non sia *bmrwr* nel bosco-che-vede ma invece un qualche Apperbohr in piena luce in un -*rwrmb*... *Laggiù*, dicono gli Alti sulle Zampe; ma ha a che fare con i *cicli*, non con la corsa, non c'entra il bosco, c'entra il Sole. Il Sole. E il Buio. Dalla notte prima gli è precipitata *addosso* tutta quella luce improvvisa, quando l'Uomo con il cappello ha detto *ripènsaci, amico*. Apperbohr non sa perché. Né sa bene cosa sia successo quando la luce è arrivata (anche se la avverte più come un calore che gli parte dal punto dove mangia e scende e risale passando da *dentro*). Sa solo che da quel momento in poi – questo pensiero gli è entrato dentro la testa prima in modo embrionale, poi s'è scaldato con il fuoco laminato e incerto di tutta una serie di chiarificazioni – non può più tornare indietro. Comprende istintivamente l'idea di un *prima* e di un *dopo*, anche se gli si confonde tutto quanto in un numero imprecisato di *rvrrn* uguali ad Apperbohr che si spostano tra il buio e la luce del Sole come se battessero le campagne di Corsignano in cerca di mele cadute. Tanti Apperbohr a seconda del punto in cui stanno. Ed è un pensiero che appesantisce i fastelli già enormi che il sasso luminoso della notte prima gli ha ficcato in corpo. Ora sono qui. Ora sono qui. Ma il *bmrwr* è sempre diverso. E allora dove sono gli altri Apperbohr? Si volta all'improvviso con una manovra che lo fa sbilanciare. Frena scivolando con le zampe anteriori sul letto sabbioso del vecchio torrente. Grugnisce qualcosa che dovrebbe essere il corrispettivo dei *rvrrn* di *madonnadiddìo* – anche questa cosa: deve capire *precisamente* con chi parlino gli Alti sulle Zampe quando chiamano *madonnadiddìo* o il «*cri-*

*stomorto* che ti tiene in piedi», come ha sentito quella mattina a cento metri dai muriccioli – poi si gira su sé stesso, un tloc-tlopct aritmico che zittisce le cicale. Ma dietro di lui non c'è nessun Apperbohr. *C'è stato*, si dice. Ma tutto quello che gli si smuove è ancora troppo caotico per fissarsi in risposte per cui Apperbohr non saprebbe neppure riepilogare con precisione le domande giuste.

Le cicale riprendono il loro *zi-zzi-zi-zzi-zi-zzi-zi* distonico, lui taglia lungofieno per il campo *larghissimo* delle stoppie. Lascia uno stradello di fieno e di erba medica schiacciati della grandezza approssimativa di un cinghiale di quasi cinque anni. Arriva davanti alla recinzione di ferro, grigia. Un rettangolo giallo – ma Apperbohr ancora non è in grado di pensarlo del tutto così – fissato a mezz'altezza tra il filo spinato e il terriccio smosso. Lui annusa il terriccio; si accorge di una smagliatura, un anello – ma sarebbe più corretto dire un rombo – di fildiferro rialzato.

Con l'unghia dello zoccolo sinistro – cosa sto facendo? si chiede; in una lingua che non è già più sua ma che non è ancora quella degli Alti sulle Zampe, né la somma screziata di tutt'e due (per quello che può voler dire per un cinghiale che scopre, improvvisamente, il primo di una schiera anonima durata *secoli*, che c'è un modo per usarli, gli zoccoli: e le *chele* di sasso che lo zoccolo lo spaccano in due, per *assecondare* il difetto nella rete e *alzare il recinto*, il *pannello* del recinto: tutta la forza che i secoli gli hanno dato *più* questa improvvisa consapevolezza che gli è piovuta addosso possono renderlo *invincibile*: è questa la parola, niente lo può più fermare, perché lui è una *massa che i secoli hanno plasmato* a forma di *cinghiale*, epperò ora da tutta quell'idea comune e vaga di *cinghiale* lui si è scoperto un *apperbohr*. Anzi no: *Apperbohr*, eccolo il cinghiale che assomma tutti gli altri tra *bmrwr* e *-rwrmb* e li rende *uno*, lui può essere invincibile: era solo rimasto attratto dal sasso luminoso, dagli Alti sulle Zampe che si muovevano di luce: ora riesce a ricordarsene in questo modo, un po' nebbioso ma *certo*, lui potrebbe essere invincibile) — *che cosa sto facendo?* si ripete, un caldo pieno di *buono* che gli riempie le narici: con lo zoccolo sinistro è riuscito ad alzare un *bel* pezzo di pannello di rete e ora lo zoccolo destro – sempre le unghie doppie che reggono le maglie – preme per piegarlo, all'insù, Apperbohr è in una posizione che quasi lo imbarazza – ha una vaga intuizione di quello che vuole dirgli la chimica interna che gli trasmette le impressioni, ma è troppo preso – è *quasi alto sulle zampe*, ora, in un modo che gli ricorda quello dei rvrrn *mentre* si accoppiano, la rete s'inarca ancora, lui si appoggia sulla zampa sinistra, la destra continua il lavoro finché avverte, distintamente, il ck-llanckrt del fildiferro che si spacca, si rompe, si spezza, si smuove di più ancora strappandosi dal legno di rimàrco, lui con le *chele* rivolte contro di sé aggancia la base ritorta e tira, *tira*, finché lo *strcrakt* – ottanta chili di forza vettoriale moltiplicate per lo spostamento elementare che ora tirano via i pezzi sfranti del recinto come fosse un sipario bucherellato *sulla quarta parete* – finché l'ultimo *ch-krackt* non riguarda anche le schegge di legno marcito dei paletti. C'è abbastanza spazio perché un cinghiale passi; il solco torrenziale dietro di lui, la soddisfazione di un lavoro benfatto. Apperbohr si affaccia sul fossatello a ridosso della provinciale, lo attraversa. Il clopk-clopk clapk-clapk sulla SP 309 BIS – rispettando aritmicamente i rumori dei quattro zoccoli sull'asfalto – risuona nel silenzio profumato della notte di luglio come «Il ritorno degli Snovidenia» in versione rvrrn.

[*Quello che sente la* Panda #1b.]
     «Sìs-ssì... *oh, oooh* mahh...»

«Asspètta... ... ... ... *Arletta eccheccàzzo attenta*...»
«*Uh?*... ... ...»
«Scu*h*...sa... ...»
«No-*hon* litigà-*ahhh*...»
«*Mm*h...»
«...»
«...»
«Marzia... *Quello*, sì... *quello*...»
«*Qua-aa*...»
«Passami quel-*lo*... *Felìce aspéh*— — —•••»
*

* *

☺ ☺
☺

[*Quello che il* Cinghiale *continua a sentire* e a vedere #2a.]

In lontananza, nello spiazzo oltre quello che i corsignanesi chiamano Curvone della Scritta (una minaccia mai
spiegata dipinta con lo spray nero da mano sconosciuta, nel
1976, sul muretto di protezione dallo strapiombo; e mai
cancellata: ATTENTATE, TROIA!; né in ventitré anni era
mancato chi vi leggesse il femminile plurale di *attentato*; ri-
manendone perplesso ma comunque divertito) — con le luci leggere del cimitero di Corsignano già lattiginose e tre-
molanti più in basso, Apperbohr vede una macchina. Nella
scorribanda frenetica e concitata della mattina aveva sentito – il grugno nascosto da un cespuglio di rose – *macchina*,
*auto*, poi *lancia* e non aveva capito se era per la *punta* di
quelle che i corsignanesi chiamavano *macchine* o se invece
era solo lui che ancora non associava le parole alle parole.

Una macchina. Verde. La cascata sinestetica e vortican-
te della notte prima gli s'era incistata *anche* in tutta una catena di nomi per i *colori*. Prima era arrivata l'idea di *colo-*

*re*. La luce che si divàrica in tante minuzie che possono essere catalogate (certo nell'appercezione primitiva di Apperbohr non era ancora *questo*, il lessico precisamente utilizzato). Poi i singoli nomi associati alle cose.

Ecco. Su questo, soprattutto, faticava a darsi una spiegazione: anche preliminare, anche approssimativa e incerta. Insieme con i nomi e le cose che capiva —*per così dire progressivamente*.

Apperbohr si accorgeva, a mano a mano che passavano le ore, che grazie al sasso e alla storia dei due uomini, lui non solo aveva capito le cose; s'era trovato dentro cose nuove che non sapeva di avere.

Era come se questa vista improvvisa lo forzasse a *vedere*, tutto; e a continuare *a vedere*. Ma come poteva essere che lui conoscesse il significato della parola *verde*? L'aveva ricavato da qualche via secondaria di quella luce nel sasso? O l'aveva sempre saputo, in quei cinque anni di frequentazione inerziale e svagata delle campagne? Nelle poste difensive contro gli Alti sulle Zampe, che girellavano con *cappelli* e *fucili*.

Ci pensava ancora, quando notò che la macchina verde, nello spiazzo buio, oscillava rumorosamente a destra e a sinistra (da un mese Elena diceva a Felice di far ricontrollare le sospensioni). E gridava – sembrava ad Apperbohr – di terrore con tre voci distinte. Da dentro.

Due voci di *rvfmlh* Alte sulle Zampe e una di un Alto sulle Zampe *rvmlh*. Ma quest'ultima voce, parve in un secondo momento *immediatamente successivo* ad Apperbohr, non dava proprio l'idea di un grido di terrore.

Apperbohr stronfiò risoluto, le zampe anteriori piantate sull'asfalto a trapezio isoscele, quelle posteriori già votate a un balzello di rincorsa. Il grugno basso, i canini unti di saliva e pronti alla lacerazione.

La Panda di Felice, nello spiazzo più a valle, era a meno di centocinquanta metri da lui.

Anche se Apperbohr – pur avendone imprevedibile contezza – non misurava ancora gli spazi in metri.

[*Quello che sente e che vede la* Panda #2b.]

Felice Interlenghi, Arletta Traversari sdraiata alla sua destra, la testa di lei poggiata sul suo petto nudo mentre la testa di lui – i capelli biondi, cortissimi – trova facile riparo tra le cosce (più che notevoli, peraltro) di Marzia Traversari, lei che gli muove le dita sulle tempie a massaggiargliele, Arletta che passa e ripassa con le unghie – rossissime, lunghissime; e altre modalità superlativo-descrittive messe evidentemente a frutto da una tradizione mercantile consolidata – sullo sterno di Felice. L'ansimare *felice* di Felice; la caratura più professionale delle due Traversari (comunque molto affezionate a lui, cliente innocuo perché banalmente, naturalmente *gestibile* con poco, «come quasi il novanta per cento della *biologia* maschile», ridacchiava Arletta ripetendolo alla sorella, le sere in cui la vita immaginata e quella vera erano talmente distanti da costringersi alla rivincita tenue del dolore per gli altri).

Felice alza lo sguardo di poco – in realtà vuole assestarsi meglio tra le cosce di Marzia, il calore buono di lei che gli arriva nel naso come un *nóstos* invasivo dell'olfatto – e scorge, di là dal cristallo semiabbassato del finestrino, a un centinaio di metri, sulla provinciale, un *rigonfiamento* bitorzoluto sull'asfalto. «Oh '*cche* è?', fa in tempo a pensare, quando la mano destra di Arletta prende ad accarezzargli il glande, pollice indice medio, lo *riporta* alla realtà collosa dell'abitacolo, Marzia sempre alle prese con le sue tempie, le vene azzurrognole che si nascondono frenetiche sotto l'attaccatura dei capelli. Quindi la bocca, il mezzosorriso d'occasione di Arletta Traversari che s'incontra – schiusa di poco come il finestrino della Panda, la linea dei denti una versione in scala dell'orizzonte provinciale, poco più in là, sulla cui linea d'ombra si muove, *sospettosa*, la sagoma bottiforme di un cinghiale – con il pisello in fase di erezione di Felice Interlenghi. Che si volta di poco, sulla sinistra, a baciare la pelle arrossata di Marzia Traversari; riprendendo, dopo una pausa di qualche minuto, un'attività che continua ormai da parecchio; e, inaspettatamente anche per lei, non del tutto sgradita – va detto – in questa notte accaldata e pesante di luglio, alla minore delle due sorelle Traversari; distratta all'improvviso, e per un istante, da un movimento scuro alla sua sinistra, lontano, cui però non dà subito il giusto valore.

[*Quello che né la* Panda *né il* Cinghiale *sanno* #3.]
   Arletta Traversari è nata il 9 ottobre del 1967. Lo stesso giorno – più o meno, fusi orari calcolati a parte, nella stessa ora – in cui Ernesto Guevara veniva assassinato a La Higuera, in Bolivia. *La Higuera*. «L'albero del fico». Quando l'aveva saputo, al terzo anno di liceo, che in spagnolo l'*albero del fico* era femminile, Arletta, aveva pensato che in quel passaggio di genere tra una lingua e l'altra s'incarnava, da sùbito, una differente visione del mondo. Era il 1983, aveva diciassette anni ed era ancora vergine. Sua sorella Marzia, che nel 1983 aveva tredici anni – lei era nata il 26 agosto: lo stesso giorno, *più o meno* alla stessa ora in cui, sull'Isola di Wight, un barbuto, rallentatissimo Jim Morrison cantava «The End», una sigaretta fatta in casa tra l'indice e il medio della mano sinistra, lo stesso giubbottino scamosciato che poi, per tutti gli anni Settanta, avrebbe infestato le case dell'intera Europa, nei giorni di pioggia, con l'odore stantìo della selvaggina frollata – spesso le

chiedeva cosa fosse, di preciso, «il sesso», quando era opportuno che si desse il primo bacio; a chi, come, quando e perché (in questo denunciando una natura investigativa istintuale e pressante) lei Arletta aveva concesso di «essere toccata». E dove. E come.

Nate entrambe a Mantova, dove i genitori – Mirco Traversari e sua moglie Vanda Bennati (con la *v* delle italianizzazioni casuali), tutt'e due di Piancaldo, s'erano trasferiti in Lombardia per il lavoro di *lui* (cardiologo all'Ospedale Grande di San Leonardo) – avevano comprato una villetta fuoriborgo e avevano deciso di trascorrere la loro vita *successiva* al Nord, senza mai tornare a Corsignano.

Un desiderio che si era avverato, visto che nel 1980, il 13 di giugno – lo stesso giorno in cui a New York venne arrestato Michele Sindona: a saper guardare ogni giorno succede qualcosa, nel tempo – erano morti per un incidente stradale, sulla SS 420, poco prima di Curtatone, per un TIR della Balniaghi di Treviso che aveva preso troppo stretta una curva, proprio a ridosso del cartello che annunciava Curtatone a tre chilometri. Le ultime parole della Vanda al marito – le figlie erano rimaste a casa da sole, quel pomeriggio: Arletta si era raccomandata per due giorni, «ci sto io con Marzia, io...» e alla fine era stata accontentata – le ultime parole *da viva* al marito erano state: «Ma te ll'ho mai detto ch'i' mi' trisnonno, *mi pare*, era tra i volontari della battaglia di Curtatone e Montanara... Morì lì...» La storia non dice se poi si siano scambiati altre frasi – d'amore o di rimpianto o di rimprovero o di *maledizione* a tutta la piana lombarda, così *fatale* ai trasferimenti dei Bennati.

Orfane all'età di quasi tredici anni l'una, quasi dieci l'altra, furono sùbito rimpatriate da una vecchia zia – la stessa per cui i coniugi Traversari non avrebbero lasciato la

Lombardia nemmeno con la promessa di un premio in denaro – settantaseienne, religiosissima, di Taverne di San Biagio.

E infatti era stato al Chiarini di Corsignano che Arletta Traversari aveva saputo – una notizia casuale tra le altre, il professore di filosofia che s'era messo a discettare sulla vera natura dell'albero di Adamo ed Eva: «Più probabilmente un fico, in realtà, più che un melo... Pensate che non solo *dava cibo ma anche vestiti*», e aveva riso – dello spagnolo e dell'higuera.

Tra il 1980 e il 1987, quando Arletta aveva trovato lavoro al Monte dei Paschi di Budo e Marzia era in seconda liceo – gli stessi anni della scoperta spagnola di sua sorella – le due Traversari si trasferirono, in affitto, in un appartamento con mansarda a Piancaldo Alto. Le finestre su San Vitale, il corso a *sciorinarsi* nelle passeggiate provinciali della domenica; finalmente la libertà dalle regole fisse di zia Adelaide; ottantatréenne non pacificata che le aveva lasciate andare senza lacrime, né consigli particolari. «Piancaldo alta è fredda anche a primavera», aveva detto ad Arletta, quando s'erano – garbatamente, formalmente – salutate.

Ecco. Quello che soprattutto nessuno sapeva (e sa), in questi traslochi e trasbordi e passaggi di vita delle sorelle Traversari è che: semplicemente, senza sensi di colpa, con la grazia incosciente di una santacaterina votata anzitempo alle mantellate, o lo sguardo altro e distratto di un'ildegarda alle prese con le ventitré lettere ignote *solo per scrivere il proprio nome sulla cassetta della posta...* Ecco. Fin dall'età di dieci, dodici anni, Arletta Traversari era innamorata di sua sorella. Ma non *innamorata* per uso improprio del termine adoperato bensì come sfumatura levigata e affettiva dell'espressione *volere bene*. Arletta era proprio *innamorata innamorata*. Ora. Però. A ulteriore dimostrazione che non ci si muove, nella vita, per smanacciate on-nicomprensive di *Langue*, ma per gesti continui e inclassi-ficabili e mutevoli (e cagionevoli) di *parole*. Il mestiere del-le due Traversari, la compresenza nell'abitacolo delle due sorelle e di Felice Interlenghi: questa visione d'insieme non basta per arrivare a facili, scontate, evidenti e tomistiche (nel senso dell'apostolo meno profetico e più *digitale*) con-clusioni. L'innamoramento di Arletta per Marzia, che co-munque prevedeva i canoni erotico-sentimentali del «vo-glio stare solo con te-penso solo a te-la tua figura è viva e *vitale* dentro di me-preferisco il tuo bene al mio» eccetera eccetera non prevedeva – attenzione – la reale possibilità di uno sviluppo sessuale dell'innamoramento. E questo no-nostante l'attrazione fisica non mancasse. Né da parte di Arletta per Marzia né – di questo le due sorelle avevano, hanno sempre parlato; dal primo colpo di tosse dell'Amo-re in Arletta in poi, condizionando la visione d'insieme del loro rapporto e in qualche modo determinando, anche, la reciprocità necessaria – da parte di Marzia per Arletta.

Poi. Perché la bancaria Arletta Traversari, innamorata di sua sorella Marzia, ricambiata; in un rapporto *tragigre-co* – come dicevano loro scherzando – che però non preve-deva né sentiva la mancanza della consumazione; perché siano diventate le due «Sorelle Traversari», prostitute ri-nomatissime in tutto il circondario da Budo a Corsignano *e oltre*: e in che modo, e quando di preciso nei dodici anni che vanno dal 1987 del trasloco a Piancaldo al 1999 della strada provinciale del parcheggio notturno; e come abbia-no gestito questa decisione in rapporto al loro *rapporto*; e se quest'attività abbia procurato loro, nei dodici anni che ci mancano, una tranquilla felicità o una tranquilla dispe-razione. *Questo non è dato saperlo.* O davvero vogliamo credere che nella vita sia possibile sapere tutto? Che quei movimenti parziali, perennemente ricontrollati di persone e di fatti che ci vorticano intorno come polvere di detersivo messa a frullare e a centrifugare in una HOTPOINT AR-XL 105, siano davvero gestibili? Incasellabili in uno schema? Magari uno schema che preveda un epiloghetto, sempre, *o logos deloi*, le stesse spiegazioni da millenni senza capire che sono le stesse perché gli esseri umani sono limitati, e pigri, e vorrebbero inscatolare il dolore perché così pensano che non li assalirà nel buio?

*E*. Anche dell'attività sessuale professionale di cui c'è stata offerta una labile traccia grafematica. Le due sorelle Traversari non lavorano mai in coppia. Né si sfiorano – ci riescono: le capacità acrobatiche e attente del professionismo – le rare volte in cui partecipano (nella stessa stanza: solo con pochissimi, fidatissimi clienti) a lavori di gruppo; o l'*unica* volta in cui si dedicano – soltanto con Felice: ma c'è un motivo preciso – all'attività triadica così cara all'Interlenghi e alla sua Panda.

Come loro due, Felice ha perso entrambi i genitori in un incidente stradale; e questo ha comportato – comporta – un'affezione particolare, tra loro tre: che certo non si risolve nel mito falso ed esclusivamente maschile della puttana redenta; né si risolve in sconti se non ragionevoli o in orgasmi reali da compartecipazione umorale. Ma, se possono, quando possono: e affinando le loro doti di intangibilità reciproca al massimo dell'ottimizzazione praticabile, le due sorelle Traversari si concedono il lusso di regalare un'illusione aggiuntiva a Felice. Cedendo un'allure da conquistatore a chi, in fin dei conti, è uno stereotipo: l'eterno fidanzato dei fumetti che riscatta col denaro il disagio di fantasia che la vita gli riserva.

«Ma Elena, Arletta... A me Felice m'è anche simpatico, ma quando incontro Elena al Co.Na.D. di Corsignano...

Mica ce la faccio a guardarla...» Felice ne è all'oscuro, ma alle volte – *si sa* – le due sorelle di Piancaldo parlano di lui.

[*Quello che il* Cinghiale *crede di sentire e di vedere* #4a.]
   Apperbohr saltella e balzella sull'asfalto della provinciale; è sicuro che quello che vede, che sente, gli umori che gli arrivano – in parte: questo è uno dei motivi da tenere presenti nel *presente* dell'attacco – portati dal vento giuliano del bosco hanno a che fare con quel grido dell'Alto sulle Zampe.
   Il buio e la distanza dalla macchina verde non gli danno piena conferma; ma il groviglio di corpi di Alti sulle Zampe che intuisce, i movimenti e i guaiti che ha sentito, quel movimento a intreccio – a corna di *graar-ar*, gli verrebbe da dire; come nelle cime delle querce più alte – che ancora persiste, mentre lui trotterella e s'avvicina – il clapt-clopt sulla SP gettato alle sue spalle dalla brezza che lo colpisce in pieno grugno e lo aizza contro l'Alto sulle Zampe *rvmlh* dei *tre* – si stupisce in corsa, di nuovo, per la sua nuova padronanza dei numeri – *tutto*, tutto quanto lo conferma nell'immaginazione che l'Alto sulle Zampe *rvmlh* stia in qualche modo— come se lo può dire? Come spiegàrselo? È convinto che l'Alto sulle Zampe – è a trenta metri dalla macchina verde: da dentro, l'Alto sulle Zampe *rvmlh* grugnisce, e ronfa, come quando i rvrrn caricano per colpire – *è sempre più convinto* che l'Alto sulle Zampe *rvmlh* stia facendo del male – ecco com'è. Il Bene. Il Male. È così che ha sentito: bene quando non succede niente, male quando ti fanno *male*, la parola *rvrrn* continua a essere *solo* whoomf; o heggrwilhl, forse in questo caso è *più* heggrwilhl – Apperbohr è sicuro che l'Alto sulle Zampe voglia procurare dolore alle due Alte sulle Zampe *rvfmlh*, è a venti metri, è in corsa, è un cinghiale lanciato di più di ottanta chili, cor-

re alla velocità approssimativa di quarantacinque chilometri orari, quando la sua fronte pelosa arriva – solo all'ultimo si frena, un poco, un'idea sottile di *colpo* che lo pervade, rallentandolo – al centro (proprio al centro nero della striscia orizzontale, appena sotto la maniglia) dello sportello: nemmeno la professoressa Gerardi del Chiarini di Corsignano saprebbe calcolare, con esattezza, quanti chili di cinghiale sono, al BD-BÀM.

[*Quello che crede di vedere e di sentire la* Panda #4b.]
(#4b.1. *Con una piccola spiegazione proemiale di ordine prettamente biologico-narrativo.*)
Fosse la famigliarità con Felice; o, più probabilmente – anzi: sicuramente – una vaga forma di digressione fantasiosa mischiata *su* Johnny Depp nella *Nona porta*, Sean Penn in *Carlito's Way* e Brad Pitt in *Intervista col vampiro*, *Sleepers* e *Vi presento Joe Black*; fossero le mescolanze di stanchezza e di serenità momentanea ed esterna al raduno nella fiat Panda di Felice; fosse il clima caldo o la biologia spicciola. Fatto è che Marzia Traversari *venne*, senza nessuna possibilità di errore, con un orgasmo clitorideo pieno e appagante più o meno del tipo che, quand'era in vena o troppo intristita dalla vita, si organizzava da sé. Come anche in questo caso: se ne persuade sempre di più a ogni saetta, diffusa, di calore – il pensiero largo e dilatato dei secondi quando *si pensano* – è il motivo per cui può pure gridare (Felice non sa distinguere gli orgasmi veri: questo, casuale, unico, molto probabilmente *irripetibile* con lui; da quelli falsi che le due Traversari gli garantiscono con enfasi da doppiaggio per cortesia professionale); e comunque non lo dirà mai nemmeno per gioco a Felice, nonostante la pseudointimità tra di loro: soprattutto perché fraintenderebbe. Univoca e manichea com'è, la corteccia più interna della sensibilità maschi-

le, rispetto alle infinite possibilità in fieri dell'immaginazione femminile. Laddove – questo gli uomini non lo capiscono quasi mai – nella gran parte dei casi le decisioni femminili, una volta prese, hanno un'irremovibilità *intransigente* inversamente proporzionale al possibilismo relativistico delle decisioni *intransigenti* maschili (anche se non è possibile generalizzare. Soprattutto nelle questioni che riguardano gli *orgasmi* e l'*intransigenza* in qualche modo a essi legata).

L'altro fatto è che nel momento preciso in cui Marzia Traversari finì di venire; proprio nell'attimo di respirazione a bocca aperta e stomaco chiuso – con sua sorella Arletta alle prese con la stanchezza mandibolare, la sollecitazione manuale e la constatazione che Felice *non s'impegnava come avrebbe dovuto*, per finire la serata e mandare tutti e tre a casa – Apperbohr arrivò a velocità imprecisata a cozzare contro lo sportello della 4x4. Con tutta la furia di un cavaliere che voglia salvare due *rvfmlh* potenziali vittime di un Alto sulle Zampe disposto al *male*).

Sul *mfrrh* finale di Marzia Traversari si sentì il BD-BÀM violentissimo e *in grassetto* di un colpo allo sportello del guidatore. Un botto secco e potente nel cielo stellato di luglio, una bomba di latta nel bosco, la fronte ottusa – in senso geometrico – di un cinghiale di ottanta chili e passa che cozza contro la lamiera lavorata di una fiat. Le sospensioni dell'auto, già provate da mesi di trascuratezza e da due ore di scosse ondulatorie-sussultorie («cinquecentomila lire per tutt'e due, tutt'e due le ore: e solo perché sei tu, Felice...») *guairono*, letteralmente. Marzia Traversari, boccheggiante e stordita, non trovò migliore soluzione di un urlo reattivo e liberatorio. Urlo al quale fece séguito il *chi-è-aaah*-aah della sorella – il viso tirato su di scatto a cercare il rumore, l'istinto primordiale di stringere, con forza, la mano occupata *a pugno*. Ultimo ma non ultimo, il doppio urlo di spavento e di dolore di Felice Interlenghi, il volume cilindrico del pene fortemente strizzato e ridotto dalla presa della maggiore delle sorelle Traversari. Un *auhuuuh-chi-è-aaah* e un ahuggh-aaah (con tanto di scatto addominale, piegamento secco ad arco della testa verso il *colpo* e poscritto finale di *unghgh* da torcicollo in arrivo).

Rinfrancato dal coro, il cinghiale prese a schiumare e grugnire contro il finestrino con un oingk-mgrhrhr impressionante.

«Ma che cazzo è*ee?*», gridò Arletta Traversari, provando a issarsi sulla schiena; le tette nude puntate verso la sorella come una doppia richiesta di aiuto. La mano sempre istintivamente aggrappata al pisello dolorante di Felice. «Arletta! Mi fai male!»

«Un cinghiale! È un cinghiale!» Marzia Traversari si trovò improvvisamente a contatto con la realtà selvatica della bestia. E non capì se a spaventarla di più era la presenza selvaggia di quella massa scura e pelosa che grufolava e grugniva contro il finestrino del guidatore; o se invece non fosse l'insensatezza dell'attacco, l'idea primitiva di una Bestia che spunta dal buio e ti assale, improvvisa, come negl'incubi della febbre, vulcanici e gommosi, i cui risvolti più profondi e significativi si afferrano solo nei momenti del delirio; e poi si perdono per sempre. O almeno fino al delirio successivo.

«Cazzo, Arletta, *lèva*!», Felice tolse a forza la mano di lei, preoccupato più dal dolore che dal colpo successivo – un altro *bàmm* ravvicinato che comunque fece tremare la Panda verso ponente. Poi – risorsa stellare del genere umano: quando, risolto un problema penalizzante, ci si rivolge da sùbito agli orpelli teorici e digressivi dei problemi in arrivo – si vide all'improvviso *aiutato* dai carabinieri, o da un'automobile di passaggio; vide l'articolo *divertito* del *Corriere di Siena*, «Orgia interrotta dall'intervento moralistico di un cinghiale»; vide Elena, vide la fine del suo fidanzamento, del suo futuro matrimonio, della sua vita come la conosceva. Mentre Marzia Traversari, anche lei nuda, le tette schiacciate contro il finestrino posteriore, i capezzoli trasformati nella versione bidimensionale *di loro stessi*, gridava insensatamente *Via! Vattene via!* Quasi dovesse gestire le scalmàne di un cliente ubriaco.

Con negli occhi le risate dell'appuntato dei carabinieri *sicuramente in arrivo*, Felice si scrollò di dosso la proiezione laterale di Arletta e, a torso nudo e – particolare che depone ulteriormente a suo sfavore – con i jeans calati sulle caviglie (*complete* di calzettoni di spugna e superga bianche ai piedi), provò a mettere in moto. Con troppa foga, evidentemente; perché il rantolo brennaniano della batteria e lo sfarfallìo dei fari lo confermarono nell'ingolfatura. Proprio mentre il cinghiale caricava per la terza volta.

«Ma checcàzzo *vuoiii*?», gridò Felice riprovando a mettere in moto, Arletta che cercava la camicia nella feritoia tra il sedile tirato giù e la portiera di destra; Marzia ora attaccata allo schienale, le ginocchia tirate al petto, il totem delle braccia a proteggere il seno. «Mandalo vìa, *mandalo viaaa*», ripeté, a rosario; senza capire bene nemmeno lei a chi dei due lo stesse dicendo.

Il cinghiale arretrò di cinque, sei passi. Grugnendo e *inveendo* – a Felice, che teneva a bada la paura cercando di restare staccato dallo sportello e controllando, al tempo stesso, le mosse dell'animale, venne in mente che il cinghiale stava facendo proprio *quello*: lo stava insultando – con tutto il fiato di cinghiale che aveva in corpo.

La macchina sembrò, per un attimo, mettersi in moto. Poi uno scoppio, il motorino d'avviamento che s'arraganèlla su sé stesso come una striscia di mortaretti al Palio, la luce del cruscotto che s'abbassa tristemente con intermittenza temporalesca.

Tutti e tre – Felice e le due sorelle Traversari – sono insieme e immobili, gli occhi fissi sui movimenti del cinghiale. Che sembra barcollare avantindietro, poi *sterzare* alla sua sinistra, girellare su sé stesso stordito.

«Ma esci, fa' qualcosa...», mormora la parte meno sensata di Arletta a Felice. Lui non le risponde neanche.

Poi il cinghiale sembra puntare qualcosa di là dalla strada, sulla carreggiata opposta; dove ci sono i recinti smossi sui campi di erba medica.

Felice riprova a girare la chiave. *Mmrz-mmrz.* «E aspetta, cazzo!», gli grida Marzia da dietro, *tecnica*; mentre il cinghiale sembra allontanarsi verso il buio e il recinto.

[*Quello che le* due sorelle Traversari *non sanno* #5.]

Nel gennaio del 2014, dopo un innamoramento e una *conseguente* relazione durata pochi mesi *per* e *con* Marcello Giacchetti, divorziato, con una figlia – Càrola (da lui alle volte chiamata – con grande divertimento di Marzia) *Caròla* – di quindici anni; cattolicissimo, praticante, *quasi* sacrestano alla Chiesa Grande di Corsignano e macerato da tutta una serie di incongruenze emotive che lo renderanno (agli occhi di Marzia) irrinunciabile e bellissimo; dopo che, una mattina, lei – Marzia – presissima e votata a lui con lo splendore miope di chi ha deciso di non risparmiarsi, si ritroverà nuda, e sola, nella casa di lui, un biglietto sul comodino in cui lui le spiegherà, in sostanza, che lei non è la donna per lui, che lui proprio non ci riesce, *scusami, sai*, ché *anch'io non sono l'uomo per te, sicuramente non sono l'uomo per te.* Dopo tre quattro mesi di isolamento forzato; e la constatazione che *lei non soffre per amore*: e la certezza di essere nel vero. Dopo essersi resa conto che quella nuvola scura che le trànsita nel bianco acquoso degli occhi, quando si guarda allo specchio, appena sveglia, ora l'occhio sinistro, ora l'occhio destro, un'ombra nera come i cinghiali nelle favole dei Grimm, se ci sono poi cinghiali, nelle favole dei Grimm; quell'ombra scura a forma di babau, così come l'ha *letto* da ragazza nel *Poema a fumetti* di Buzzati, il babau che viaggia come un dirigibile sui tetti di Milano, e ora s'è trasferito negli occhi di Marzia Traversari: è un'ombra che c'è sempre stata e che riguarda lei e soltanto lei. Non sua sorella, né la sua vita recente; né, soprattutto, quell'imbecille di Marcello Giacchetti: solo lei, da sempre. Dopo tutto questo, nel gennaio del 2014. Il 21 gennaio Arletta Traversari, rientrando a casa dopo la spesa del martedì al Co.Na.D., troverà – «Marzia... Marzia... dàmmi una mano, ché mi cade tutto» – sua sorella; nel bagno, impiccata.

Arletta Traversari ricorderà, di quella tarda mattinata del 21 gennaio, da lì nel tempo, di essere entrata nel bagno, la porta appena accostata, e di essersi accorta della sorella, nuda, appesa a un intreccio rudimentale fatto con le cinture di spugna dei loro quattro accappatoi alla sbarra di ferro saldata al muro, il *recinto per la doccia*; se lo ricorderà così, fino all'ultimo, la lingua di Marzia, i segni neri e lividi sotto la gola, il ricordo di sua sorella Marzia nuda, e impiccata, e bellissima, e triste, con quegli occhi sbarrati contro le mattonelle rosa del bagno che lei, Arletta, non riuscirà a chiudere, proprio non ce la farà, a passarle le dita sulle palpebre e a serrarle *la vista* per sempre, un'eternità di mattonelle al posto del paradiso. Se la ricorderà così fino alla fine; fino a quando non morirà anche lei, nel 2024, in primavera, chiedendosi se ha sbagliato la sua vita, un pensiero sfocato soffocato dai postumi della chemioterapia; e rispondendosi di no, *dopotutto*. «Solamente... *Mi dispiace*», le ultime frasi sintatticamente ricavabili dal mormorìo indistinto che *le accompagnerà* la morte, «mi dispiace, Marzia, che non c'ero, quella mattina... che hai dovuto fare tutto da sola».

[*Quello che il* Cinghiale *capisce* #6a.]

Il dolore alla testa è talmente forte che non riesce nemmeno a— la parola dovrebbe essere *pensare*. I tre Alti sulle Zampe continuano a urlare; l'*rvmlh*, soprattutto, gli urla addosso. Lui anche ha provato a grugnirgli contro per spaventarlo, ma niente. Le due Alte sulle Zampe non scappano, le botte alla macchina verde sono servite solo a fargli sentire questo male insopportabile sopra il muso, alla— *testa* è la parola, lui lo sa. Oramai lo sa. Barcollando; una sensazione *ubriaca* (—dovrebb'essere la parola) nuova; uno stordimento rotante, e vorticoso: come se il vento dell'inverno (*questa*—) gli partisse direttamente dalla cinta di peli e glieli strappasse, a uno a uno, dall'*apperh*, lasciandogli una nausea preoccupata e una vista peggiore.

La botta con la macchina — i tre Alti sulle Zampe continuano a far guaire la macchina verde: nemmeno fosse un *awgr* picchiato con un bastone. Apperbohr vacilla e si guarda intorno, nel buio. Vorrebbe attaccare, ma il grugno sembra quello di un altro rvrrn preso *a strappo* e appoggiato sul *suo grugno* da un Alto sulle Zampe che faccia pressione, e spinga, spinga per far entrare il grugno nuovo nel grugno vecchio.

*Finché* – un altro *vio-wioo-wiooo-wioo* d'accensione della *macchina verde* – non scorge, di là dalla strada, la *staccionata* (—dovrebb'essere la parola), *il recinto* (*questa*—), la prosecuzione del recinto che ha scalzato, per zompettare poi sulla provinciale fino a *qui*.

Si avvicina sempre barcollante, zoccolo anteriore sinistro avanti, zoccolo posteriore destro indietro, zoccolo anteriore destro avanti, zoccolo posteriore sinistro indietro, *ptoc-ptàc*, *ptàc-ptoc*, dietro di lui sente rotolare qualcosa, un oggetto che gli hanno lanciato dalla macchina verde, sicuramente l'Alto sulle Zampe che non vuole smettere di fare *il male* alle due rvfmlh.

Apperbohr, ora, è davanti a uno dei paletti di legno. Sfila davanti al primo pannello di reticolato a rombi, il secondo, il terzo – sa che dalla macchina verde l'rvmlh sta pensando che lui abbia abbandonato il campo. S'immerge nel buio, quarto, quinto pannello. Finché. Vede un paletto leggermente divelto, la terra smossa dall'ultima pioggia estiva, il fango minimo dell'umidità notturna. Si avvicina, con la testa che continua a martellargli e martellargli (il *martello* dovrebb'essere — ma distoglie il pensiero che gli fa dolore). Comincia a scalzare di più la base radicata del paletto, a zoccolate, prima uno, poi l'altro, *toc-toc-toc-toc*, un lavoro meticoloso.

Da dietro sente la voce dell'Alto sulle Zampe che dice «ma dove cazzo è andato?», va bene così, Apperbohr vuole sorprenderlo, estirpare il male dal buio prima che l'Alto sulle Zampe prenda per sempre il sopravvento. Se potesse ridere, in questo momento — se avesse piena e specifica cognizione (ma ancora è *presto*) di quello che significa «ridere». Apperbohr. In questo momento: quando si accorge di avere capito *come poter strappare via il male* dalla macchina verde evitando il dolore, persistente, al *grugno vecchio* e al *grugno nuovo*. Riderebbe.

Con un *tlfossh* di fango che si sfalda – e di paletto che cede – Apperbohr vede calare giù anche il recinto di fildiferro, colpisce con gli zoccoli anteriori il punto di presa in cui i rombi s'inficcano nel legno. A colpi di denti (*zanne*, li chiamano gli Alti sulle Zampe, ma si sbagliano), tirando, e strappando, con rumori di *sddrttr-pp strnggg* che fanno urlare a un'Alta sulle Zampe «*là, eccolo là... ...* Ma che cazzo sta facendo?», Apperbohr tira via il paletto totalmente divelto, lo addenta in un punto angolare e squadrato sentendo sulla lingua sapore di corteccia, e pioggia vecchia. Lo trascina – una parte in bocca – la punta ancora sporca di terra a strascicarsi con rumore di *mitraglia* sul ciglio a fossatello della SP – fino al centro della carreggiata. Poi calcola approssimativamente il punto migliore per incastrarselo tra i denti e alzarlo. Spalanca la bocca, e addenta: un wrapp a strattone del collo e dell'*apper* (quasi fosse il suo blasone più peloso e vero), un morso a saldare le zanne (*ma gli Alti sulle Zampe si sbagliano*) ed eccolo, incerto e leggermente afflosciato sulle zampe anteriori, un sollevatore di pesi allo *strappo* da medaglia d'argento: incerto sugli zoccoli inarca la fascia muscolare che gli protegge il culo e scatta, carica, il paletto sospeso a mezz'aria e la corsa laterale e sbilenca diretta contro il cuore nero della macchina verde, sembra un cavaliere da torneo *senza il cavaliere*, come se le sorti della giostra, la mano merlettata della principessa, fossero ormai appannaggio delle zanne ritorte di un *cinghiale scosso*, in corsa diagonale, un paletto in bocca, i cinquanta metri di cavalcata faticosissima fino a sbattere il paletto contro lo sportello ancora – *bd-tum-uhm* – e *ancora*, ribattendo al contraccolpo che lo sorprende e lo scuote, *bd-tum-mmh*, le voci urlanti degli Alti sulle Zampe nella macchina, le due rvfmlh che gridano, l'rvmlh che urla ritraendosi – nudo e *glabro* (*questa*—) dalla cintura dei fianchi fino al collo, e la testa – «ma che cazzo ha preso, un paletto? Ommadonna della madonna diddìo e della madonna...» E poi *ooh* e *aah* alla cieca, come se volesse, ora, quell'aiuto che prima lo spaventava. Ma questo, Apperbohr, lo intuisce soltanto, mentre – sfiancato, la parte sporca di terra che ormai ha ceduto, è a terra, lui, Apperbohr, che continua la sua opera di *cozzo* sbattendo il paletto a colpi ritmati e oscillanti – *btùm*... rrrh... *btùm*... rrrh...

Finché.

Il vento passa da parte a parte gli sportelli della macchina verde, s'impossessa dei sudori e degli umori più veri degli Alti sulle Zampe terrorizzati (*perché anche le due rvfmlh sono terrorizzate?* La sensazione di *inadeguatezza* lo coglie insieme con la folata di vento), sudori, umori, molecole in movimento *troppo spesso* invisibili per gli Alti sulle Zampe.

*Quell'odore.*

Apperbohr si ferma. Spalanca la bocca; lui, sorpreso, ora. Sì. Lascia cadere il paletto a terra con rumore legnoso di *ptlomp*.


[*Quello che la* Panda, Felice *e le* Traversari *non sapranno mai* #6b.]

Quell'odore. Non l'ha mai sentito. E se invece l'ha sentito non l'ha mai capito. La chimica elementare che si muove a folate di vento, nell'universo d'aria che circonda gli Alti sulle Zampe, i rvrrn, che ne condiziona le *reazioni* e ne spiega da dentro, e da fuori, gran parte dei comportamenti; il libero arbitrio una scossa ELF dell'elettricità cerebrale.

Apperbohr ha sentito, portato dallo zefiro d'attraversamento che l'ha fermato, l'odore di Marzia Traversari. Quel minimo retroprofumo di muschio e di sole, si dice Apperbohr; di avena lasciata ad asciugare, e di fiume, l'odore del vento quando annuncia la prima pioggia dell'*estate* (dovrebb'essere la parola). Potrebbe comporre pezzo a pezzo l'odore, la chimica primaria del *piacere* (questa, dovrebb'essere la parola) che Marzia Traversari ha provato casualmente, in questa notte di luglio — c'è anche il suono secco del granturco quando si *snocciola* dalla pannocchia ancora verde, in quell'odore: il catalogo gli continua addosso mentre sgrunfia, affaticato, gli occhi fissi negli occhi increduli dell'Alto sulle Zampe.

Tutto un errore; un grande— *fraintendimento*. Per trovare questa, di parola, ci ha messo un po' di più; ma ora sa di possedere il meccanismo per *i ritrovamenti*, anche se non saprebbe smontarlo e rimontarlo di nuovo. Almeno, *non ancora*. Intanto il retrodore di Marzia Traversari gli scava nel petto un viottolo di gigli macerati, e di uova di passero cadute dal nido. Lui grugnisce un'ultima volta controluna (che è apparsa, tonda e morbida come il culo bianco *all'insù* di Arletta Traversari, affacciata al finestrino, incurante dell'impiccio di Felice, le tette *chine* oltre la camicia, il silenzio sbigottito degl'incerti). Poi manovra una giravolta spossata, ritorna sui suoi passi, verso la salita del bosco e il Curvone della Scritta. Respirando *mgrrnh* su *mngrhh* pensierosi alla Via Lattea che *lo contiene*.

# 20.
## 27 GENNAIO 2000

**Sulla base delle *Carte* in nostro possesso,**

questa di séguito dovrebbe essere la ricostruzione più o
meno particolareggiata dell'incontro avvenuto in data 27
di gennaio 2000 tra il cinghiale Apperbohr [«Cinghiarossa», in blanda versione per gli Alti sulle Zampe] e il cinghiale Mm-eerrockwr [«Baffazzurro»; sempre approssi-
mando il significato esposto del nome rvrrn]. Dobbiamo
alla perizia certosina del dottore di ricerca Ludovico Sanesi – sulla scorta del lavoro (preziosissimo: *di una vita*, come si dice) del prof. Atkel Brøtt dell'Università di Oslo – e
alla cura filologica della dott.ssa Maria Luisa Vertecchi
dell'Università di Siena il risultato, a dir poco eccezionale,
di aver sanato una serie notevole di passi tormentati; quasi – verrebbe da dire – senza possibilità di errore.

Le *carte* [*recto* 231 - *verso* 231 - r245 - v247 - r248 - r367
del Vat. Lat. CIG. 1311bis aut SINGULARIS Senensis

19.94.00*ter*] riguardano il colloquio avuto tra i due rvrrn corsignanesi a proposito della scelta (più tribolata e
accessoria per Mm-eerrockwr; più necessaria e pressante
per Apperbohr) della creazione di *fuochi ribelli* – questa
la metafora usata da Apperbohr in séguito ai processi
progressivi di *appercezione* da lui subìti – in grado di garantire tanto una visibilità al gruppo quanto la possibilità di essere da esempio per tutti i gruppi della Toscana
[*n.d.c.*]. In realtà, anche dai frammenti in nostro possesso appare chiaro che Mm-eerrockwr aveva poca dimestichezza tanto con la percezione *metaforica* del «fuoco»
quanto con l'idea stessa e il concetto *non-rvrrn* di «Toscana».

[Apperbohr] «... In realtà sei tu... Sei tu che dovresti farti
carico delle *scorribande*...»
    [Mm-eerrockwr] «Cosa sono le scorribande?»
    [Apperbohr] «... ... Mm-eerrockwr, ma come cosa sono
le *scorribande*, di cosa stiamo parlando da due ore?...»
    [Mm-eerrockwr *appare preoccupato* (almeno, per quel-
lo che ciò significa tra i *rvrrn, n.d.c.*] «... ... Tu dici *cose* che
non capisco, *Apperbohr*, cos'è *leore*?»
    [Apperbohr, *lievemente spazientito*][1] «Lascia stare,

1. Testimonianze indirette riferiscono di continui mugolìi indistinti di
insofferenza, da parte di Apperbohr, al momento delle *spiegazioni*; il
che non corrisponderebbe del tutto alla figura di «Cinghiarossa» rico-
struita nel tempo. Quello che è certo è che, nei suoi tentativi di indot-
trinamento politico; soprattutto nei momenti in cui s'è trovato a dover
spiegare a Mm-eerrockwr (evidentemente il capo *formale* del – cosid-
detto – «Gruppo di Apperbohr») le sue teorie appercepite di guerriglia, di appropriazione del cibo e di làscito «a mònito» di quelle che la
stampa dell'epoca ha definito «le barricate *cinghialesche*», Apperbohr
s'è sempre trovato a disagio per le impossibilità comunicative che la
sua nuova condizione di *senziente* (còlgo il termine da Rodrigo Galde-

Mm-eerrockwr... Concentriàmoci sul... ... sui fatti, va bene?... ... Così come ci stiamo muovendo ancora non va. Non è abbastanza... Significativo...»

[Mm-eerrockwr] «Quando ci siamo mossi?»

[Apperbohr, *prova a spiegare*] «Laggiù-nel-tempo, quando ci siamo mossi *ciclo e ciclo fa*, laggiù nel tempo, e abbiamo portato al Boscorotto le mele, e i cartocci di granturco...»[2]

[Mm-eerrockwr] «Mi piacciono le mele, più del granoturco...»

[Apperbohr] «... Sì, ma non è questo, ora, l'importante...»

[Mm-eerrockwr] «Non ti piacciono le mele?»

[Apperbohr] «Sì, Mm-eerrockwr... *Sì... Non è...* dobbiamo parlare di questa*aa... cosa dei fuochi...*»

---

risi Stocchi, «La *senzienza* nel caso linguistico "Apperbohr-Cinghiarossa". Proposte per una postilla minima di filosofia del linguaggio cinghialese», in *Annali della Facoltà di Padova*, xLIV, (sd), pp. 345-56, p. 345 *et passim*).

2. È stata la dottoressa Vertecchi a evidenziare l'impossibilità di ricostruire correttamente la stessa *lettera* dei dialoghi tra Apperbohr e Mm-eerrockwr. Perché, nei momenti in cui «"Cinghiarossa" si trova a dover spiegare, impiega pragmaticamente una lingua volutamente *bassa*, rispetto a certi standard *pontificali* dei famosi momenti di "raduno" [n17. Per lo studio delle situazioni dinamiche e – per così dire – *collettive* di riunione alla Radura dei Graar-ar e in altre zone dei Boschi tra Corsignano e Budo, *cfr* Elvira De Matteis: "È ormai acclarato il ruolo *centrale* 'di intermediazione' di Mm-eerrockwr nei momenti di 'comizio'; con Apperbohr che grugniva le sue ragioni nella lingua alta e *carismatica* che tutti i rvrrn ormai gli riconoscevano; e Mm-eerrockwr pronto a ribadire i concetti-chiave *di azione* in una lingua più accessibile; aiutato in questo, certo, dal corteo rvrrn dei cinghiali più vicini ai due (Feenz-sstnér, Neekw-jjam e Chraww-nisst, com'è noto); *più* la presenza di Llhjoo-wrahh, naturalmente"]», in EAD., «Modalità comportamentali e specializzazioni di *ruolo* nei "Comizi della Radura"», in *Linguistica Dinamica*, III (2011), pp. 56-178, p. 89].

[Mm-eerrockwr, *leggermente spaventato, si volta sotto-collina, si guarda intorno*] «C'è un *incendio* nel bosco?»[3]

\* \* \*

[Mm-eerrockwr] «Quindi secondo te cosa c'è da fare?»

[Apperbohr] «Te l'ho detto, spiegare a tutti che le no-stre— *azioni* possono servire da esempio a tutti i cinghiali della provincia...»

[Mm-eerrockwr, *dubbioso*] «Cos'è *dlaprovvencha*?»

[Apperbohr] «Gli altri cinghiali laggiù-fuori-dal-Bosco... Dobbiamo creare dei "fuochi ribelli" che siano immediata-mente riconoscibili, e *riproponibili...* Che *ciclo per ciclo possano essere ripetuti...*»

[Mm-eerrockwr] «E *per quale bisogno?*»

[Apperbohr] «Perché *c'è bisogno...*»[4]

\* \* \*

[Apperbohr] «È l'unico modo, Mm-eerrockwr...»

[Mm-eerrockwr] «Quale?»

[Apperbohr] «*Questo*, Mm-eerrockwr... *Questo che di-ciamo...*»

3. Abbiamo già detto dei problemi di scarto *metaforico* da parte di Mm-eerrockwr nei confronti del concetto di *fuoco ribelle* elaborato da Apper-bohr per riportare le singole *scorribande* a un piano generale di *consape-volezza* e di *rivolta* rvrrn [propriamente (per la resa sintagmatica dell'in-tuizione apperbohriana): «fuoco», *frwrffm* e «ribelle», *wrgckhee*].

4. C'è una concordia pressoché generale, tra gli studiosi, nel ritenere che il senso della risposta di Apperbohr vada reso con «perché è giu-sto». «Cinghiarossa» si è evidentemente forzato a usare una variante bassa della lingua *rvrrn* per poter essere immediatamente *esplicativo* nei confronti di Mm-eerrockwr *[n.d.c.]*.

[Mm-eerrockwr] «Chi?»

[Apperbohr, *determinato*] «Io e te, Mm-eerrockwr... Io e te... Dobbiamo spiegare in che modo i *fuochi ribelli* possono... *possono...... Aspetta...*»

[Mm-eerrockwr] «Chi?»

[Apperbohr] «*Tu*... Aspetta qui... Un momento... *Un po',* insomma... Devo... *devo andare, aspetta...*»

[Mm-eerrockwr] «Dove? Dove stai †?»[5]

5. Convincente l'interpretazione di parecchi studiosi: l'abbandono del colloquio segnerebbe, per Apperbohr, il primo incontro con quella che sarà poi la sua compagna fino alla fine, Llhjoo-wrahh («Belladòro»; almeno: nella solita, riduttiva versione mhrhttrh dell'onomastica rvr-rn) *[n.d.c.]*.

# 21.
## 21 DICEMBRE 1999

**«Io ora ci vado e provo a spiegargli», si dice a voce alta**

Davide. Ci vado, tanto stanno giocando: ora il pensiero è diventato silenzioso, lo sguardo vaga come sempre sui sacchi ammonticchiati. Di là dall'entrata del magazzino, Corsignano si sta svuotando per il freddo; il solstizio che reclama buio, le famiglie che si *rintànano*.

Che mi potrà dire? Io non ce la faccio più, si troverà qualche altro modo. Lo dice sempre, no, con quel cazzo di sorriso e quei denti aguzzi che sembra che ciàbbia solo canini, madonna della madonna diddìo. «Qualcosa si risòlve sempre». A 'mme mi fa anche paura, addì i' 'vvero, tutti sti sacchi. Ché poi s'era detto *poco*, un mese *massimo*. E' son du' mesi e mezzo. E' son du' mesi e mezzo che non vivo.

A una decina di secondi da lui, piazzato a fiutare l'aria d'inverno di Corsignano, la Luna che s'affaccia come una moneta d'argento di cui si sia perduto il corso, la moneta cattiva che scàccia la moneta buona, il continuo convertirsi al peggio — tutte le chiacchiere che raccoglie in giro, da mesi, e che si fondono con questa *fiutata* che sa di neve e però si porta con sé tutto questo fiele, innaturale: quest'odore di *amaro* e di *fiele*, lo stesso di Weheer-g' quand'è morto, steso di fianco, la pancia che gli s'era gonfiata come una vescica *sul punto di esplodere*, il ràntolo sempre più roco: e quella puzza, di marcio e di morte. Molto simile a quella che sfiata – a grano a grano, particelle piccolissime che sguazzano per l'aria – dai sacchi ammucchiati. E poi il sudore di quest'uomo, l'Alto sulle Zampe che suda sempre di terrore. Non ha pace, pensa Apperbohr, le zampe piantate sui sampietrini dietro le scalette della Vetreria Vecchia. Non ha pace mai, dacché lo *fiuto*.

Davide chiude la porta del magazzino. Se non mi dà retta, pensa, intanto questi domani dopodomani li porto al capannone. Poi si vedrà. «Poi si vede», dice a voce alta. Come si riappropriasse del presente.

Ad Apperbohr la Luna Gigante di dicembre sembra il sorriso di Llhjoo-wrahh quando lo guarda. Ma deve andarsene, ché il *guasto* dell'odore gli condiziona anche il pensiero di *lei*.

«*I saggi dicon pazzo a chi al talento*

*sommette la ragion; ma come faccio*
*a non sentirmi innamorato? A stento*
*fatico a trattenermi; sicché giaccio*

*già nel peccato? E' certo non mi pento:*
*e se Inferno sarà, me ne compiaccio.*
*Ché mai non sono io quell'uomo spento;*
*anzi, l'Amor per te tuffo ed abbraccio.*

*Sì come un fiume che trascorre al mare*
*Amore mio così le cose vanno.*
*Ci sono vite nate dall'istinto.*

*E prendi la mia mano a celebrare*
*la nostra vita e gli amori che sanno*
*che il rosso del mio cuor di rosso è pinto.*

Non riusciva mai a capire come facesse, nonostante la meraviglia gli riapparisse davanti a ogni giro di frase, per ogni inarcatura riuscita che – quasi fosse la stradicciola che dal Ruvello portava alla provinciale e poi dirozzava giù *giù* lungo le scalinate di sassi fino alle Fonti – tutte le volte sembrava poggiarsi sulla carta come nel suo luogo naturale.

Durante vide l'ora sul piccolo casio da polso trovato nel fustino del Dixan, 8833. Mezzanotte e trentatré minuti: era già Santa Caterina, per quel che valeva. La prima svolta della primavera lo aveva trovato seduto nell'erba umida, sotto un elce, nel pieno della guazza notturna; a cinquanta metri dal cimiterino sperso di Macchiareto, nel punto esatto in cui cominciava la salita di sabbia e ciottoli per Colpietroso. La rifilatura digitale dell'orologio sbiadiva – e però confermava – le lineette orizzontali dei numeri in una traccia fantasma di otto anche nello zero; un infinito *raddrizzato* che sfumava il tempo digitale in un'incertezza permanente.

Si rigirava tra le mani, alla luce della VARTA tascabile, il foglietto a quadrettoni – un quaderno per le elementari, sicuramente comprato dalla Rosalba – dove Andrea aveva scritto la traduzione. La versione della *sua* canzone in un finto – a guardarlo bene poco probabile – toscano del Trecento: la canzone che da sempre lo rappresentava, e lo confermava.

Davvero, ogni volta non riusciva a capire come facesse, ma il dono di Andrea per le lingue era quasi miracoloso. Gli bastava leggere, leggere e assimilare quello che leggeva: il furore riproduttivo negli occhi, avviticchiati alle pagine come edere mannare capaci di farle a brandelli e intanto succhiarne la radice verde che le componeva.

Molto probabilmente, si dice Durante in questa notte fredda e umida, a mezzanotte e trentaquattro, ormai (il tempo pesa sul rossiccio del Castello di Macchiareto: tanto quanto la mischia difensiva delle nuvole, sabbiose e bluastre, che impediscono il passaggio alla luna), molto probabilmente ha a che fare con l'orecchio assoluto di Andrea.

Ogni nota suonata, ogni musica registrata. Andrea – come Durante, del resto – non ha né i soldi né la storia famigliare adatta per andare a lezioni di piano, comprare un Höffmayer verticale da studio, disporsi quotidianamente al solfeggio e allo studio dell'armonia; non ha i soldi né la voglia, probabilmente, si sono detti spesso, Durante e Andrea: perché sanno entrambi – Andrea *lo pontifica*, quando riesce a dirimere l'imbroglio congenito della balbuzie – che se uno vuole qualcosa *la fa*, se dipende soltanto da lui. Sì – Durante punta il filo luminoso della torcia su *Amore mio così le cose vanno – sì*, dovrebbe avere a che fare con l'orecchio assoluto di Andrea, con il fatto che riconosca ogni linea melodica senza nemmeno sapere tecnicamente cosa sia, *la melodia*. Il controcanto di un gufo gli rinsalda il verso corrispondente, *darling so it goes some things are meant to be*: quell'*I can't help falling in love with you* che Durante considera il testamento diffratto che lascerà al mondo di chi l'ha conosciuto, il più tardi possibile.

«Ma questo è «Plaisir d'amour»... È la ve- versione *rallentata*, *qui* e *qui*, senti?... di «Plaisir d'amour»... ... Quindi è Mo-ozart!»

La prima volta che Andrea, mentre Durante – certa spocchia scopritrice ed entusiastica dei diciassette anni – gli faceva sentire la versione di Presley, gli traduceva dozzinalmente il testo e cercava di spiegargli nel modo meno patetico possibile che quel gettarsi a capofitto nelle cose – *negli amori*, avrebbe voluto dirgli – era *lui*: lui Durante, *lui* Durante Salvani di Corsignano, nella sua incarnazione più vera e fragile e smarrita e evidente — la prima volta che Andrea l'aveva sentita aveva sùbito sancito, dimenticandosi immediatamente del cugino, che si trattava di «Plaisir d'amour». S'era messo a rovistare tra le cassette, i dischi, le registrazioni casuali su nastro che infestavano di plastica la sua stanza, finché non aveva trovato una sony senza custodia su cui una penna bic nera – la grafia slabbrata di Andrea – aveva scritto *n19*. Aveva premuto lo stop sul vecchio registratore di Durante *portato* per l'occasione; interrompendo Elvis nell'attacco più struggente di *teeeik maai é—* lasciandolo solo, e senzavoce, nell'inferno irrichiesto delle Hawaii del 1961 (lui che gira *Blue Hawaii* in camiciòla e fiori colorati, tutto preso ad ancheggiare sulla spiaggia di Honolulu e ad ammiccare di mascella; mentre Stanley Ann Dunham, nel lettino più *assolato* del Kapi'olani Medical Center for Women & Children, ride, stremata, ai vagiti del piccolissimo, grinzoso Barack Hussein Obama II).

«Ascolta!», gli aveva ordinato Andrea. Poi aveva infilato la cassetta, chiuso lo sportelletto, smanettato con i tasti di rwnd e ffwd fino a raggiungere l'attacco dell'*andante*. Il secondo movimento della Sinfonia numero 19 in mi bemolle maggiore *cappa centotrentadue*. E lì, a trentacinque secondi (secondo *più*, secondo *meno*) dall'attacco, Durante – *lui* Durante, *lui* Durante Salvani di Corsignano nella sua incarnazione più vera e fragile – era stato beccato nel cuore più preciso del cuore da «I can't help falling in love with you» nella sua essenza archeologica, e scintillante: la cascata discendente di note che, poco meno di due minuti dopo, l'esecuzione dell'Academy of Ancient Music diretta da Christopher Hogwood per L'Oiseau-Lyre avrebbe ripetuto, *variandola*; e che avrebbe continuato a strizzargli dentro quella notizia di eternità *replicabile* che lo travalicava e *lo* faceva *perdere di significato*.

Tutto questo, mentre Andrea sottolineava, smaniava la stanza di *senti! Ecco!*, l'occhio azzurro a seguire la musica, quello nero a spiegarla, come se potessero vivere due vite diverse, gli occhi, guardare nello stesso istante in due direzioni opposte del tempo senza mai perdere la lucidità assiale dello sguardo.

«Senti?... ... E Martini il Tedesco la mu-*u*sica di «Plaisir d'amour» l'ha scritta nel-nel millesettecentotta*a*ntacinque... ... La *diciannove* è de-*el* millesettecèntoo*o*settà-antadue... Tredici anni prima... ... Martini il Te-*edèsco* ce la doveva qu-*antomeno* avere in testa, quella *chiù-sa là*, no?...»

Durante guardava Andrea e però seguiva la musica.

«No? ... ... Ora io non lo so se è una regola compositiva... Què-ehllo che so è che la-la più famosa, *stru*-uggente musica *pò*-opolare... La prima canzone pop, mi sa... ... Lo s-*sai* che Ma-*maria Antonietta* la ca-*antava* qua-quando era pri-*in prigione*?... ... E insomma anche questa l'ha scritta Mozart...»

Poi, solo poi, Durante aveva potuto spiegare che era nel testo, che si rivedeva. In quel *rush in* iniziale, lanciarsi dentro le cose con la consapevolezza di essere sgretolati dalla luce in un'antimateria granulosa, e nerastra, che avrebbe potuto disintegrarlo *via*.

E così, quella stessa mattina di sabato, prima della scuola – *ieri mattina*, pensa Durante, visto che la mezzanotte è passata – mentre lui si organizzava per la sortita notturna al Castello di Macchiareto, lo zainetto già pronto con torcia, quaderno per gli appunti, il rozzissimo termometro che s'era costruito e che, di notte, all'aperto, s'era reso conto *era decisamente inservibile*, Andrea s'era presentato a casa sua e gli aveva portato quel foglietto piegato in due. Durante l'aveva aperto; ci aveva messo un po', visto che le parole gli tornavano ma gli mancava la musica ordinata per piazzarle al loro posto. Poi su *E prendi la mia mano* le parole s'erano messe in fila in una conga luminosa che le aveva portate, casella per casella – come nel gioco del quindici – ognuna nella casa di significati che le attendeva.

«Alla So-*onia* pu-òoi dire che l'hai scri-*itta* te...»

«... ...» A Durante, d'istinto, era venuto di fare sì con la testa. Poi la corazza di inadeguatezza gli s'era vestita addosso, lamiera e filo spinato e scariche elettriche come l'armatura di Tekkaman, i 37' e 33" di resistenza allo spazio siderale, le urla *lancinanti* di disperazione e dolore *cuciti* in meno di due secondi, il tempo di dire sì all'istinto – che comunque in Durante era debordante, malmostoso, sempre in cerca di una giustificazione per *deflagrarsi* – e inventarsi un *no* da previsione futura di sconfitta. Il duello che Durante ingaggiava contro sé stesso, sempre, tra la naturale predisposizione al *rush in* e la resa costrittiva nel *rush rush*.

«... Oh Andrea, e che si fa Cyrano de Bergerac?... Guarda che dei due i'*nasone so' io*...»

Andrea era rimasto in silenzio. Il foglietto con le parole era rimasto a Durante.

«È un gioco, *Dura*. Si-*i* capìsce ch-*eè un gioco*...»

Un altro *uh-ooh* e un frusciare a mantice lo riportò alla mezzanotte di Macchiareto. E il gioco di Andrea diventò un pensiero meschino. Una sfuriata di bile che – rimanendo confinata nel recinto concluso dei suoi borbottìi solipsistici e ruminanti – rischiava di volatilizzarglisi dentro come i veleni più sottili e insidiosi. «E' mi porterà al cancro... o peggio...», si lamentava Durante con sé stesso – *lui* Durante, *lui* Durante Salvani nei momenti più *meschini*, e distruttivi, e carichi di odio irrimediabile contro di sé, il proprio corpo, il proprio naso e la pinguedine, e la stempiatura e il mancato amore della Sonia e il *genio* di suo cugino Andrea.

Che in questo, *maledizione*, assomigliava perfettamente, compiutamente, a quell'altro *stronzo* di Walter. Eccheccàzzo, tutti geni, in questo stramaledettissimo, noiosissimo, merdosissimo, inutile paesino del cazzo che nemmeno il cristomorto potrebbe redimerlo, si limiterebbe ad appoggiare la croce ai muriccioli, ficcherebbe la corona di spine nel rettangolo truciolato del *braccio orizzontale*, poi via, la scesa esterna verso le Fonti: e ancora, fino alla provinciale, *prenderebbe giù giù*, al bivio, per l'Arlecchino, e «vaffanculo a voi, a Corsignano, a tutti 'sti geni e alle stracazzo di pustole che m'hanno rovinato la faccia, *vaffanculo*» — ché nelle sue derive cristologico-kazantzakisiane la sagoma di Durante *lui* si sostituiva alla figura vagamente *defoe*forme che appoggiava la croce ai muriccioli: e si trasformava nell'archetipo dolorante di un diciassettenne sovrappeso che santiàva contro Corsignano e le sue manchevolezze. Ché poi le manchevolezze non erano di Corsignano; o non soltanto. Erano le *sue*, soprattutto. Per questo poi – dopo aver augurato alle persone più care e *vicine* la morte per affogamento, tisi, paralisi, sfiancamento del miocardio, consunzione da cancro ematico, *schioppo*, impalamento, dilatazione e devastazione sanguinolenta (e reiterata) dello sfintere, lebbra, pellagra, gotta fulminante, sindrome di Matusalemme con rigurgito *e via e via* in tourettismo funzionale – Durante veniva preso da un senso di colpa da competizione che lo avviliva, letteralmente; lo abbatteva per ore. Mostrandogli a maggior ragione la pochezza del suo essere in vita *a fronte* della schiumante bellezza dei giorni di tutti gli altri.

L'uh-ooh del gufo reale l'aveva sì riportato alla realtà del suo appostamento. Ma gli aveva affiancato anche le figure larvali, uscite di soppiatto dal sottobosco come le sovrimpressioni tridimensionali dei cavalieri jedi *morti*, di Andrea e di Walter. Incredibilmente sottobraccio, a sottolineare la loro superiorità inconsapevole.

Era per questo bisogno compulsivo di spiegazioni; per trovarsi – *lui*, Durante – nel pieno di un'interpretazione di sé che lo appagasse, e lo definisse, in un contesto che lo riguardava sempre meno, a farci caso; che s'era (almeno da quando ricordava) fissato nella ricerca compulsiva di una traccia – brandello di fisica quantistica in movimento, prova almeno parziale di una qualche presenza luminosa, miraggi stanati dalla coscienza collettiva – che gli desse la possibilità di una prova, di una conferma inequivocabile dell'esistenza – chissà di *che tipo*, poi – dei fantasmi. (A sapere però cosa lui stesso intendesse, con fantasmi, questa era una delle motivazioni profonde delle sue stesse *cacce notturne*.)

Come volesse dirsi, di là dalle soluzioni facili delle religioni canoniche, che il vero interrogativo per gli esseri umani è chiedersi se *resteremo*, in qualche modo. E se sì, come. Essendo del resto la fine della consapevolezza di sé la vera spina nel fianco di qualsiasi speranza metafisica. Non credeva in Dio, Durante. Ma sperava nelle luci del tempo che l'avevano preceduto. «E nu' lo so mica quanto sia giusto...», gli aveva detto una volta Andrea, «che tu veda il passato come un rovescio sostituibile del futuro...»

Il Castello di Macchiareto, d'improvviso illuminato di sguincio da uno spicchio di luna occidentale – solo un riflesso, un vagolìo argentato sui mattoni dell'Arco – gli sembrò *il* colpo di tosse che un padre riserva al figlio quando soprappensiero entra in camera, lo trova alle prese con inconfondibili coreografie manuali sottolenzuolo e, con una vaga schiarita, lo riporta convulsamente di qua dall'estasi masturbatoria. Al biascichìo preterconfessionale dell'*emhpmbbhh*.

«E' ci manca solo che arriva il mi' babbo quando mi faccio una sega», pensò Durante rovistando nello zainetto. L'idea dello Spettro del su' babbo bonànima seduto sul letto come il patriarca dei Buendía: un vecchio Amleto corsignanese che abbassa gli occhi deluso mentre lui cerca, faticosamente, di risolversi una serata con la Jamie Lee Curtis di *True Lies*.

«Tutti geni», pensa, guardando la sconfitta irrisolta del termometro. Una concentrazione eccessiva di intelligenza, direbbe. Se soltanto – mesi addietro, in una delle sue fughe digressivo-compulsive contro Corsignano e il suo sangue più prossimo – non si fosse ricordato del prodigio di Merrion Square. Per quanto lontano andasse, l'Irlanda lo riavvicinava sempre alla *soluzione* di tutto. L'Irlanda era l'i-ching; e l'unica «durantità» che potesse offrire agli affetti insieme al pensiero, ossessivo, dei morti; delle strade purgatoriali e di passaggio che li prevedevano o ne estirpavano la possibilità di *recupero* in qualsiasi credenza: le linee sottili e incerte che stabilivano i paesaggi del tempo, ossessionandolo nell'idea di dover per forza piazzare un sì o un no sulla casella rettangolare del ritorno.

Merrion Square era la risposta momentanea e perfetta alla domanda su Andrea e Walter. La piazza rettangolare con i portoncini colorati. Di rosso, di blu, di verde, di giallo: le stesse tinte nette, senza ironia, delle facciate delle case dei paesi della costa occidentale, sull'Atlantico: dove la differenza di colori serve ai pescatori, al largo, per riconoscere la propria casa da grande distanza, il modo per accelerare la fine della nostalgia, anticipare *il ritorno* del tempo che serve per non immaginare troppo, per non lasciarsi prendere dalla convinzione fittizia che la propria casa, così come ce la ricordiamo nei sogni di viaggio, non esiste più.

La cosa importante, per lui, delle case di Merrion Square, non erano i colori degli usci. (*La rovina delle case dagli Usci*, gli venne; visto il momento, visto il motivo per cui era lì. Pensò che avrebbe potuto dirla ad Andrea; e anche che *però* Andrea l'avrebbe migliorata, *maledizione*). Erano le targhe di ottone appena sopra il campanello. Ci ha vissuto William Butler Yeats, a Merrion Square. E Oscar Wilde c'è nato – anche se nel palazzo *di fronte* alla calamita squadrata dei *portoni colorati*. Ed Erwin Schrödinger ci ha vissuto sedici anni, al 65 di Merrion Square. E Joseph Sheridan Le Fanu – il nome lo colpì come un coltello di ghiaccio dal bosco, nel momento in cui lo ricordò, la barretta di mars in mano, lo stropiccio plastificato dell'incarto al primo morso – c'è vissuto nell'Ottocento. E Andrew O'Connor, che a Merrion Square c'è morto, nel giugno del '41, il corpo di James Joyce forse da pochissimo abbandonato dalle sarcophagidae e dalle calliphoridae in *controra*; e chissà se ha fatto in tempo a conoscerlo, Schrödinger, se s'è fidato d'affidargli il suo gatto in quell'anno di guerra, lui alle prese con una qualche statua in giro per la città, o per l'Europa.

Tutti a Merrion Square, concentrati come il numero di scrittori geniali in un solo secolo da una sola isola piccolissima, il corrispettivo planetario e mondiale di Corsignano, meno di cinque milioni di persone e quasi il quattro per cento dei Nobel per la Letteratura, e James Joyce – la solitudine del suo corpo ormai scheletrico, *più che in avanzato stato di calcificazione*, la fondazione di un universo *nuovo* e nemmeno uno straccio di Nobel, né a lui né a Oscar Wilde, troppo presi tutti dal piano orizzontale della loro epoca da disattendere la percezione geniale di un grido verticale *de profundis*, dagli abissi irrinunciabili che rendono umani gli esseri umani.

Quasi il quattro per cento di quasi cinque miliardi di persone dovrebbe essere duecento milioni; quattro nobel è il numero giusto per una nazione di duecento milioni di persone, *divìdi* la curva demografica per tutto il Novecento, il calcolo si fa complicato: forse *non* dividi – complicato almeno per Durante, ora che il mars gl'impasta di *mou* il palato e la bocca – forse *assecondi*, nonloso, mi hanno rimandato due volte, in matematica, quarto e quinto ginnasio, *comunque sì*, la concentrazione ci sta, l'Irlanda, Corsignano.

Pensava che per com'era fatto l'Irlanda era il suo luogo naturale d'adozione.

Non avrebbe mai potuto rinunciare alla luce verde dov'era nato. Aveva bisogno però di un luogo nuovo dove rinascersi differente, *lui* Durante Salvani ma senza zavorre, senza le costrizioni che s'imponeva né le derive ormonali della sua *furia* senzascopo. L'Irlanda era la risposta.

«Dovresti lasciarti andare di più», gli aveva detto Andrea, un pomeriggio di canne al Pino del Crucco – incredibilmente in un'unica emissione di fiato – «dovresti mettere una *mordacchia* al tuo super-io...»

«Guarda», gli aveva detto Durante, per una volta colmo di *amorproprio* quanto di acqua debordante dal davanzale le piante *grasse* della vecchia Antonia. «Ricordati sempre che il mio super-io sarà pure Jason di *Venerdì 13*... Ma il mio *es* è Godzilla...»

Si stropiccia le mani dopo aver riposto la cartasporca del mars nella tasca interna dello zainetto. La butterà più tardi. Prende uno dei tre pacchetti di jps dal fondo della sacca, l'unico aperto. Ancora una decina di sigarette, a occhio, *esperto*: malgrado la notte e la pocaluna. Ha resistito più di un quarto d'ora, dall'ultima; si è convinto che il fumo potrebbe minare la validità della ricerca, la precisione dell'appostamento.

Il cimitero, cinquanta metri più in là, il cancelletto arrugginito e mezzo divelto, la decina di lapidi smosse più le tre, quattro tombe di famiglia dei Marescalchi (i fondatori dell'anonimo castello di poggio che avrebbe poi preso il nome di Macchiareto, nel Quattrocento), sembra la versione turneriana e *comprensiva* della sua autostima, in questo momento. Non gli fa particolare impressione; anzi: si sente quasi accomunato a quel destino marginale di disfatta e di oblìo che però *resiste*, muffo, vecchio, senza pretese né aspettative monumentali, a mezza strada tra la spianata dell'altura e la drizzata per i dirupi più estremi di Colpetroso. Il muschio del tempo che punta a *sud*, guarda al passato invece che al futuro e però si salva in dignità, e in stile, in mezzo alle mosche verdi e luttuose della precisione.

Durante è lì, in quella notte tra il sabato e la domenica, da solo, le poche case abitate di Macchiareto – che di Corsignano è una frazione, la più *distante*: e quella più vicina al confine nordoccidentale con l'Umbria – la sigaretta appena accesa, il fumo azzurrognolo che lo saluta come un qualsiasi compaesano che lo incontri per strada, la sera, e che creda di sapere già tutto di lui al primo cenno. Probabilmente perché *il qualsiasi compaesano lo sa*.

È lì per un motivo preciso. Vuole capire cosa ci sia di vero nelle voci che, dall'inizio del Novecento, danno il Castello di Macchiareto – ora sfitto – infestato dai fantasmi. Dalle anime *evidentemente* morte dei crociati che, partiti per la Quinta quando ancora il castello era poco più di una villa fortificata di campagna – la stessa crociata che Francesco usò per fare da testimonial cristiano alla corte di Al-Malik al-Kāmil – si trovarono spaesati da sùbito: circondati dai briganti sulla strada per Roma, quindi uccisi, quindi decapitati: e destinati a un ritorno decisamente trasparente e fuoricorso tra le mura diroccate – dal 1220 del terremoto fino al primo Quattrocento della ricostruzione – dell'unico luogo che avrebbero potuto definire *casa* sui documenti ufficiali relativi alla loro dipartita. Il primo *avvistamento* sicuro – per quanto possa esserci di sicuro in un avvistamento del genere – risaliva (Durante si è preparato a lungo, prima di decidersi alla nottata) al 1911. La sera dell'11 di giugno del 1911, sùbito dopo il tramonto. Ché, a differenza di quel che si crede (e questo Durante più o meno lo sa): è quando il giorno fa strada alla notte che gli scossoni *portuali* tra i mondi si fanno più decisi, e intensi, almeno a stare a quelli che se ne intendono; la mezzanotte essendo nulla più di una traccia artificiosa nel tempo che varia, infatti, con il capriccio indotto della legalità più strumentale e aritmetica.

Un contadino – il nonno di Marcello il babbo di Carola – che tornava dal podere dei Gernaldi, dopo essere stato tutto il pomeriggio a bere con Rinaldo dei Muzzi, il suo migliore amico: sull'aia, a chiacchierare di donne (il nonno di Marcello, in realtà, aveva delle mire – mai consumate né dichiarate, peraltro – nei confronti dell'Ettorina, la moglie di Rinaldo, la mamma di Alvaro) e a bere. Una premessa festaiola alla veglia della mietitura ormai prossima che l'aveva un po' cotto: tanto che la testimonianza del nonno di Marcello, Gaetano (detto Tino: un po' per vezzo ipocoristico; un po' per la capacità veramente titanica di *contenere* un discreto numero di litri di rosso senza dare troppi segni di cedimento) venne all'inizio messa in dubbio praticamente da tutto il paese.

Quasi di corsa – «ché un omo mica vorrà 'ffà vedé d'avé paura dei *gioche*», il pensiero fisso che l'aveva accaldato nella camminata veloce dalla frazione al centro di Corsignano – *i' 'Tino* aveva raccontato ai primi compaesani sbigottiti (meglio: *prima* incuriositi, *poi* sbigottiti) che, «all'altezza del Castello di Macchiareto, ciavéte presente?» – ce l'avevano presente: la mamma dell'Antonia e Germano dei Monelli, all'entrata meridionale del paese, il punto di bivio dove di lì a quarant'anni, più o meno, sarebbe venuto su *lo chalet*, la pista da ballo rossa «con chiosco» *su cui si sarebbe edificato*, intorno, il Circolo ricreativo ENDAS di Corsignano – «madonnadiddìo, credèteci...!» – la Diana aveva fatto segno di sì, Germano lo stesso: tale era la foga d'i' 'Tino che ciavrébbero creduto *sì*, a quello che stava per dire – «Mentre arrivavo sotto Macchiareto... Che sarà stato? Un'ora fa? *Meno*... Un'oretta fa... ... Ora *ch'è più buio* ma prima ci si vedeva...», parlava affannato, Gaetano, attirando l'attenzione delle vecchie su per il borghetto, della mamma dell'Aida alla finestra del complesso di Primacasa. «Ho visto— maddonnadiddìo, *ho visto*», all'improvviso s'era accasciato, in ginocchio, giù, *bo-d-bòm* per terra nemmeno l'avesse folgorato il Cristo dell'Altare Maggiore alla Chiesa Grande, fosse stato il vino o la paura – che l'aveva inseguito, col fiatone (vecchia di millenni e millenni, la paura, di quando gli uomini e le donne si rintanavano negli anfratti, per sconfiggerla: e lei aveva il fiato buono della giovinezza, e le unghie lunghe e le zanne che poi i millenni le avevano tagliato, e smussato; i polmoni s'erano incatramati, sporcati di tempo, millenni di fatiche a cercarli, gli uomini che si nascondevano: e lei sempre una sola, *la paura*, sempre lei sempre la stessa, la paura del buio alla fine, il buio che non scricchiola non manda segni non si manifesta come l'abisso né ti guarda negli occhi *ma c'è*; sempre lei, da sola: a rincorrere gli uomini a uno a uno, il fiatocorto dei vecchi, senza più denti, le rughe e il raschio dei morenti: eppure— due rivoluzioni industriali e l'aveva comunque beccato, alla fine, Gaetano: alla fine li becca tutti, gli uomini e le donne che scappano, o che si nascondono, pure vecchia e imbolsita com'è), e alla fine l'aveva preso – fosse stato il vino o la paura le donne del borghetto (se n'era persa traccia e memoria, di *chi*, materialmente, gli avesse portato del vino per rinfrancarlo) l'avevano fatto bere e sedere – quasi simultaneamente – su una sedia, Gaetano aveva detto tutto d'un fiato: «Madonna di Dio ci saranno stati venti, trenta *omini... leggeri leggeri*, vestiti... L'armatura mi sembrava... Portavano la testa n'i 'bbraccio... E' sembrava che le tenessero com'a le lanterne, Madonna di Dio...»

Lo spavento di Gaetano – lo spaesamento dei presenti – venne tenuto in gran considerazione, per i primi giorni; anche il parroco, don Muzio, non rispose sùbito con lo scetticismo che (almeno formalmente) la chiesa cattolica riserva a casi come questi. Dopo un colloquio lungo e rispettosissimo con i' 'Tino: che per due, tre giorni, ebbe modo di raccontarsi e spiegare meglio tanto a sé quanto agli altri *cosa* realmente aveva visto, don Muzio era andato da solo, una lunga passeggiata fino a Macchiareto, a controllare cosa succedesse nel Castello al tramonto. Ma niente. La piana da un lato, Colpietra a ridosso del cimiterino – già squassato dal tempo e dall'eccessiva *vecchiaia* dei morti – a don Muzio quel lembo estremo di Corsignano sembrò il correlativo *soggettivo* della sua visione del paradiso. E ne riferì ai paesani.

Con le settimane, la paura dell'ignoto da tenere a bada ed esorcizzare, gli uomini presero invece a mettere in ridicolo – prima tra loro, poi platealmente, anche in presenza d'i' 'Tino – la corsa sgangherata di Gaetano, l'accassciàta al borghetto. «E te e Rinaldo e' sai quanti n'avreste visti insieme d'appiccati, con quella balla in corpo...» «Non erano *appiccati*», aveva replicato per i primi giorni Gaetano. «La testa la tenevano come fosse una lanterna». Ma poi le settimane s'erano slavate in mesi, a settembre l'arrivo di una guerra nuova, quella contro la Libia, si portò via le mattane d'i' 'Ttino; la vecchia paura si ringalluzzì da sùbito di sangue giovane, prendendo ai fianchi e alle spalle la carne più tenera dei corsignanesi. Né mancò – va detto: a riprova della lungimiranza contadina sia a priori che (meno utile) a posteriori – chi volesse vedere in quei venti, trenta crociati di Macchiareto gli araldi della crociata prossima ventura. Ché proprio il Regno d'Italia e l'Impero ottomano erano il bianco e il nero della scacchiera che da Colpietra arrivava fino al sale più scuro del Mediterraneo. «E fosse che ci volevano dire qualcosa?», si chiesero le donne del borghetto, «Gli *stestati* ch'ha visto Gaetano?» «E avranno voluto di' de sta' attenti che con la prossima guerra invece che la testa in braccio, ci si dovrà portà in spalla i' 'bbuco del culo», avevano risposto – chi più, chi meno elegantemente – i richiamati alla leva: le divise già pronte e impacchettate con i corpi *dentro*, la certezza matematica dell'*esperienza* che, a Corsignano, sarebbero tornati meno della metà di quelli che partivano.

Così che la vecchia paura s'era nutrita degli sguardi nuovi e però millenariamente reattivi delle madri, delle mogli, giovani, con i bambini tenuti in collo come lanterne di crociati fantasma e quasi bambine anche loro, vent'anni, alcune meno. L'una a guardarsi negli occhi dell'altra augurandosi – il sangue con il sangue, la sorella con la sorella – di non essere *loro* le vedove, mai *loro*, sempre *le altre*: la paura e i suoi millenni stanchi a trasformarle nel peggio di *loro stesse*; i mariti, i fratelli, i figli, i soldati tutti inquadrati e pronti. Ci s'era messo di sbieco anche Giovannino Pascoli, di giorno – ché le notti dei poeti, alle volte, riservano sorprese; e, forse, non basterebbe l'odore di tutti i gelsomini d'Europa a coprirne le puzze – anche

Giovannino Pascoli, seppellito il fanciullino ch'era in lui in qualche pozzonero della Romagna meno solatìa e malatestiana, *benedetti voi, morti per la patria! Riunitevi, eroi gentili, nomi eccelsi*, a meno di duecentocinquanta chilometri da Corsignano, dalla postazione lucchese; ci s'era talmente impegnato che alla fine, su *umili nomi*, la mossa proletaria ne aveva beccati in pieno almeno una trentina, tra il paese e le frazioni, in età giusta per una crociata talmente prossima, e vicina, da far dimenticare i fantasmi morti di Gaetano.

(Né erano serviti a nulla, *maledizione*, le voci dei quaranta e più contadini che avevano partecipato allo sciopero del 27 settembre, un mese e mezzo prima delle fregole pascoliane al Teatro dei Differenti. «O che vi credete che i contadini hanno *più peso* delle fascine che portano?», aveva commentato don Muzio dal pulpito della Chiesa Grande; con gli scioperanti, tutti comunisti, *quasi* tutti a messa, a chiedersi se davvero Domineddio ce l'avesse proprio a brutta con i contadini, *almeno* da Caino in poi.)

E quando dalla Libia, un anno dopo, di trentatré ne erano tornati otto, anche a Gaetano era sembrato di non averli visti mai davvero, quei senzatesta, il cavallo portato a rèdini, la testa a elmo di cortesia, la luce del tramonto che li trapassava da parte a parte quasi fossero i vetri della Vetreria Vecchia messi controsole.

«E sarà che il vino m'ha immaginato tutto», s'era detto Gaetano. E però c'era tornato, per anni, ogni giugno, a passeggiare da solo a Macchiareto. Senza dirlo a nessuno, naturalmente, che «un omo e mica se mette a ffà i discorsi dei *fiòli*», ma sempre nella speranza di vedere il su' fratello, Federigo detto Ghigo, che in Libia c'era morto a diciannove anni, e tornare non era tornato proprio mai, a Corsignano, nemmeno da morto. E Gaetano tutte le volte a pensare che invece gli avrebbe proprio fatto piacere, e di molto garbato, *rivedello*; anche solo una volta. Anche con la testa in collo, ché non gli avrebbe fatto nessuna impressione, bello e riccio com'era i' 'ssu fratello nell'Undici, gli occhi che gli scintillavano quasi lo sapesse, ch'avrebbe avuto per sempre diciannove anni.

Poi, per più di cinquant'anni, dei crociati senzatesta nessuna traccia. Fino al 1964. *L'Eco della Chiana*, che Durante aveva trovato nella Bibliotechina del Chiarini, aveva dato conto del fatto in un breve corsivo pieno di refusi e di umorismo dapportiano firmato solo con una sigla, LS.

*Cronache di Corsignano e Torracchio – 7 ottobre 1964*

I «FANTASMI DEI CROCIATI» TERRORIZZANO UN GRUPPO DI TURISTI INGLESI

Ieri sera, al Castello di Macchiareto – i più anziani tra i corsignanesi ricorderanno, forse, che da sempre viene considerat un castello knfestato dai fantasmi – un gruppo di turisti provenienti da Stirling, nell'Inghilterra del Nord, s'è trovato di fronte (a detta loro) a un fenomeno a dir poco *sorprendente*. «Stavamo nello spiazzo antistante il Castello», ha spiegato mr. James Furley nel suo italiano a un allibito capitano Rocchi della caserma dei carabinieri di Corsignano, «quando, al tramonto, abbiamo visto uscire dal Portone ad Arco del Castello una decina di cavalieri crociati, senza testa, con dei cavalli al guinzaglio. Tenevano le teste in braccio ed erano tutti trasparenti». Probabilmente condizionati dalle dicerìe che girano intorno a Macchiareto, i dodici turisti (tre famiglie con figli maggiorenni al seguito) sono, chissà, vittime di quella che gli scienziati chiamann «allucinazione collettiva». O forse, da buoni inglesi, sono così affezionati ai loro fantasmi che se li portano dietro anche quando vanno in vacanza. Comunque, per non sapere né leggere né scrivere – come si dice – *macchiaretesi attenti!* Soprattutto a non perdere la testa!

Quello che poi s'era invece scoperto; e che Durante aveva saputo parlandone in paese (con Stirner, soprattutto; e con Walter, che l'aveva sentito da Osvaldo, suo nonno): era, in sostanza, che le famiglie di turisti inglesi (Mr. James Furley, sua moglie Kathleen, i tre figli più o meno ventenni Harry, Lewis e Fedora; i quattro componenti la famiglia Kingsley e i tre della famiglia Rodney: tutti sterlinghiani doc e veri hippy girovaghi della primissima ora), proprio all'ora del tramonto in cui i crociati avevano inferto al teatro di colline sotto Colpietra il loro secondo *coup de tête*, erano reduci da una seduta collettiva a base di armonia cosmica e Psilocybe cyanescens, uno dei cinque funghi allucinogeni autoctoni; reperiti fortunosamente quattro giorni prima, su una ceppaia del profondo Abruzzo.

«Lo so per certo, *Dura*. Ché Osvaldo... il mi' nonno m'ha detto che quando hanno finito di deporre, con Rocchi, il tenente dei carabinieri di allora... poi quello lì, James Furley, non voleva uscire dalla caserma perché diceva che *i crociati senza testa* gli avevano nascosto i cavalli nel furgoncino. E c'erano voluti Rocchi e due brigadieri, ad alzare il cofano e a far vedere a Furley che non c'era nessun cavallo fantasma, nascosto nel motore... E insomma hanno evitato di fermarli, perché tra i fantasmi, il giornale e tutto, insomma... Hanno aspettato che sbollisse la botta da fungo, si sono fatti *spergiurare* che non si sarebbero fatti almeno finché non superavano il confine con Arezzo o con Perugia... E poi li hanno lasciati andare via... Ma erano *fuori di tanto, Dura... fuori fuori...*»

Fatto è che una settimana dopo quel 6 ottobre dell'avvistamento, più o meno tra il 13 e il 15 ottobre, l'*amatissimo* compagno segretario Nikita Sergeevič Chruščëv venne estromesso dal complotto brèžneviano dalla guida del PCUS; e quindi dell'Unione delle Repubbliche Socialiste Sovietiche. Più di un corsignanese prese a mormorare che – esistenti o no, fantasmi o allucinazioni – «e questi cazzo di crociati e' portano soprattutto rogna, madonnadiddìo...»

Fossero figli della fungaia assoluta dell'Italia centrale, delle balle da chianti o di una reale preoccupazione del piano etereo di farsi scoprire da noi, Durante s'è messo in testa di capire – in questa notte di luna mozza tra il ventotto e il ventinove di aprile dell'ultimo anno del secolo ventesimo – *che cosa c'è a Macchiareto*. Soprattutto: se c'è qualcosa, a Macchiareto, che lo possa aiutare a consolidare la sua *teoria*.

Durante Salvani – *lui* Durante, *lui* Durante Salvani di Corsignano, nella sua incarnazione più vera e fragile e smarrita e *evidente* – è fermamente convinto che: se è vero com'è vero che tempo e spazio sono due variabili alla pari (si vanta di avere una sordità selettiva, nei confronti della *fisica*: recepisce solo quello che gli fa *comodo*). Allora: come esistono i miraggi *nello spazio* è plausibile che esistano miraggi *nel tempo*. Immagini che si cristallizzano e si stampano in un qualche punto del corso naturale, entropico – *questouniversale* – degli eventi e lì restano, ogni tanto rifratti (ripetitivi, fantasmatici, iterativi, trasparenti) da qualche radiazione incompresa del tempo (per l'appunto): fino a essere così riproposti, con cadenze ancora non spiegate, nella loro natura di fantasmi, apparentemente *viaggiando nel tempo* come un'isola impigliata nel Pacifico si *sposta*, sempre apparentemente, di chilometri nello spazio. Crede talmente tanto, in questa teoria della *fata-morgana-che-invecchia* (come la chiama per scherzo riduttivo: per non dare troppo peso esterno alle sue convinzioni più radicate, quasi potesse proteggerle solo sminuendole) da averne parlato con Andrea.

«Cazzo, Dura», la risposta netta del cugino. Che poi era diventata la duplicazione di «Cazzocàzzo, *Dura*», quando

Durante aveva provato – l'imbarazzo di *chi*, forte di un'intuizione che gli pare buona, non ha gli strumenti adatti per condividerla con *chi*, invece, tecnicamente ne sa più di lui – a spiegargli anche la teoria dei canali di compensazione. Che, in qualche modo, con la teoria sui fantasmi era secondo lui collegata, come il verde e il sol maggiore; anche se – così come nel caso del verde e del sol maggiore – pur intuendolo, non avrebbe saputo dire bene perché.

La teoria dei canali di *compensazione*.

Fin da bambino, s'è detto, Durante era ossessivamente convinto di essere preda di una sorta di minimo, parziale, senso dell'*anticipazione*. E – *cuginanza*? Una qualche tara genetica comprensiva di talenti non spiegati o uno squilibrio della concentrazione da iperattività (per l'appunto) fantasmagorica? – questo tipo di fenomeni anticipativi riguardavano anche suo cugino Andrea.

S'era trovato, Durante, fin dall'infanzia meno consapevole, a *sapere talvolta le cose* prima che accadessero; con una costanza quasi programmata. E quando gli veniva fatto notare lui stesso si trovava a disagio per eccesso di *informazione*. Quasi si ripiegasse da sé le lenzuola di déjà-vu nei letti più scomodi della memoria, addormentata dalle favole della corteccia paraippocampale. Lo stesso era successo e succedeva ad Andrea: anche in questo il senso più esatto dell'esclamazione doppia del cugino.

Comunque. Durante era – anche in questo caso – fermamente convinto che, se è vero come è vero che il tempo in questouniverso scorre in una sola direzione entropica (la professoressa Gerardi sarebbe stata stupita: più che sorpresa, anzi, se avesse scoperto come tutti i tentativi di insegnamento tecnico delle sue materie – la matematica e la fisica – si erano trasformati, in quello che considerava l'allievo meno *portato*, in tracce narrative per definirsi un mondo, e sé stesso). Se è vero – com'è vero – che *comunque* la nostra evoluzione *nel tempo* si costella, incessantemente, di una serie infinita di probabilità e ipotesi variabili che solo una volta attuata una scelta si confermano in atto – appunto – immodificabile e irreversibile. Allora, s'era detto Durante. Può essere – come c'è chi vede o può vedere o gli càpita di vedere i miraggi nel tempo insieme con quelli nello spazio – può essere che ci sia qualcuno in grado di vedere *prima* – un segno labile nel tempo, un accento, un apostrofo luminoso, una particella di azoto, un coriandolo fucsia a passeggio per la ionosfera – il momento di passaggio tra un tempo e l'altro, tra il presente e il futuro, come se gli si allungasse *di poco* il fotogramma *invisibile* in cui il girino diventa *implacabilmente* rana, i capelli da corti diventano improvvisamente lunghi; la chimica dell'amore si estingue nel nonritorno cinereo dell'amicizia affettuosa, *i morti ritrovano sé stessi vivi* per quell'attimo di coscienza di sé sospesa che li separa dalla fine eterna. Può essere che ci sia qualcuno che vede *prima* la scelta che è stata *fatta* quando ancora *si deve fare*.

Canali di compensazione, li chiama Durante. Una decompressione del tempo, anche, *forse*: perché si passa da una pressione orizzontale a un'altra: anche se in realtà in una visione a quattro, o più dimensioni, gli ha spiegato Andrea quando Durante ha finito di raccontargli le idee che aveva avuto, qualche mese prima di questa notte di aprile umida e odorosa di fieno bagnato, in una visione a più dimensioni «orizzontale e verticale diventano... è più come entrare in un cilindro il cui diametro interno sia quasi infinito, fino a coprire tutto l'universo conosciuto...»

«Cazzocàzzo, *Dura*», gli ha detto. E ne ha tirato fuori due tre funzioni matematiche che ha poi *ficcato* nella sua tesina *onnicomprensiva* della terza media. E che gli hanno abbassato, *per questo*, il voto finale. Ma non gl'importa; perché – diceva (e dice) Andrea – «è evidente a tutti che il professor Cerri è un coglione».

«Forse l'eterno ritorno dell'identico è *come un film*... È come guardare un film dall'eternità... E questo vale per ogni universo possibile, *mi sa*...», aveva concluso Andrea dopo qualche tempo morto di riflessione.

È questo che cerca ora, nella notte di aprile di Macchiareto, Durante. La riprova parziale della sua teoria. Vuole vedere se il miraggio nel tempo – se di miraggio fantasmatico si tratta, e non di una sbornia di vino e un trip sovreccitato da fungo allucinogeno – gli si ripresenta davanti, noioso e uguale come i discorsi dei vecchi, un disturbo ossessivo-compulsivo delle pietraie intorno al Castello.

(Ma stringi stringi è sempre *torneremo?* la domanda fondamentale. La frase semplice che ci spiega che tutto quello che ci fa vivere viene dalla paura della morte).

*Anche se.* È per questo che è così interessato. Qui non si tratta dell'*ombra bianca* di una donna che attraversa una parete dove, magari, ottocentotrentatré anni prima c'era la porta di una stalla. Né di una figura sbiadita intravista dietro una tenda, ferma sotto un lampione; o intristita dal coraggio che ci vuole a sperare, dalla stanchezza vuota dell'eternità, di *ridiventare ancora* vivi.

Qui si tratta di crociati che camminano con la testa in braccio: una versione corsignanese e plurima del problema capitale che hanno avuto a Sleepy Hollow. Se davvero esistessero i crociati, la sua C-Theory, per la compensazione; o M-Theory, o MT-Theory per i miraggi e il tempo (con un suono che dalle sue parti è pericolosamente vicino a *matterìa*), perderebbe totalmente di significato.

Anche se. Scoprire che *davvero* un gruppo di crociati senzatesta di circa ottocento anni prima si dà appuntamento, la notte, al bivio di Colpietroso: non significherebbe la *fine momentanea di qualcosa*. Non sarebbe come nei film dell'orrore dove, dopo che hai scoperto che i vampiri esistono; o che l'aldilà è tremendo e indemoniato come il peggiore degl'incubi barkeriani, una volta che hai impalato il tuo vampiro d'occasione o hai avuto l'incredibile culo di sfuggire a un demone infoiato con la testa a istrice e gli aculei fatti di cacciaviti: *poi*, alla fine delle due ore più o meno canoniche, te ne torni alla tua vita di sempre, tranquillo, finalmente rilassato.

La fine del mondo come lo conosci non può lasciarti *immutato*.

E l'hanno capito bene – si dice Durante – gl'inventori del nuovo horror, dagli anni Ottanta in poi: con il mostro che alla fine *ritorna*, protervo, bambinesco: ma almeno onesto con la propria essenza di mostro il cui scopo è – alla fine della fiera – farti il culo anche per suoi futili motivi di inappagatezza *monstre*. Laddove il tuo dovere invece dovrebbe essere quello di *abbatterlo*; o quantomeno cacarti addosso per tutto il resto della tua vita, se non sei sicuro della sua sorte; altrimenti te lo meriti, coglione, di essere fatto a pezzi, sbranato, sbudellato, ucciso nel sonno, divorato, appeso a testa in giù in una pozza di pece bollente: è l'inferno da coglione che ti sei coltivato dentro da solo, *coglione*: te lo meriti, di essere squartato dal freddykrueger redivivo più patetico, e prevedibile; o davvero credevi di esorcizzare un dèmone con l'aglio, pur mortifero, della tua ultima cena?

Così stasera – tutti i tempi diventano *il tempo presente* – Durante è qui. Intirizzito, nel k-way ridicolo che s'è portato dietro sopra il maglione. Sua madre crede che sia a casa di Andrea. E invece è qui: sotto un elce che ogni tanto scricchia – assestamenti corticali, forse; o il passaggio invisibile di qualche bestiola infinitèsima – e gli ricorda la sua essenza ventosa, e vegetale, lo riconduce alla realtà madida di terra smossa e di lillà marciti.

Il termometro rudimentale che s'è costruito – ha messo una protezione in plastica alla capsula di vetro con il mercurio, poi ha fissato la protezione a una tavola di legno (è lo stesso che *forse* ha visto la vecchia Antonia al capanno dei Sereni, quando ha scambiato una delle sue tante cacce sovrannaturali *a vuoto* per una dissolutezza che lo apparentava al pòro Frediano) – potrebbe servire se riuscisse a entrare nelle sale del Castello.

È utile solamente in un luogo chiuso. Perché – almeno così ha letto Durante – le apparizioni di fantasmi sono di solito precedute da un brusco calo della temperatura. «Ma qui n'i' bbosco, e che ti vuoi vedé calà, fossero anche tre quattro gradi già è freddo becco così...»

Si accende un'altra jps. Tira forte, con un respiro smezzato che fa rumore. Poi butta fuori il primo fumo con una lunga espirazione prolungata; la striscia, spumosa, viaggia da un punto all'altro della notte con la stessa consistenza scalare di una vialàttea lasciata svaporare in una delle periferie meno brillanti dell'universo.

Il pensiero dovrebbe essere per i morti; per i debiti di *passaggio* che, loro malgrado, i vivi patteggiano con i morti. E invece gli appare, reale come l'elce che gli copre le spalle, l'immagine sorridente della Sonia. Non la bacerà mai; almeno in *questo* contesto spaziotemporale. Forse, in una delle tante esistenze possibili, in una delle smazzate transdimensionali nel cui ventaglio siamo casualmente appiccicati a milioni, a miliardi, ci sarà un qualche durante del cazzo più bello, più affascinante che – non vogliamo dire ci fa l'amore, troppagrazia – ma che almeno una volta, due sarebbe l'ideale (perché alla foga della scoperta si potrebbe unire la nostalgia *futura* del ricordo ribadito), la Sonia l'ha *baciata*. Inspira dalla jps e intanto prova a concentrarsi sulle labbra di lei come se, soltanto decidendolo, potesse infiltrarsi in qualche reminiscenza parallela vissuta da un doppelgänger identico e sconosciuto.

Adesso sente un rumore. Pezzi di infinito nascosto gli arrivano dritti negli occhi attraverso le stelle del Grande Carro, basso sulle colline dietro di lui. Viene dal cimitero. È un rumore che sa di raspare e di vecchie croci di ferro, l'attenzione improvvisa assume le forme rugginose della sinestesia. Si alza con un movimento ingrippato delle cosce, sente un formicolio caldo su tutto il fianco destro. Butta la sigaretta a terra, la spegne a forza con il carrarmato della suola.

«Oh!», gli viene da gridare contro il cancelletto. Il vento gli passa sui capelli fini e spettinati come il fantasma freddo degli scirocchi passati. La paura – che probabilmente dovrebbe avere fissato *qui* a Macchiareto la sua casa di campagna; né le vale più la vecchiaia, perché per prendersi Durante gli basta attraversare il giardino – gli assume la forma indistinta di un bruciore spinoso all'ossosacro.

«Oh! Chi c'è?», ripete; per darsi forza e spezzare il silenzio biascicante d'inizio bosco. Il gufo si sposta da una quercia all'elce con la portanza soffiata di un vecchio piper; cui risponde la testa incassata di scatto di Durante e il naturale, scintillante *mavaffanculo* diagonale, verso l'alto.

E il rumore si ripete. Con l'aggiunta, seria, di un rumore *campanoso* di catene.

«Eccheccàzzo no. Anche il luogo comune delle catene e no...», è proprio la banalità notturna del rumore a far muovere Durante, lo zaino in spalla, la VARTA accesa contro il cancelletto; la piccola luce farinosa che si perde nel grande lago del buio finché non arriva a cinque, sei passi dalla porticina. Letteralmente sgangherata, fissata con un vecchio chiavistello alla colonnina di mattoni.

«C'è qualcuno?...», ripete Durante. Poi, assecondando una delle sue nature più vive, «Veniamo in pace... ... almeno se non c'è l'intenzione da parte vostra di cacare il cazzo...»

Il rumore diventa una serie di rumori fatti di foglie marce accartocciate, croppitìo di zoccoli, ferro trascinato, suoni metallici *a forma di diapason*. Durante fa un paio di passi indietro ricacciandosi a forza via da sé tutto l'immaginario inconscio che gli si è vomitato, subliminalmente, sulla camicia già sporca della ghiandola pineale (dèi dalla testa di capra, flauti di canna, culi pelosi, anzi, *culi eccessivamente pelosi*, code, corna, occhi gialloneri, possessioni demoniache, canini aguzzi, panico letterale).

«... ... Andrea mica sarai te?», l'ultima spiaggia della speranza. Visto che il rumore c'è, a meno di non pensare a un'autosuggestione – possibile, ma poco probabile – talmente *robusta* da condizionare allucinazioni auditive a tema: che almeno sia uno scherzo di Andrea. Dato che è l'unico a sapere della sortita notturna del cugino; e che il rumore non è *d'uomo*: ché probabilmente qualcuno avrebbe risposto qualcosa. Anche solo «fatti i cazzi tuoi d'e' chi son io... E' chi sse' tu, piuttosto, *segaiolo che va' 'n giro a notte?*»

Durante si fa forza confidando nella spiegazione più normale – quale che sia – e alza il ferrovecchio del chiavistello. *D-lang-dd-lang*. Spalanca il portoncino, aspetta sulla *soglia*.

Quando il dèmone caprone s'affaccia. Con rumore di zoccoli e trascinìo di catene, nell'ombra. A Durante si alzano i capelli sulla testa in un rèfolo imprevisto di terrore puro. (Perché sono tutti bravi a teorizzare, di giorno, sulla possibilità fisica e non spiegata dei fantasmi; sono tutti grandi parlatori, di giorno, a gridare che la grande proletaria s'è mossa, *benedetti voi, morti per la patria*. È di notte, che bisogna fare i conti con i sestéssi più ancestrali e sprovveduti. È di notte che i morti di Libia ti vengono a cercare, soprattutto se sei già abbastanza distratto dall'abisso scuro delle tue insonnie private, sporchi di terra, i buchi a raggiera nel petto, le crepe amaranto del foro di proiettile sulla tempia, com'era, don Giovannino? *Benedetti un cazzo,* te, i' 'ttu babbaccio bello morto, la cavallina storna della tu' sorella e della tu' mamma. È di notte che, proprio mentre vuoi giustificare ai pòsteri le tue *matterìe*, ti ritrovi l'ombra grufolante di un dèmone capro sulla linea scura di un cimitero di campagna.)

Durante fa i due, tre passi indietro che servono al cinghiale – perché i secondi di terrore sono eterni, ma la spietatezza dell'orologio casio è passata da mezzanotte, quarantuno minuti e trentuno secondi a mezzanotte, quarantuno minuti e trentatré secondi: ed è questo il tempo che è servito a Durante per capire che quell'ombra è la sagoma scura di un cinghiale: *nera*, selvatica, grugnente, con un'ancora incerta linea *orizzontale* all'altezza grifagna del muso, ma evidentemente l'ombra grassa di un cinghiale a cui serve solo un momento — per precipitarsi fuori dal cimitero, la corsa *mugghiante* di un pezzo scuro di notte verso un fondale leggermente più chiaro. Durante, d'istinto, si fa da parte inarcando il braccio con la VARTA come se impugnasse una banderilla, il fruscìo difensivo del k-way blu che s'insinua nella notte di Macchiareto con rumore aspirato di muleta.

Il cinghiale, uscendo, sbatacchia un pezzo di croce – perché il ferro sottile e rugginoso, nero, la fascia di ferro sottile che tiene tra i denti è sicuramente l'assicella di una vecchissima croce tombale – contro il muretto della colonnina, la porta del cancelletto aperta verso l'esterno. Riesce a passarci portandosi via sgrétoli di muro, quasi *curva* forzato dal contraccolpo. Poi sfila veloce a un passo da Durante, senza caricarlo (Durante ormai quattro passi, cinque indietro, sbilanciato come un ordóñez bambino cui abbiano fatto lo scherzo dei lacci delle scarpe legati insieme). Corre a capofitto nella notte più bassa del Castello, continua a correre sbatacchiando rumorosamente il ferro tra i denti contro un elce, grufola a denti stretti e corre, via, Durante lo vede entrare nel fitto del bosco in un lampo nero. Quasi fosse lo zorro sovrappeso di tutti i cinghiali della provincia.

Senza accorgersene, il gufo sull'elce imita il refrain in levare di Mick Jagger in «Sympathy for the Devil». A Durante, che trema – le mani che rovistano nello zainetto in cerca delle jps – sembra l'unica colonna sonora possibile «in questo film dell'orrore *d'i' ccazzo*».

«Va detto che quella di Hallie è un'affermazione decisiva»,

Walter occhieggia il film dallo stipite della porta della cucina. Fabrizio ha appena finito di riempire d'acqua la pentola grande, ha acceso il fornello.

«Ma quanta ne vuoi fare? ... Davvero mezzo chilo in due?...»

«... "Lo stomaco è a posto ma la bocca ha ancora fame"... *Perché*, che ha detto?», Fabrizio rovista nella pancia del frigorifero, più o meno all'altezza di quelli che dovrebbero essere i polmoni.

Walter vede sullo schermo l'imbarazzo di James Stewart in grembiule.

«A che ti serve saper leggere e scrivere, *vuoi dirmelo?*», gli ha detto. «A fare lo sguattero».

Fabrizio tira fuori un piatto fondo coperto con il post-it di Giorgio. *Ragù di cin.*, c'è scritto. La grafia di suo padre

Giorgio. Sbircia spostando il piatto a coperchio e sorride al sugo ammassato come se avesse scoperto un qualche tesoro commestibile che si credeva deperito.

«Almeno è uno sguattero *consapevole*...»

«...»

Fabrizio tiene il piatto-base con la sinistra e apre l'anta dei pensili sopra al lavandino e ai fornelli con la destra.

«Dammi una mano, piuttosto...»

Walter abbandona la postazione *fordista* e gli si fa accanto, lo aiuta dal basso dei suoi sette-otto centimetri di meno – è convinto di aver ripreso dalla famiglia di sua madre: per questo motivo ha ormai accettato la costanza eterna del suo metro e settantaquattro con la rassegnazione, brechtiana, per le cose che non si possono cambiare – e tira verso di sé la casseruola e le tre padelle.

«Guarda che non è così semplice», Walter cavalca di ritorno sulle frasi di Hallie, mentre nell'altra stanza un più che guardingo sceriffo Appleyard cerca di scroccare bistecche e patate.

Aiuta Fabrizio a togliere le padelle da dentro la casseruola e poi le rimette nello scaffale, mentre Fabrizio appoggia la casseruola sul fornello largo, rovescia delicatamente tutto il sugo e accende il fuoco.

«... Perché— Ma non ci metti l'olio?...»

«Più di quello che ci mette Giorgio?...», prende un mestolo di legno e spande il sugo fino ai bordi della casseruola. I pezzetti di pomodoro e la carne sparsa nel ragù si avvicinano a tocchi senza fondersi, al centro. A Walter sembrano la resa tridimensionale delle foto che ha visto tra le dita di Andrea Bui, al Ruvello, il figlio di Amedeo dell'armeria, il cugino di Durante, un mese e mezzo prima, alla fine della scuola. Quando l'ha trovato su una delle vecchissime panchine di marmo, alla ripresa del sentiero, tra gli elci. Il punto che poi piega tra i rovi fino alla curva *roca* sulla provinciale e alla risalita per la Chiesina della Madonna. Walter l'ha trovato che sfogliava una tesina dell'esame di terza media. Un blocco enorme di fogli dattiloscritti, pieni di ritagli. «Com'è andata?», gli aveva chiesto Walter. Andrea l'aveva guardato, «*B-bène* cre-do... ...», poi gli aveva quasi sorriso, ma era più una smorfia infastidita: non da lui o dalla sua domanda sull'esame appena fatto; dalla vita, aveva pensato Walter.

«... A*pp*-parte... il- tempo che c'è- *vo-volùto* pe-*er* spieh-gàre tu-*tto*...»

Walter aveva chiesto il permesso di sfogliare il faldone con un gesto aperto della mano. Andrea gliel'aveva affidato senza manifestare particolari entusiasmi o dinieghi.

«Be'... Un lavoro del genere *parla* da sé, anche solo come... *mole*...», e aveva cominciato a sfogliare tutto con attenzione.

Ed era lì, in quella mattina di giugno appena ombrata dal fruscìo ventoso delle foglie di elce; con il frescore del marmo della panchina che sapeva di terra e dell'*affiorescenza* delle radici, lungo i digradi del Ruvello, Walter s'era accorto di trovarsi di fronte alla resa geniale di una curiosità senza scrupoli o ostacoli o costrizioni o intralci da pudore educativo. Un'anima *sorella*, avrebbe potuto dirsi, se soltanto avesse creduto nell'anima più che nei dettami restrittivi della biologia.

In quelle cento, centoventi pagine Walter aveva trovato una partenza straordinaria dalla letteratura. García Márquez, Sterne, il Joyce del *Finnegans Wake*. Walter non aveva fatto in tempo a stupirsi – mentre Andrea lo guardava; senza rendersi troppo conto della *smisurata* incongruenza tra i suoi tredici anni e quelle pagine. Fino ad alcuni rilievi *fisici* sulle permutazioni e sul ruolo delle funzioni *biiettive*;

fino a una serie di disquisizioni matematiche sulla composizione iniziale della materia. Poi foto apparentemente *accessorie* di masse stellari e nebulose neonate; rilievi sanguinolenti di colonne di fumo – impossibili non solo da vedere ma anche da intuire, fuori dai confini rasserenanti di un filtro o di una sottolineatura di colore sul nero. Ritagliate da *Sapere*, o da un numero speciale di *Airone*. Anche una polaroid di un qualche oscuro documentario *fermato* in un fotogramma sfocato direttamente dal televisore. La sagoma rossastra e grumosa – un fuoco in risalto al centro, quasi la stella di luce di un *flash* da matrimonio, poi il movimento medùseo e formicolante degli ammassi stellari, tutte le gradazioni del rosso, dell'arancione, del fucsia, del violetto – di una *composizione* universale delle Origini. Lo stesso brulichìo granuloso che ora Walter ritrova nel ragù di cinghiale di Giorgio.

Dopo la polaroid, un paio di righi ineccepibili; poi una conferma *sbagliata*. Walter aveva mostrato ad Andrea il quaderno, tenendolo a leggìo neanche fosse un patristico minorenne in vena di piccole eresie quotidiane.

«Qui hai sbagliato *però*...», aveva detto Walter, con la compiacenza un po' fastidiosa di chi abbia trovato un lìmite e fissato una competizione irrichiesta *nello stesso preciso momento*. Poi aveva indicato l'equazione finale aggiunta da Andrea *in appoggio* e a complemento di $v(t) = \frac{dr(t)}{dt}$ .

«È quello che hanno detto an-cche *loro*», aveva commentato Andrea. Senza troppe spiegazioni aggiunte. Poi aveva preso il *suo* faldone dal leggìo delle braccia di Walter. L'aveva chiuso e se l'era riposto in grembo. Era rimasto seduto.

A Walter – cui l'unica lacerazione al proprio amor proprio era la consapevolezza saltuaria di un'intermittenza del proprio genio – era sembrato un gesto *giusto*. E s'era sentito in colpa dell'unico rilievo meschino a fronte di tanta, inaspettata, precoce grandezza.

«Ti piace il GranBotto?... ... Il *big bang*, dico», aveva cercato complicità. E questo era ancora peggiore del puntiglio mediocre sull'equazione esagerata per errore.

«Ti *affascina* il Big Bang?»

«...»

«...»

«Il Big Bang è sopravvalutato», gli aveva detto Andrea. Senza esitazioni. Poi s'era alzato e se n'era andato via. Non l'aveva salutato; il faldone tra costole e braccio sinistro come fosse lo spartito *gonfiato* di qualche opera scomparsa.

«... Ci vuoi più olio...?», dice Fabrizio ai cinque, sei secondi di distrazione ipnotica di Walter. Ha già finito di spandere il ragù.

«No no... Dicevo della battuta di Hallie. Che uno sappia leggere e scrivere non è, in sé, un *bene*...»

«È un *meglio*, infatti...»

«Che è nemico del bene, come si sa...» Walter afferra un cracker rimasto in una bustina aperta, sul tavolo bianco appoggiato al muro. Lo addenta con uno sgrunch d'accompagnamento.

«Sì ma...» Fabrizio aumenta la fiamma sotto il sugo, poi afferra il barattolo con il sale grosso dal piano mediano dello scaffale, accanto alla vecchia RadioMarelli rotta. «... Comunque vada, *sapere qualcosa* è meglio di non sapere *nulla*...»

«Sapere *tutto* è meglio di non sapere *nulla*... ...»

«Ma nessuno può sapere *tutto*...»

«Per questo sapere *soltanto* qualcosa non va bene per *nessuno*... ...»

Fabrizio guarda l'acqua, fredda, dentro la pentola. Decide che va bene così e ci getta dentro una manciata di sale grosso.

Walter lo fissa.
«Te che pensi che succede, dopomorti?»
«Credo che si continua a morire», gli risponde Fabrizio.

## 24.
## 21 LUGLIO 1999

**La fiat Panda 4x4 che ha percorso questa stessa strada**

poche ore prima al contrario, riavviandosi miracolosamente – anche se Felice non crede ai miracoli; soprattutto dopo la notte appena trascorsa – puntando al bivio del cimitero, e alla Salita di Portarossa, e all'incrocio con il Ruvello, con il suo carico discinto di due donne e un uomo seminudi (tutto quel preoccuparsi dell'arrivo dei carabinieri e poi, a cinghiale andato via, avevano fatto i cinque chilometri tra lo sterrato del bosco e il centro di Corsignano, più o meno alle quattro del mattino, senza rivestirsi; senza neppure chiedersi cosa avrebbero visto, gli eventuali nottambuli di Corsignano, in quella fiat Panda riconoscibilissima che rientrava come se avesse il diavolo – un diavolo peloso, e scuro – attaccato al tubo di scappamento: i barattoli invisibili di un sabba appena concluso, lo scherzo di un goblin rumoroso e ubriaco a sancire la fine della messa, *nera*) – quella stessa fiat Panda sta ora tornando sui suoi passi, Felice Interlenghi alla guida, lievemente sfatto di pocosonno ma comunque sbarbato, rinfrescato da una lunghissima doccia calda che gli ha lavato via la paura e i resti dolciastri, e appiccicaticci, del sesso con le due sorelle Traversari.

Con lui c'è Walter; i capelli dritti e zazzerati come antenne dell'EIAR buttate a casaccio sul Colle dell'Alfiere, la prima gobba bitorzoluta prima della salita piena all'Arlecchino. Fissa la strada davanti a sé come se non l'avesse mai vista; si sta mangiando a sangue, senza accorgersene, i filamenti di pelle sotto le unghie della mano destra.

«Ooh... E sta' tranquillo... S'è rotto il naso, mica è in fin di vita...»

Walter si riscuote, muove la lingua nella parte interna degl'incisivi per togliersi via i resti di pelle mangiucchiata.

«Mi dispiace, per Claudio... ...»

Claudio, Felice e Giorgio (il babbo di Fabrizio) sono come un'unica entità divisa per tre. Sia nella vita sia nel lavoro. E tutti e tre considerano Walter come figlio loro, in pratica. Un po' per il legame con Fabrizio; un po' perché Walter Malpighi – la sua salvezza, il suo dolore – si fa amare istintivamente da tutta Corsignano.

«L'ha già sentito Stirner, al telefono... Ha sentito anche il dottore...», Felice ingrana la seconda, intravede davanti a sé la salita tra due *pezzi* di Bosconuovo che li porterà al Curvone della Scritta. «Ci ho parlato... Mi ha detto che il dottore non è preoccupato... Certo, la botta è stata forte, ma l'operazione è andata bene...»

«L'operazione?» Walter lo chiede quasi Felice gli avesse dato due giorni di vita profetando l'appuntamento con un meteorite.

«Eh. L'operazione... ... Gli hanno dovuto operare il naso, ma è tutto a posto...»

Felice avverte ancora sottopelle il senso di colpa di essere stato latitante per gli affetti, nelle ultime ore.

Quando sono partiti, Walter gli ha chiesto cos'avesse fatto alla portiera. «Una manovra sbagliata», gli ha detto Felice.

«E ch'hai intruppato camminando *di lato*?», aveva riso – *scettico*, nel profondo della sua walterità indagatrice, anche se troppo preoccupato per il naso rotto di Claudio (anche socio di Felice; e di Giorgio) per lasciarsi prendere dalla smania *ricostruttiva* dell'ammaccatura – poi se n'era dimenticato, alle prese con il suo nervosismo digitale.

A una cinquantina di metri dalla radura – il piccolo spiazzo nascosto dell'incontro cinghialesco: ancora fatica a credere che sia successo davvero – Felice prende a guardare ostentatamente la recinzione alla sua destra; cercandovi *per caso* qualcosa che deve esserci *sicuramente*. Fino a vedere la rete, divelta, il paletto di legno – nel tratto percorso dal cinghiale, dove gli sconcertanti pali di cemento bucherellato sono stati sostituiti da pioli uguali a quello che ha *tamponato* a cinghialate la Panda – abbandonato a ridosso della radura, a sinistra.

«E che gli è?», mente platealmente Felice. Stavolta il tono è così falso, e sproporzionato alla visione che anche la preoccupazione di Walter – insieme a Walter – fissa negli occhi Felice per capire cosa sta nascondendo, e *perché*. Ma né la preoccupazione né Walter dicono nulla; l'istinto protettivo degl'investigatori privati di certezze su cui poggiare le loro congetture.

«Ti spiace se mi fermo un attimo?»

Walter fa cenno di no con la testa, Felice ferma la Panda a un salto di cinghiale dalla rete venuta giù. Spegne il motore – pregando (ma in realtà in pieno mattino, lui e Walter diretti all'Ospedale di Piancaldo Alto per trovare un amico fraterno che sta male, non sarebbe stato un problema, se anche la macchina non fosse sùbito ripartita) che il motore non ceda alle lusinghe del ritorno; che il sistema elettrico della 4x4 non riconosca lo choc della notte precedente, lo stesso odore di muschio, gli stessi papaveri schiacciati sul ciglio dell'SP dalla foga, distruttiva, di un cinghiale *armato* – poi apre lo sportello, un cigolìo da oliosanto per carburatori, la portiera dolorante come un vecchio con i reumatismi preso a bastonate da un cinghiale. Davvero, più ci pensa più gli sembra irreale — lui, nudo, Arletta e Marzia che gridano. Walter apre lo sportello dalla sua parte attento a non inciampare nella conca del fossatello.

Felice si avvicina alla rete, si china. Prende a osservare il tipo di strappo, si volge a cercare il paletto sull'altro lato della provinciale.

«Sarà stato qualche ragazzino che passava da qui», fa Walter. Un morso al medio della sinistra.

Felice tiene tra le mani il pannello di fildiferro, ne saggia la consistenza.

«Potrebbe essere stato un cinghiale...»

«Noo... I cinghiali passano da qui*'ssu* ma mica buttano giù i paletti così... Poi», Walter gl'indica il legno sporco dall'altra parte. «Questo è un *omo*... O un ragazzetto... Hanno buttato giù il palo e tirato via la rete... ... Due sabati fa i cacciatori hanno protestato, per le recinzioni... Ché mica le potevano fare così, senza garantirgli il passaggio...»

Felice si rialza in piedi. «Ma i cinghiali non stanno tutti più a basso, di là dal Bosco *novo*?»

Walter lo guarda, intento; tra il sorpreso *a forza* e il divertito. «Ma che ti sei rincoglionito, Felice? ... ... Ora che i cinghiali ci hanno i' 'ccasello?...»

Felice guarda Walter, almeno sembra. In realtà sta riflettendo in un modo che da un lato lo spaventa; dall'altro gli dà poco affidamento. Due dei tre motivi per cui finiscono i matrimoni.

Felice ci ripensa. «Senti un po'», gli fa, mentre si schiaffeggia le mani a pulirsele dalla polvere.

«Ma secondo te... E' pò esiste un animale che sembra un cinghiale e non è un cinghiale», e fa per ritornare in macchina. Walter rimane sulla *soglia* del sedile, lo sportello aperto tenuto sull'abisso in scala del fossatello.

«E come no? Il famosissimo *omo cignàle*... Lo portano per le fiere... ...» Si siede, accompagnato dallo smusare di Felice, di nuovo alla guida, la mano già sulla chiavetta, il motore della Panda che risponde sùbito all'avvio.

«Sennò c'è anche il *cinghiale mannaro* o *maràno* a seconda se lo dico io o il vecchio Osvaldo...»

«Oh, *Valterì*... Un po' di rispetto... ...»

«E va bene Felice, ma 'nche te...»

Felice ingrana la seconda, poi la terza. Fa la faccia seria e compunta ma gli viene da ridere.

«E si faceva pe' 'ddì...» Ma non è rilassato; c'è ancora troppo, che non va.

«Se vuoi ti faccio parlare con Durante, che se ne intende parecchio, dei cignali del Bosco novo...»

«Durante *quello* mezzocugino dell'Andrea che cià un occhio azzurro e uno nero?»

«No *mezzocugino*, cugino...»

«Il figliolo del *pòro Alighiero*?... ... Quello che a diciassett'anni fuma più di Stirner?...»

«Eh... Quello fissato con l'Irlanda...»

«E coi *cignàli*, mi dici...»

«I cinghiali come tutti...»

Il Curvone della scritta è alle loro spalle; ora la Panda arranca, provata: sembra quasi che stia per essere *sorpassata* dal casotto dell'ANAS sulla destra.

«M'ha raccontato che c'era un santo irlandese, san Columba, mi pare... Un santo *sghiscio*, che ha combattuto pure contro il mostro di Loch Ness, dicono...»

«Un santo *vero*...»

Il Bosco, a destra e a sinistra, li incornicia di verde scuro e di sole a sprazzi tra i rami alti.

«Per uno che crede al *cignale mannaro*...»

«Occheccàzzo, *Walter*...»

«... Scusascusa... Vabbe', insomma... Sto Columba pare che fosse un grande poeta, e che con le parole incantava anche i sassi... una specie di Orfeo, insomma...»

«...»

«...»

«L'Orfeo della Rosalba?»

«... Macché l'Orfeo della Rosalba, Orfeo il musicista greco...»

«Quello che suonava con Demetrio Stratos? Con gli Area?»

«... ... Vabbe', Felice... *Orfeo della Grecia antica*... ... Comunque...»

«Oh *dottorino*, qui mica s'è potuto studià tutto come te... eccheccàzzo... ... Poi *micheddétto* non si sa i' ggreco s'è proprio proprio ignoranti del tutto...»

Walter si sente immediatamente colpevole, e in modo insanabile. Non riesce a spiegarsi come sia potuta sfuggirgli, una leggerezza del genere. Anzi, peggio: non si aspettava di potercela avere dentro, una pesantezza così.

«Scusa, Felice, si scherza...»

«...» Felice gratta mettendo la quarta.

«... ...»

«Insomma, sto santo poeta irlandese?...»

«Eh...» Walter cerca di ridurre al minimo le pause di fiato; prova a dimenticarsi di essere peggiore di quello che si aspettava parlando in apnea. «*Dice che* una volta con la poesia ha bruciato il cervello a un cinghiale, a un miglio irlandese di distanza, mi pare... Ché ciavéva una voce così *potente* che arrivava a un miglio irlandese... Da poggio a poggio, oh?! E' saranno un chilometro e *ssei*... ...»

«E i' 'cche mangiava, san Columba, pe' uccide un cignale *a parlacci* a un chilometro e 'ssei?...»

«...»

«...»

La Panda imbocca la strada nuova per Piancaldo Alto – la via che taglia a metà i due paesi, asserpandosi tra curve e i pini marittimi più *incongrui* dell'Italia centrale.

«Sai na sega quant'aglio mangiavano i monaci del sesto secolo...»

Se non fosse per il naso di Claudio e il fantasma, scuro e inspiegabile, del cinghiale mannaro che ha rovinato la Panda a Felice, potrebbero anche ridere. Ma se ne perde il tempo; e la mascherina dei fari è già in linea – lo spettro scalare e *parallelepipedo* della facciata dell'Ospedale di Piancaldo – con il cartello di BENVENUTO del paese.

**Un grufolìo molto vicino a un'imitazione in scala**

di una morte per acqua si fa strada dall'alto orientale della seconda collinetta dopo il fosso. Sbatte contro le pareti del garage, poi si alza come fosse un pipistrello di un universo compresso e irritabile e si slarga nel salone di casa Bruni.

«Ma checcàzzo...», Fabrizio si alza di scatto seguito dal cenno di Walter – solo un gesto *di movimento*: le caviglie tese ad angolo acuto rispetto alla punta delle scarpe da ginnastica, il braccio piantato sulla seduta del divano – e arriva solo, di nuovo, alla finestra. La lattina semivuota appena presa dal pavimento.

Sia Fabrizio sia Walter restano in silenzio. È solo John Wayne che non si contiene e che rimarca a un Ranse Stoddard ripreso di nuca: «Allora stammi bene a sentire... Se appendi quel cartello sarai costretto a difenderlo con le armi... E tu non sei proprio il tipo adatto...»

«Fàllo stare zitto un secondo...»

Walter abbassa il volume del televisore fino quasi allo zero, tanto che il «vengo subito» e il «grazie» di Hallie si perdono nel silenzio gracchiolante della campagna e dell'estate.

«Se fossero cinghiali li vedrei...»

«E come?»

«...»

«... ... *Yaa*, Via!... ...», Fabrizio appoggia la lattina sul davanzale e batte le mani. L'applauso schiaffeggia a colpi di eco la gobba della collina e il tetto del vecchio capanno, in un *clangfe clangfe* che impensierisce Walter.

«... *Oh*, e sicuramente li avrai terrorizzati, se sono cinghiali... ...»

Fabrizio riprende in mano la lattina, guarda a destra e a sinistra affacciandosi parecchio oltre il bordo. Non vuole guardare Walter negli occhi. Non adesso.

«... Oppure penseranno che sei un loro *fan*...»

«... ...», pensa Fabrizio. *Quando*? si chiede. Quando smetterà di proteggersi?

«... ... Certo ecché gli sarà preso, a sti *cazzo* di cinghiali, eh?... ...»

«...»

«...»

«... Se è una nuova *incarnazione* di Tonino, stavolta mi ci incazzo...», e torna a sedersi sul divano. Walter lo fissa dubbioso. Il buchino nella bazza uno smeriglio di luce dal televisore.

«Un po', almeno un po' mi ci incazzo...»

# 26.
## 5 MARZO 2000

«Llhjoo-wrahh, amore mio», è questo e solo questo

che vorrebbe dirle, ma nella lingua dei rvrrn non esiste una
parola così, non c'è il concetto di *mio* e in definitiva non esiste l'*amore* che serve per definire o spiegare quello che lui
prova; *quello che le vorrebbe dire.* Così le dice all'orecchio
*Llhjoo-wrahh*, e basta; lei si allontana di poco, gira su sé
stessa e gli regala sul grinfio *Ap-prbohr*; nel modo spezzato
che le viene quando lo grugnisce. Dal giorno in cui si sono
visti la prima volta, alla Radura dei Graar-ar, *il tempo che
gli Alti sulle Zampe chiamerebbero un mese e mezzo prima*, i rvrrn a cercare cibo tra le chiazze di *wmrbllzh*; tra le
scie di neve sull'erba secca. Quando lei si era accorta che
Apperbohr la stava fissando; e aveva distolto lo sguardo distratta da un cespuglio di ranuncoli: e dalla passione per il
trwsh, quello che gli Alti sulle Zampe chiamano finocchio
selvatico; e poi, senza intenzione, tutta la sua rvrrnità rivol-

ta alla fame, e all'idea prossima del giaciglio da ritrovare per il buio ormai vicinissimo, quasi bmrwr, ormai, e presente, s'era girata di nuovo e l'aveva ritrovato ancora lì, immobile, gli occhi incarbonati negli occhi di lei, lui nell'ombra sottobosco, all'inizio della collina bassa. Da quel giorno, da quando lui l'aveva raggiunta, stronfiando e ronfando – sempre gli occhi fissi nei suoi, l'andatura zigzagante e però *ferma* di chi non sa bene dove andare ma sa *perché* – e le aveva detto *Llhjoo-wrahh, grmm kwsvr grmmsslr ckhee Llhjoo-wrahh...* E lei era rimasta – la stessa impressione di fowkhsseaw nell'acqua che cade dall'alto – *folgorata*, avrebbero forse detto gli Alti sulle Zampe (se soltanto Llhjoo-wrahh avesse conosciuto la lingua degli Alti sulle Zampe), per quel *tu strano* che Apperbohr le aveva *detto*, ckhee, per quel buffo modo di riconoscerla nel grido con cui si chiamava facendola pensare a Llhjoo-wrahh, lei stessa che *si dice* Llhjoo-wrahh.

Ckhee, Llhjoo-wrahh; quasi l'avesse davvero scelta tra tutti i rvrrn, tra tutte le rvmlh, *puntandola deciso* dall'alto della collina fino a lei. *Llhjoo-wrahh, grmm kwsvr grmmsslr ckhee Llhjoo-wrahh.* Llhjoo-wrahh, so che ti chiami Llhjoo-wrahh. E le aveva detto, sùbito – poi lei in quel tempo che non sapeva distinguere, ma di cui aveva a poco a poco imparato a *intuire le sfumature* dalle parole di Apperbohr, aveva capito che lui era *davvero così*, *wgrgrmmsslr grmmsslr*, era da sùbito Apperbohr – sùbito, appena l'aveva vista, *quella cosa*.

Quella cosa che lui aveva trovato in Llhjoo-wrahh immediatamente ma che poi aveva rimuginato fino a buio. Le era girato intorno, annusandola – dalla pancia, dallo stomaco, dalla carne più viva e vera di lui, dal grasso fino al pelo ispido che lo ricopriva, un rombo che i mhrhttrh*rsh* avrebbero avvertito della stessa consistenza paurosa di un messerschmitt in avvicinamento – le aveva detto quella cosa, *Grmm Apperbohr* wgr*grmmsslr* wgr*ckhee Llhjoo-wrahh, ckhee Llhjoo-wrahh* wgr*grmmsslr* wgr*grmm Apperbohr*. L'intuizione letterale di un tentativo, Io, Apperbohr, sono quasi-te, Llhjoo-wrahh, *e proprio tu, tu come sei*, Llhjoo-wrahh, sei quasi-me, Apperbohr.

Era stato il modo più vicino alla lingua dei rvrrn per spiegarle in che modo la luce violetta del tramonto le era caduta addosso, mentre lui era in cima alla collina a parlare con Mm-eerrockwr di *fuochi ribelli*, di *wgr*ckhee; *in che modo* aveva dovuto lasciarlo lì, e correre a guardarla da più vicino, finché lei non s'era voltata: perché altrimenti non sarebbe stato così *invadente* – lei non aveva colto il grugnito, ci sarebbe voluto tempo per confermare *al vero* quello che lui le diceva – se lei non si fosse voltata non ci sarebbe potuto essere *wgr*ckhee, la *cosa* di cui parlava con Mm-eerrockwr, e che sembrava riguardare un tutto di cui lui era *parte*, non Apperbohr in sé, ma tutti i rvrrn. E però l'aveva speso, quel *wgr*ckhee, nella luce cadente del giorno, nel cuore pieno delle sue colline, il buio lontanissimo perché Llhjoo-wrahh gli era vicina e lo ascoltava, quel *quasi-te*, l'aveva trasformato nell'essere quasi-te, per farle capire tutta la luce che l'aveva trafitto, e trapassato da parte a parte nella carne, nel grasso, nella striscia rossastra di pelo che gli dava il nome, nel meglio che poteva offrirle, avesse avuto una parola rvrrn per intendere il *meglio* alla maniera degli Alti sulle Zampe.

Da quel giorno lei aveva *imparato* – solo l'*intuizione*, in realtà, e comunque già preziosissima, di un'esperienza che andava oltre il semplice *mgh* ed era quello che Apperbohr, anzi: *Ap-prbohr*, chiamava *wgr*mhgngrhh – Llhjoo-wrahh aveva imparato che quello che Apperbohr diceva era vero per lui (anche se non era proprio questa, la consapevolezza precisa di lei). Aveva imparato a fidarsi, e a poco a poco le era cresciuta, dentro, una parte di quella luce che l'aveva prima sfiorata – un riflesso rosso negli occhi di lui – e poi avvolta, con tutte le premure e le *chiacchiere* di Apperbohr.

Non m'importa un'altra rvfmlh che non sia *ckhee Llhjoo-wrahh*, le aveva detto. E ripetuto. E ripetuto ancora. Quando si era trovato costretto a cozzare prima contro i pretendenti di lei, una furia che gli s'avvinghiava alla carne dal punto più lontano, e bestiale, del luogo in cui gli viveva dentro il *vero* Apperbohr. E poi a fare quella cosa che l'aveva lasciata stordita. Quando s'era accorto di aver lasciato Wkr-eutkmg sanguinante, uno squarcio sul grugno che perdeva *rosso* e *rosso* a terra. E s'era girato verso di lei, tutt'e quattro le zampe in una danza disperata di amore e in uno sgrunfiare affannato, e rotto. L'aveva guardata, *mcrhrssr ckhee grmmsslr grmmsslr, Llhjoo-wrahh*, la cosa che devi fare, Llhjoo-wrahh, quella di cui hai bisogno davvero, *Llhjoo-wrahh*, adesso sono le parole degli Alti sulle Zampe a *mancare*, per spiegare quello che Apperbohr aveva detto a Llhjoo-wrahh, lasciandola libera di decidere.

Perché se non viene da te, le aveva detto poi lui, parecchi giorni dopo, quando lei non era ancora persuasa ma era già perdutamente incuriosita da quello strambo rvrrn che *desiderava* solo lei, *che voleva lei soltanto*. Se non viene da te non ha senso. E per spiegarle *senso* avevano passato l'intero pomeriggio sotto Torracchio, nella panciera dell'Entrata, gli Alti sulle Zampe in giro per le colline con i loro wk-poow wrampp, aveva detto Apperbohr, procurandole un calore strano che gli Alti sulle Zampe avrebbero potuto chiamare *una risata*.

«Llhjoo-wrahh, amore mio», è questo e solo questo che vorrebbe dirle, ancora, ora che sono passati mesi da quel primo fuoco sull'Arlecchino e sulla spianata oltre Corsignano, sui Boschi all'Entrata e sui declivi di grano di Budo, tutto un universo contadino infiammato dalla calata del Sole sulla Terra, il fuoco *wgrckhee* che aveva incendiato Apperbohr e Llhjoo-wrahh nel pieno bruciante di quei giorni di *guerriglia* nuova.

Apperbohr si lìmita a passarle la lingua rasposa sul manto dorato della schiena, sul collo, Llhjoo-wrahh, Belladòro, nella versione riduttiva e impalpabile della lingua degli Alti sulle Zampe, la lecca creando stradelli umidi nel pelo della cinta, poi le si pone di fronte, lei gli tocca le narici slargando le froge, soffiando, lui le soffia di rimando in una coreografia minima di respiro, i canini di lui sono uno struscio leggero sul pelo del muso di lei, i due grugni che si cercano mentre le zampe posteriori non riescono a stare ferme, né quelle di Apperbohr né quelle di Llhjoo-wrahh, è un ballo che stanno vivendo soltanto loro, via dai rvrrn, via dai frwrffm *wrgckhee* e dalle corse nel granturco, via dagli accumuli di roba ai recinti, via dai rvrrn, soltanto loro, *Llhjoo-wrahh, Llhjoo-wrahh*, l'annusa Apperbohr, *Ap-prbohr*, gli dice lei, giocando a battergli le narici contro la bocca bagnata, la lingua di lui che le dipinge le palpebre, e la fronte, si ferma sul guizzo di peli gialli che la fanno Belladòro, *Ap-prbohr, Llhjoo-wrahh*, un'intimità sconosciuta ai rvrrn che è figlia diretta di questo nuovo tempo tra i cinghiali di Corsignano, ma adesso non c'è più Apperbohr, Cinghiarossa, c'è l'*apperbohr* più incantato e distratto, la pancia che gli sembra invasa da uno *sciame* di pipistrelli minuscoli mangiati vivi: e nel pieno di quel leccarsi e cercarsi ad Apperbohr viene da ridere, e sembra quasi venga da ridere anche a lei, uno strano ghigno nel grifo, è una cosa nuova anche per lui, quando s'impara a *ridere*, quando i *wrgckhee*, i *wrggrmm* perdono di significato e però si rafforzano, lui le passa la lingua sul fianco grassissimo e meraviglioso, raggiunge il punto in cui la coda diventa il culo, peloso, di lei. E prende ad annusarla, il sangue che gli raggiunge la gola e lì si dà appuntamento con migliaia di gra-ar-ar che s'intrecciano le corna con rumore di schiaffo, la pancia è piena di una *felicità* solida – anche se nemmeno Apperbohr sarebbe in grado di chiamarla *così*, adesso: ora che non ha peso il fatto che Llhjoo-wrahh comprenda la lingua degli Alti sulle Zampe, la lingua *nuova* di Apperbohr, perché *ora* le parole non hanno significato, sono distruttive, *invadenti*, sono il male che interviene a *spiegare* quello che è già *tutto lì*, e gli fa perdere consistenza, e lo intristisce di fatica, quando – se solo gli Alti sulle Zampe lo capissero, se soltanto i rvrrn riuscissero a farsene un'idea *consapevole* – è *già tutto lì*.

Apperbohr, la smania incandescente di chi si trova al cospetto del suo *sogno*, le luci della fantasia che diventano finalmente carne e sangue e luce e vita vera che – fortunatamente – *contamina* il sogno; il sospetto insidioso – appena affacciatosi sulla soglia cinghialesca dell'istinto – di essere *inadeguati* al proprio sogno più *reale*: che però scompare, grazie a Llhjoo-wrahh, non ci sono sospetti, se Llhjoo-wrahh è qui, non ci sono più nemmeno i rvrrn, i pretendenti che hanno sospeso il tempo dell'amore di Apperbohr – se si potesse dire *amore* in cinghialese: se si potesse *dire* amore in qualsiasi lingua – perché la vita che Apperbohr sognava è esattamente qui, dove bmrwr e rwrmb si confondono, avantindietro nel presente eterno di questo momento, quando – goffamente, cinghialescamente: e Apperbohr ha abbastanza consapevolezza da rendersene conto, maledizione: e però lo splendore e la meraviglia si raddoppiano proprio nel fatto che tutta questa grassa goffaggine non ha importanza, non è *determinante* – quando goffamente, cinghialescamente, Apperbohr monta Llhjoo-wrahh da

dietro, le entra dentro con la foga e la cautela di chi si trovi d'improvviso nel centro perfetto del *caldo* che ha sempre
provato nei giorni di sole, lo stordimento acquoso delle
prime nevi, le entra dentro e dentro di lei si muove, e si
compone una figura doppia, enorme per il metro degli Alti sulle Zampe – gli occhi condiscendenti di Dio da vecchio:
ché ne ha viste così tante, per stupirsi di quello che lui stesso ha *creato*, uno sbadiglio luminoso nel cielo di marzo, il
fuoco violetto della sera che s'impossessa dei loro corpi
esorbitanti e sgraziati – Apperbohr e Llhjoo-wrahh sono
un unico movimento oscillante nella terra al crepuscolo,
gli odori che gli arrivano come messaggi d'amore al profumo di lillà macerati, e sterco di cane, guano di ghiandaia, il
bolo sputato da un gufo, la fragranza sonnacchiosa del gel-
somino, e intanto tutte le distrazioni del bosco non *basta-
no* ad Apperbohr per smettere di pensare a Llhjoo-wrahh,
e continuare a leccarle il pelo – lui umido, manchevole per
come può, e sa – dove la sua bocca grufolante e semiaper-
ta arriva: sono baci di cinghiali, mai la Terra sotto il cielo
ha visto un tentativo così grossolano, e *riguardoso*, di trasformare la *monta* tra Apperbohr e Llhjoo-wrahh in un gesto che li contenga *entrambi*, la chimica irrefrenata delle
bestie, l'amore rispettoso degli Alti sulle Zampe quando si
dimenticano di essere *del tutto* bestie: un po' quello che
Apperbohr sta cercando di fare; e Llhjoo-wrahh, anche,
assecondando i movimenti di lui. Apperbohr vorrebbe sentire quello stesso odore che *ha capito*, quando mesi prima
*ha sentito l'odore* delle secrezioni felici tra i corpi dei
mhrhttrh*rsh*, vuole che Llhjoo-wrahh provi quella stessa
*cosa* che lui non saprebbe definire ma che gli appartiene,
ora che si muove sbuffando, trattenendosi – il *riguardo*, il
rispetto del tempo: questo lui sa, e *intanto* impara: *almeno*
ci prova – confidando nel non essere *troppo* maldestro, lui

vorrebbe che Llhjoo-wrahh provasse quello che *sente lui*, in questo istante, in cui tutte le scoperte e le cose che ha capito e le appercezioni che— arrivate dall'Uomo con il cappello per motivi che ancora non gli sono del tutto chiari, ma che hanno a che fare con lui, lui lo sa, *lo sa* — lui *vuole* che Llhjoo-wrahh si senta come si sente lui, – wgr*ckhee Llhjoo-wrahh*, wgr*grmm Apperbohr* – adesso, *adesso*, che fatica sempre più a trattenere quel calore che gl'invade di forza, e di *tempo che non può interrompersi, mai* – il concetto più vicino a quello di immortalità cui Apperbohr sia mai arrivato, e in questo momento *non gliene importa niente* – *adesso* che si rende conto che nulla di quello che ha provato – né l'incanto meraviglioso dei suoni dalla casa dell'Alto sulle Zampe che *chiamano* Andrea, né l'orgoglio (la parola che Apperbohr ha trovato è stata proprio *orgoglio*, seppure non saprebbe versarla nella lingua dei *rvrrn*) di correre davanti ai suoi compagni rvrrn, di portare nel bosco il granturco, e le mele, e nell'aver capito che bisogna conservarlo, il cibo, per non essere costretti a *mendicare* quello che *ci riguarda e ci spetta di diritto*, lui questo l'ha capito, ma in questo momento c'è solo lui, e Llhjoo-wrahh, e il Sole che s'inginocchia nella conca riarsa dell'Arlecchino, e lui che sbuffa, grugnisce e spinge e spinge con lei, con Llhjoo-wrahh, che grugnisce, i suoni che arrivano sono gli ànsiti di un motore a scoppio, gli affanni della carne che si ripete e si ripete, il pelo umido e l'erba fradicia che arrivano a zaffate nel naso di Llhjoo-wrahh, e di Apperbohr, *wgrwghh*, Llhjoo-wrahh, *wgrwghh*, *non mi lasciare solo*, vorrebbe dire Apperbohr, perché sarebbe colpa *mia*, lei grida, lui spinge, *ancora* – non riesce più a trattenersi – *ancora*, e *ancora*, si muove ancora, lei si ferma, *wgrwghh*, le dice Apperbohr, *piano*, il grugno affondato nel pelo della schiena di lei, che si muove di tre quattro passettini in avanti, *staccandosi da lui,* che non capisce, non riesce a capire, mentre lei si volta, si avvicina al grugno di lui, *Ap-prbohr,* gli dice. E lui vorrebbe rimanere lì, così, per sempre. Finché il tempo *c'è. Ap-prbohr,* ripete lei, e gli lecca le narici, una per una. Llhjoo-wrahh.

Dal Pino del Crucco, un paio di chilometri più a valle, un falco grida *jaaa-wkh* al denim fuligginoso del cielo sopra Corsignano.

«Ho detto qualcosa che non va?...» Fabrizio se ne accorge sempre sùbito,

quando Walter si nasconde dentro di sé. È un pessimo attore dei propri sentimenti. Il corrispettivo diplomatico di Attila con il mal di denti durante un consiglio di amministrazione.

«No, *pensavo*...», continua a fissare James Stewart in grembiule nel pieno dello smistamento piatti.

«Mi rispieghi bene, con calma, tutta la cosa che dicevi l'altroieri sullo schema... ...»

«Quale schema?»

«Quello su Nietzsche e la Tragedia...»

«...»

«Ma bene, però. Non buttare via la spiegazione e non ti mangiare le frasi come sempre...»

«Come sempre quando? Perché adesso mi mangio le frasi?...»

«Sì. ... Per paura di dire una cazzata parli troppo veloce e ti mangi le parole... e rovini tutta... ... l'*intuizione*...»

«...»

«...»

«Non fa' il cretino, dai... È importante... *per il film*...»

Fabrizio lo guarda e si scuote. «Ma le categorie della *tragedia*? Dionisiaco e apollineo...?»

«Eh...»

«Che io ho detto dionisiaco-dionisiaco, apollineo-dionisiaco...»

«Ecco, checcàzzo Fabrizio, t'ho detto bene... No *dionisiaco-dionisiaco... Bene*».

Fabrizio ha un principio di stizza; perché Walter ha comunque la tendenza ad atteggiarsi a professorino. E sono proprio questi i momenti in cui tutta la sua prima adolescenza riesplode, irrefrenabile, con la forza di un ormone sparato contro la parete di Planck; o l'insopportabilità del sudore in una palestra delle scuole medie.

Lee Marvin è appena entrato nel Peter's Place. Il cappello nero legato intorno alla gola in modo tutt'altro che spietato; e una vaga somiglianza con l'ispettore Manetta, l'assistente del commissario Basettoni: con quelle guance *appena poco prima di* cascanti e lo sguardo nero, e spiritato, di chi abbia sentito parlare per la prima volta di una malattia chiamata dispepsia.

«Parte dalla *nascita della Tragedia*...»

«Sì sì, non questo...» Come sempre quando chiede chiarezza e metodo, Walter si spazientisce sui preliminari *richiesti*. Fabrizio fa finta di non aver sentito.

«... La cosa che ti dicevo l'altro giorno... ... Gli esseri umani sono molto più complessi di una partizione... estetica... o storiografica... E però... *visto* che mi pare utile usare le categorie di *apollineo* e *dionisiaco* per definire le persone... Ho pensato di raddoppiarle e incrociarle. Tutto qua...»

«...»

«...... Non più due soltanto per indicare... Perché poi nella tradizione, nella vulgata del testo... si sono tutti appropriati dei concetti come gli è sembrato meglio e... *più facile*... Quindi *apollineo* è diventato sinonimo di...... bellezza... neoclassica... *quasi*...»

James Stewart esce dalla cucina con il vassoio in mano e vede la frusta con il manico d'argento di Lee Marvin sulla tovaglia a quadretti.

«... Mentre con *dionisiaco* ci si buttano tutti per... per spiegare un invasamento qualsiasi, un baccanale da orgia di motel...»

Il lacché qualsiasi al servizio di Liberty Valance attira la sua attenzione – nel modo servile, e miserabile, con cui i lacché sorridono di quello che pensano *potrebbe* far piacere a quelli cui leccano il culo, per l'appunto – sul disagio di Ranse Stoddard in grembiule.

Walter si lascia tentare dalla scena e fissa lo schermo.

«Continua, Fabrizio... Ché mi serve... Ti ascolto, ti ascolto...»

Fabrizio respira forte. «...*mmmff*... E allora... Gli uomini... Gli esseri umani possono essere divisi in quattro categorie... Apollinei-apollinei, dionisiaci-dionisiaci, apollinei-dionisiaci e dionisiaci-apollinei... Dove—»

La risata grassa del doppiatore di Lee Marvin ratifica che al Peter's Place c'è una nuova cameriera.

«Dove il primo termine riguarda l'indole di partenza e il secondo... la tendenza *innata* o anche... Dovrei ragionarci meglio... La tendenza *imposta*... Che uno s'impone...»

Lo sgambetto a gancio di Liberty Valance fa crollare per terra James Stewart sul *cioè* interrogativo di Walter; sparpagliando vassoio piatti e bistecca per Tom Doniphon sul pavimento – non specchiato, a volere essere sinceri – del Peter's Place.

«... ... Cioè... Un dionisiaco tendente al dionisiaco, per esempio... è qualcuno che, con un... *dáimon*... un'indole precisamente caotica continua il suo percorso verso il caos... adeguandosi tranquillamente... Non c'è... non c'è frattura, o dolore... almeno nella sua ricerca di armonia... ... Non che manchi il dolore, naturalmente... Se pensi al... al primo esempio che mi viene in mente—»

«...»

«Jim Morrison. Per esempio. Non a caso, viste le fascinazioni che aveva, per Nietzsche... E certo non si può dire che non... non fosse preda del dolore o delle fragilità... È che la sua tendenza all'*oltrepassare* al—»

«... al break on through...»

«... Sì, anche se... il testo...»

«... No no ma va' avanti... Che senza di lui non c'era il testo di Krieger...»

John Wayne e Lee Marvin si confrontano al cospetto della bistecca caduta.

«... Che Krieger, probabilmente... Dico probabilmente, eh... era un apollineo tendente al dionisiaco... ... Che sono forse i più... pericolosi... Perché se realizzano – pensaci – se realizzano armonicamente la loro tendenza ultima allora... allora sì... sennò pensa *la frustrazione*...»

Con un cenno del mento all'ingiù Walter sembra aver capito; si rivolge allo schermo mentre Tom Doniphon e Liberty Valance – Ranse Stoddard sempre *dignitosamente* in ginocchio – si stanno confrontando sulle sorti della *raccolta* della bistecca caduta.

«... ... Insomma... questo...»

«Se ci pensi questo è *già il duello*...»

Fabrizio, preso dalla spiegazione, ha un secondo di turbamento indeciso: è stato di nuovo preso alla sprovvista mentre era più esposto, e indifeso: mentre rivelava a Walter il *cuore* più segreto e riposto del suo *cervello*; l'intimo perfetto e inconfessabile delle sue meditazioni di maggior piacere. Ed eccolo lì, Walter. Con già incassato il dato nuovo e anzi già trasformata la notizia in materiale per le sue divagazioni ulteriori.

«... Tra John Wayne e Liberty Valance... è già il duello... La premessa del duello...»

«Con i due sgherri e Pompeo...»

John Wayne ha appena preso a calci in bocca il lacchè *qualsivoglia*: ma James Stewart – evidentemente stufo tanto della sua posizione penitente quanto del fatto che la sua condizione di *sgambettato* sia considerata succedanea e accessoria rispetto alle sorti, polverose, di una bistecca – raccoglie da terra il vistoso pezzo di carne e lo schiaffa con veemenza sul vassoio. Gridando contro i pazzi omicidi che lo attorniano.

«Vedi che la questione è tutta tra Tom Doniphon e Liberty Valance... Continuano a fissarsi negli occhi... James Stewart non è nemmeno preso in considerazione...»

Walter si volta verso Fabrizio con un atteggiamento tronfio e conclusivo. «Il che testimonia anche della differenza sostanziale tra la percezione e preferenza erotica femminile e quella che gli uomini pensano sia la preferenza femminile...»

Fabrizio lascia sproloquiare Walter; che per il momento non ha bisogno di lui: sta ragionando e si fa pubblico a sé stesso. Prende l'*ultima* lattina da terra e la apre con rumore spumoso di *sfrishshh*, mentre Walter parla togliendosi le pellicine delle unghie dal labbro.

«... ... Guarda: ora che cadono i soldi... L'*offesa*... ... è tutto uno scambio tra maschi-alfa...» Walter ridacchia. «E intanto l'avvocato Stoddard sta conquistando per sempre il cuore della cara Hallie...»

Una lunga sorsata di Fabrizio.

«... Per esempio... James Stewart e John Wayne...», fa Walter.

Fabrizio appoggia la lattina a terra, gli fa cenno di fermarsi. Si alza in silenzio, va in cucina mentre nella Main Street di Shinbone si spara a casaccio. Walter lo segue guardando la soglia vuota dove è scomparso l'amico. Che riappare, uno strofinaccio in mano che sùbito appoggia sul tavolo del salone. Poi, sempre in silenzio, si risiede sul divano.

«Ancora non bolle?»

«... ... Tu dici John Wayne e James Stewart *loro* o Tom Doniphon e Ranse Stoddard... le persone vere — quello che ci sembra delle persone vere o dei personaggi?...»

Walter ci pensa un secondo. Ranse Stoddard è profondamente infastidito dall'ingerenza di Tom Doniphon. E glielo *dichiara*.

«Personaggi. Prima i personaggi...»

Fabrizio guarda lo schermo riflettendo mentre parla.

«... Be' Tom Doniphon è un... ... dionisiaco tendente all'apollineo... mi sa... ... Perché se... se ci pensi... Insomma il caos interno fa parte dell'indole istintiva dell'uomo di frontiera ma ha... ha una ricerca di ordine... Un tentativo di *pacificazione con la bellezza*, no?...»

«... Quindi dici che l'errore è non capire che la bellezza non è mai *pacificata*...»

«... ... Questi — questi sono già corollari... ... Direi tendenzialmente dionisiaco-apollineo... Che poi. Che poi, in altre forme... è la categoria cui mi autosottoscriverei... ... Ranse Stoddard è apollineo-apollineo...»

«... Più la giustizia, che la bellezza... Cioè più etica che estetica — »

«Allora aspetta», Fabrizio interrompe Walter. «Probabilmente non sono stato chiaro io... Non si tratta di— una descrizione estetica... È un'analisi... si tratta dei comportamenti, degli atteggiamenti... Anche perché... Ethos e... *Aestheticos*, chenesò, fusi insieme... ... Le categorie delineano un'indole e un tentativo... un... traguardo che ci si è imposto...»

Ranse Stoddard sta gridando contro un Tom Doniphon estremamente rilassato; il che lascerebbe pensare a una qualche violazione nella teoria di cui Fabrizio si decide a dare ragguagli.

«Poi... In realtà... Lo dico perché è meglio non... Insomma si potrebbe pensare – per dare conto di tutte le sfumature – a ripartizioni interne... Cioè: scindere l'indole *apollinea* di partenza di Ranse Stoddard nei... *due tipi... anche qui* apollinea-dionisiaca *tendente* all'apollineo... E così via, volendo... Anche se bisogna prima accettare tutto il sistema, *no?*, delle quattro categorie sdoppiate di partenza... e poi magari riflettere caso per caso... ...»

Sono tutti ammutoliti dallo scatto di Ranse. Sùbito accudito nel suo giaciglio da una premurosissima Hallie. Che infatti scatena il primo singhiozzo di consapevolezza in Tom Doniphon. Lo stesso sguardo *delucidato* di Cornacchia nell'*Anno del Signore*, a una cinquantina d'anni e a migliaia di chilometri di distanza, quando Claudia Cardinale e Robert Hossein si scambiano languidissimi cenni d'intesa. «Ecco. Se ciavévo 'n dubbio me s'è chiarito».

«... ... Chiaro», *pontifica* Walter.

Sulla soglia illuminata della cucina, Hallie vede andar via nell'ombra Tom Doniphon. Potrebbe parlare, se volesse. Ma non lo fa. Dopotutto quel vicolo è un luogo che non dovrebbe neppure esistere, nell'architettura spartana di Shinbone. John Wayne scompare nel buio e d'un tratto è come se non fosse mai esistito. Come Agnese, pensano sia Walter sia Fabrizio. Ma non se lo dicono.

In relazione al "mistero" dei cerchi nel granoturco

in zona "Scesa dell'Arlecchino" – località Scalaccia – trasmettiamo di seguito relazione/verbale a
firma dell'appuntato scelto Vitalangelo Rolando e
del carabiniere scelto De Zan Venanzio.

Con osservanza,
Capitano dei C/C Corsignano
dott. Giuseppe Maria Erici

Al Colonnello Marelli Picchi dott. Gervaso,
Caserma centrale "Vittorino Mapprenda",
via Giuseppe Parini 42-46 – Budo (SI)

per conoscenza inviamo copia via fax (al n.
0750.5371690) anche a/alla:
Soprintendenza per i Beni Architettonici e Pae-
saggistici di Siena e Arezzo (sede di Arezzo) – nel-

la persona e per le cure dell'on. Ricciotti prof.
Adelxmo

**Oggetto:** copia lineare/fotostatica del verbale
dell'app.to/scelto Vitalangelo R. e del cc/scelto
De Zan V. (come da richiesta Vs Intendenza in data
14 giugno c. a.)


Corsignano, lì 17 maggio 2000

Richiesti di intervento telefonicamente in sede,
i sottoscritti appuntato scelto **Vitalangelo Ronal-
do** e carabiniere scelto **De Zan Venanzio** recavansi
in quel di località Scalaccia sita in zona catasta-
le detta "Scesa dell'Arlecchino" ivi raggiungendo
– in via delle Spighe s.n. – la casa dimora abitativa di **Fucecchio Franco** (nato in Corsignano,
12.7.1931, patente n. si6102249y) e di Gerlandi Zenobia in Fucecchio (nata in Taverne di San Biagio,
4.9.1933 senza docc. confermata a vista dal Fucecchio F.), ivi residenti.
Giunti in loco, i suddetti app.to scelto VR e cc/
scelto DZV venivano edotti dal Fucecchio della presenza nel suo campo di granoturco dirimpetto all'aia
della predetta dimora abitativa di "cerchi grossi
come rote di trattore grosse" in posto centrale del
predetto campo.
Condotti ivi dal Fucecchio, i suddetti cc/i del
cui verbale potevamo effettivamente constatare la
presenza nel granoturco di cerchi a schiacciare le
pannocchie di effettive dimensioni. Con in di più
la xxxconstatazione della presenza di mancanza no-

tevole di pannocchie e di cassette di legno dirot-
te - appartenenti, come da dichiarazione testimo-
niale, allo stesso Fucecchio e da lui conservate
nel granaio a fronte dell'aia in direzzione opposta
del predetto campo - messe ai bordi del coltivo di
granxturco quasi in modo di "mucchio".

Interrogato il Fucecchio in loco della sua impressione, il Fucecchio ha dato prova di situazione
emotiva dubbia parlando di possibilità di chiamare
i giornali. Al che tentando di tranquillizzarlo il
suddetto cc/scelto De Zan Venanzio il Fucecchio ha
ribadito essere sua intenzione fare sapere alla televisione (in ispecie, sempre da dichiarazione te-
stimoniale, a Telechiana e al telegiornale: senza
specificazione di sorta) che i cerchi trovatisi nel
suo granoturco erano opera di sovrannaturale.

Il tentativo congiunto dei suddetti cc/i non ha
riscosso il risultato sperato di calmare il Fucecchio; trovandosi altresì colui a dichiarare: "Se e
voi non mi volete dare retta e chiameremo la poli-
zia di Torracchio".

(**nota**: facciamo notare, anche per rimarcare con
prove lo stato confusionale del Fucecccchio in Torracchio non esservi luoghi né commissariati né cen-
tri operativi qualsiasi voglia di PPSS)

Rientrati nella dimora di via delle Spighe i predetti cc/i hanno a lungo dialogato con la del Fucecchio consorte Gerlandi Zenobia, la quale dicevasi
persuasa essere stati i vicini del Fucecchio - ta-
li fratelli **Memoriali Gino** e **Memoriali Ivano Massimo** (**nota**: di ritorno in sede registriamo: M. Luigi
detto "Gino", nato in Torracchio il 19.4.1930 e M.
Ivano Massimo nato in Udine il 20.11.1939; residen-

ti in via delle Nespole, 13 in abitazione ubicata a circa due chilometri e quattrocento metri, come da controllo tachimetrico effettuato in loco dal suddetto campo di granoturco).

La denuncia verbale della Gerlandi Zerbina non sembra trovare riscontro visto che i due fratelli Memoriali risultano attualmente in viaggio di lavoro in località Milano Marittima da circa una settimana come confermato da **Barbi Avv. Germano**, residente in via delle Nespole, 19 e dichiarantesi vicino di casa dei predetti Memoriali.

Effettuate le registrazioni di legge l'app./ scelto VR e il cc/scelto DZV tentavano, senza riuscirci, di proporre tanto al Fucecchio quanto alla di lui ~~moglie~~consorte Gerlandi in Fucecchio di congetturare se fosse possibile che a realizzare i "misteriosi" cerchi del grano (segnaliamo in Appendice I ritaglio di giornale del 18.5.2000 dell'"Eco della Chiana" in cui si parla per l'appunto di mistero e si dà credito almeno minimo alle opinioni sopvrannaturali del Fucecchio – segnaliamo altresì che è in corso iter di denuncia/querela nei confronti del giornale sunnominato "Eco della Chiana" e in particolare nei riguardi dell'estensore l'articolo **Pozzi Ermanno** e del direttore responsabile **Vignaroli dott. Ugo**) non andasse ascritto il gruppo di cinghiali responsabile di atti definibili "vandalici" nei confronti dei coltivi nella zona territoriale approssimativamente identificabile nel tratto che va da Corsignano (SI) a Budo (SI) e fino a Torracchio e Taverne di San Biaggio. Riscontrando estremamente pareri negativi, l'app./scelto VR e il cc/scelto DZV allontanavansi dalla dimora dei coniugi Fucecchio e, dopo essersi apprestati ai controlli di cui sopra, tornavano in codesta caserma in orario approssimativamente riconducibile alle ore 8.33 pm.

**Considerazioni aggiuntive:** Tanto il l'appuntato scelto Vitalangelo Rolando quanto il carabiniere scelto De Zan Venanzio sono concordi nell'affermare che, a loro avviso, la misteriosità dei cerchi nel granoturco del campo del Fucecchio Franco non vadasi a riceracre in misteriosità bensì nelle attività dei cinghiali di Bosconuovo così come vanno a ripetersi ormai da mesi nella zona indicata (nota: segnaliamo in Appendice II vari numerosi ritagli di giornali – anche "Eco della Chiana" – nei quali vengono disaminate le attività dei suddetti cinghiali ritenuti "responsabili").

In fede, primeariamente compilato e sottoscritto in data 17 maggio 2000.

*** Ritrascritto con coxmpilazione delle predette note aggiuntive e la spillatura delle suddette Appendice I e Appendice II in data 4 giugno c.a. per necessità di documentazione.

Seguono trascrizioni firme 4.6.00

| Appuntato scelto | Carabiniere scelto |
|---|---|
| VITALANGELO Rolando | DE ZAN Venanzio |
| *Vitalangelo Rolando* | *De Zan Venanzio* |

- - - - - trasmesso in data 19 giugno 2000 - - - -
x56iuo89990000-ppp-ju89----

# 29 FEBBRAIO-1° MARZO 2000

«Fàllo sembrare quello che è... ... O non sei d'accordo?»

Alla fine era stato questo il cuore della telefonata. «... *No?*
È meglio per me e per te, dopotutto...», Amedeo aveva sentito il respiro lungo del fumo filtrare dalla cornetta blu del
portatile a lui: come se particelle redivive di flogisto si fossero gettate all'arrembaggio del filo grigio di Germano per
poi raggiungere *lui*, in casa, alle nove e quarantuno di *notte* travestite da catrame, e monossido di carbonio: le grida
roche delle impressioni quando si fanno esalazione e carne
e uccidono per procura. Quando parcheggia il Fiorino Panorama rosso nello spiazzo davanti al capannone di Davide è mezzanotte e dodici. Il primo di marzo. Per la prima
volta, si rende conto che aveva *quasi* scampato l'ultimo *bi-
sesto* del secolo. Il *quasi* come elemento fisico di ogni distruzione. «Quello stronzo di Davide Sereni s'è ammazzato, *mi sa*», gli ha detto Germano al telefono. «E l'ha fatto

in mezzo ai sacchi di mangime, *capisci?*... ...» Forse aveva capito. «Va *spostato*, Amedè...»

#29 febbraio 2000. Ore 21.12

«... ... *ma* quella testa di cazzo...»

«Sì. Tutto... ... L'avrà fatto nell'ultimo mese... *matto* com'era un sacco alla volta. Ma ora sono tutti qui con lui, in pratica... ...»

«... ... ma te come l'hai trovato...»

«Germano eccheccàzzo... ... Era da ieri alle quattro che non lo sentivo... ... L'ho cercato stasera prima a casa e poi *qui*... ...»

«...»

«...»

«... ... ... ed è sicuro ch'ha fatto da sé?»

«... ... Sicuro *'na sega*, Germà... ... Ma che ne vòi parlà al telefono... ...»

«...»

«...»

«... ...*mgfggh*», Germano biascica un po' di saliva che gli è andata per traverso. «C'è qualcuno che *può*... ... Sta sicuro, lì?»

«...»

«... *ntfr*... ... *ntz*...», Germano Barbi sorsa col naso, in attesa.

«... Oh... Qui quello che ti dico sbaglio... ... ... Da qui se ne deve andare...»

«...»

«... ... ché mica si pòle sbaraccà tutto co' llui *cqui*, cristo della madonna...»

«... ...»

«...»

«...... Vàttene ora. Risolviamo oggi. *Tutto*. Tu prepàrati col camion per portà via *iii*... quanti ce n'avrà... ...»

«... *Tutti*... Tutt'e venti le balle da un quintale dell'ultimo carico... *Cento sacchi da venti chili*...»

«...... *Eh*... Ecché allora *tel'devo da dì* io?... ... Porta i'ccamion grande e aspetta che ti faccio sapere... *Sta' lì pell'una di stanotte*—»

Il freddo lo colpisce con precisione sotto gli occhi, sulle guance. È un soffio ostinato d'inverno che ha viaggiato per migliaia di chilometri: attraverso una corrente spugnosa dall'Atlantico settentrionale, poi giù, la corsa che l'ha reso prima refolo occidentale – la stessa caparbia asciuttezza che ha riportato Colombo a casa dopo il suo madornale errore di interpretazione, il retaggio orgoglioso dei tràini aerei per le navi d'Europa – poi traccia di bora, per incrocio e scambio, una deviazione ubriaca nell'orientamento, il solletico frizzante delle percentuali di argon a mettergli il pepe nel *minuscolo culo* di azoto: fino al capofitto dell'Italia centrale, la curva pietrosa dei crinali dell'Arlecchino, il perdifiato della vallata fino a Portarossa alla Scalaccia e lì la rincorsa, strada dopo strada, della guancia vetrata di barba di Amedeo. Una vita di fughe per estinguersi nel ceffone vergognoso, e gelato, di un rossore.

Chiude la portiera del Fiorino e sente il rumore dei suoi vecchissimi scarponcini Timberland Heritage 6, un *ciaffare* di gomma e cuoio sulla guazza che gli ricorda, per un breve tratto di dieci dodici passi, il tempo minimo di aggirare l'angolo nord del capannone-magazzino fino a trovare il muso grigio metallizzato dell'Iveco 360-5 Turbostar di Ivano, un film che lo faceva ridere fino alle lacrime, da bambino, con Jerry Lewis: quando Jerry Lewis – che è un professore pazzo, no?, uno scienziato, si ricorda Amedeo, e intanto gli si smuove la memoria aggiuntiva dell'attrice meravigliosa che *lavorava* nel film – si muove circospetto nei corridoi della scuola dove insegna, per andare in laboratorio, ha le scarpe che scricchiolano, se le toglie per non fare rumore; e però poi s'accorge che non erano le scarpe ma *i piedi*, a scricchiolare. Fugge da sé per un istante che lo trasporta, a velocità superiori a quelle della luce, al cinema in sagrestia di quando aveva dieci anni; trentatré anni in otto, nove secondi.

«Ciao, Amedè... ... ...»

Amedeo risponde al saluto annuendo – il fiato che gli esce di bocca in sbuffi bianchi di freddo, le mani serrate nelle tasche del giaccone di lana – e fa sì con la testa.

Per un attimo, Ivano è stato sicuro che Amedeo ridesse, girando l'angolo del capannone verso di lui.


#29 febbraio 2000. Ore 21.33


«Pronto...», ha lasciato squillare il telefono quattro, *no*, cinque volte. Non si aspetta nessuna telefonata che non sia una qualche avvisaglia di disgrazia e di devastazione; nemmeno di giorno, nemmeno quando è in armeria. È da dicembre che scorge eumenidi e shikome nella cornetta bianca del Sirio, a ogni squillo: e trova sollievo solo nella voce gracchiante di Massarelli, il rappresentante della beretta per Siena e Provincia. O quando gli chiedono se è il titolare e se vuole comprare una cassa di vini *di pregio*. E invece stavolta la telefonata è arrivata con il buio; quando ormai credeva di averla scampata fino al mattino dopo. Squilli in controtempo con la musica dalla camera di Andrea. Ascolta la stessa canzone, sempre la stessa, ripetuta in continuazione. Ad Amedeo sembra ogni volta una motosega con qualcuno che *ci dice sopra il rosario in inglese.*

Al quarto squillo Bella ha gridato dalla camera da letto, lui da solo a vedere *Circus* sul primo, «qualcuno risponde, perfavore?», la mano esitante sopra la cornetta quasi volesse esorcizzarne il futuro e gestirne i fili invisibili che la legavano al polso.

«Pronto...»

«...», fumo di marlboro, *ffwhhh* leggero, «Pronto, Amedeo».

La voce di Germano è la versione italiana di quella di Julian Beck in *Poltergeist II*.

«Pronto. Germano», *Ame-dèo*, il rincàro di Bella nell'altra stanza: la curiosità incerta di sapere chi sia a telefonare, alle dieci di sera di un martedì di febbraio, più che una premura di buonacreanza, *ho risposto*, la risposta di Amedeo, la mano intrecciata al microfono.

«Ti sto disturbando — », un tono stanco lontano dall'idea di domanda quanto la clausura dall'idea di serenità interiore.

«No, no... dimmi... ...», con la voce di chi sappia che la risposta al *cosa* è «fine» e manca solo di declinarne *al futuro* il *come*.

Davide è illuminato in viso dalla torcia portatile di Ivano. È livido, e *giallo*, alla luce incerta della lampadina. Gli zigomi esposti allo spettro cianotico dell'asfissia. Sul collo, sotto la mandibola – la testa reclinata in avanti come per una pennichella improvvisa – sorride, blu nel buio, il solco duro della cintura di cuoio. Uno dei due occhi, il sinistro, è mezzo aperto: la chiazza emorragica che gli possiede la sclera in una versione violentata della bandiera del Perugia Calcio. Amedeo pensa che dovrebbe venirgli da vomitare: e invece no, non prova nulla. Più un'impressione di sogno in cui lui è la dodicesima carta sbagliata dei tarocchi; s'immedesima in Davide appeso, ma non riesce a ricavare una qualche conseguenza reale dalla notizia *che vede*.

S'è impiccato – almeno, questa è la novità agli occhi di Amedeo – ai tubi dell'aerazione che percorrono il soffitto per tutto il magazzino, una geometria sovrapposta di Mondrian *tridimensionale*, il metallo verniciato di rosso a coprire qualsiasi altro colore, anche nel buio: ed è già un miracolo che non si sia spezzata la parvenza di acciaio che incanàla l'aria condizionata tra le balle di mangimi e i rulli di trasporto.

«Ma non si potrebbe accendere la luce, scusa?», chiede Amedeo alla torcia di Ivano. Sta inquadrando una serie di sacchi da un quintale nell'angolo a destra dell'entrata, in parte ricoperti da teli di cellofan. Sui sacchi di cartone ruvido si legge in verde scuro ZeSjet – Gand.

«Noo... Magari si pò ffà anche qualche segnalazione luminosa pe ddì che si sta *c*qui a tutta Corsignano».

Ivano punta la luce sui sacchi come se li contasse, tagliandoli avantindietro con la stessa foga irrisolta di chi controlli e ricontrolli se ha chiuso i rubinetti della vasca e del lavandino. Poi si gira di nuovo verso Davide, seguito dalla versione *inerziale* di Amedeo. Il fascio di luce – la corsa delle polveri a imitare galassie di granuscoli e di insetti minimi come le loro vite – ritorna sul corpo impiccato. Poi segue la successione di *H* della scala di ferro, a terra, un binario che muore sulla parete: alla sinistra dei piedi sospesi di Davide, per Amedeo che guarda.

«Pìglialo, su...», Ivano oscilla la torcia come fosse, ormai, lo scettro che gli garantisce il diritto di dargli ordini. Ma la linea del sottile, ondeggiante sentiero luminoso diventa, d'un tratto, la sveglia laser allo stordimento di Amedeo.

«Ma come pìglialo?... ... *Pìglialo* come?!», un terrore chiastico all'improvviso s'impossessa di quel che resta della sua lucidità. «... e '*tte* non m'aiuti?»

«... ... Oè Bambolìno...», gli fa Ivano, la torcia accesa roteata verso il basso quasi si sentisse un moschettiere di paese che recrìmina un eccesso di zelo nell'affondo dell'avversario. «E secondo te tu stai qui a ffà 'cche?... ... Sei te che lo devi fa' scende... ... Io te lo illùmino... ... E sennò ciavévo già pensato da me: che ti credi ch'è perché è *pesante*, che t'ha telefonato Germano?... ...»

Amedeo guarda la scala per terra, fuori asse rispetto al cadavere.

«Ma com'è caduta, così?»

«L'avrà scalciata lui mentre soffocava, Amedè... Ma io ma che cazzo ne so, eh?...»

Amedeo lo guarda cercando di capire se quello che dice – la torcia che rassomiglia tutto il magazzino ai neri e ai grigi delle fucilazioni del tre di maggio di Goya – è vero oppure no. Crede di sì. Ma potrebbe essere *ancora* un desiderio, più che una constatazione.

#29 febbraio 2000. Ore 21.39

«... ... Se vuoi te lo ridico, *Amedè*... Ma la verità è che non lo so nemmeno io... ...»

«...»

«...», *mfff* di fumo.

«... ... Maa...», con il tono di chi veda dalla collina di fronte il baleno del sole sulla canna di un sovrapposto, «*Germàno*... ma e te 'ste cose me le dici al telefono...?»

«*pfff*... *Amedèo*. So per certo che il mio controllato non è. E a te, diodiddìo, ma chi cazzo ti controlla?»

Gli s'allenta in gola un groppo misto di sollievo e di risentimento per il rilievo di Germano. Livore che s'accompagna alla domanda (ferma tra la gola e il palato e paradossale, in quel momento) «ma chi cazzo ti credi d'*èsse* te, pezzo di merda?»; sùbito costretta a estinguersi tra le pieghe ulcerate di ogni nondetto. Visto, peraltro, che la risposta referenziale – prima ancora degli sproloqui su Davide morto, il rimando alle attività svolte dal *Sereni stesso* per l'avvocato Barbi almeno fino a poche ore prima, l'ipotesi realistica di una replica pratica in risposta alla questione teorica sulle credenziali di Germano sollevata da Amedeo (con tanto di minacce *espirate* contro «l'armaiolo, la su' moglie e i' 'ssu figliolo») – sarebbe stata tecnicamente «Quello che gli devi più di ottanta milioni, *segaiòlo*».

«... ... ... ...»

«Tu va' llà, ché c'è già Ivano che deve *ritirà* della robba... ... Tu lo prendi da llì e lo *porti*... ... Tant'è morto *qui e morto 'llì*... ... Ma è meglio avé tempo di risolve i problemi in magazzino e lascià fori i' *'ssuicìdio* dal capannone... ...»

«... ... ma lo controlleranno, poi, il capannone...»

«Amedè. Io ti sto chiedendo di *fà* una cosa come s'era detto. Se poi te *'nla vòi fé*... Me lo dici. Ché così riattacco e chiamo qualcun altro*mmpf*...»

Ad Amedeo sembra che in quel respiro di Germano si nascondano già i primi sicari del futuro. Arrivati dalle ore del giorno dopo per vedere quanto sarà in grado di convivere con la decisione che non ha ancora preso.

«... ... Germano è che io non lo so proprio se sono in grado di... *dii*...»

«... *È questo*, il motivo per cui telefono a *'tte*... ...»

«...»

«... ... se avevo bisogno di uno... *uno professionista*... ... Insomma Amedè... io so' uno paziente come i figliòli di Zebedeo a 'ppesca... ... *ma no se gli ci fai venì l'orchite*...»

Amedeo è faccia a faccia con il *cadavere* di Davide, illuminato dalla luce di Ivano. Il fatto di pensarlo *cadavere* continua a distanziarlo dall'idea viva del *davidesereni* che ha conosciuto; ha comprato da lui mangimi per le galline fino alla settimana prima, non può essere impiccato, e morto. Nemmeno fosse lo stock di cortesia che le fate d'Irlanda si lasciano dietro al posto delle persone rapite. Soprattutto. Cosa c'entra lui con questo cadavere impiccato che non si sa nemmeno bene com'è morto e che deve essere spostato?

Ivano gli tiene il pùngolo di luce proprio sugli occhi. Lui vorrebbe dirgli di abbassare quella cazzo di torcia ma sta zitto, si lìmita ad armeggiare a tentoni sul nodo di corda sotto la piastra d'acciaio dell'aerazione.

Ha spostato – da solo – la scala e l'ha appoggiata al muro accanto al corpo sospeso di Davide. Poi ha spostato – sempre da solo – alcuni sacchi di mangimi dal fondo del salone fino sotto il cadavere appiccato. Ora si sta dicendo che non è stata un'idea intelligente fare tutto senza guanti: ma è anche vero che quello che sta succedendo non è davvero reale. Tanto che il corpomorto che giravòlta su sé stesso e aumenta gli sforzi di Amedeo – i piedi sul sesto gradino della scala, il busto curvo a cercare di *abbrancare* l'impiccato; le braccia, e le mani, e le dita che provano a sbrogliare il nodo senza capire che è impossibile, farlo, senza tagliare la canapa filaccio dopo filaccio – i quasi due minuti di fatiche stordite che l'hanno fatto sudare lungo la schiena dandogli un'idea di fradicio («come e' mi fossi pisciato addosso da i' cculo», aveva sentito dire una volta da Stirner): tutto questo riguarda una sua qualche vita parallela e diffratta di cui lui, Amedeo, non è realmente responsabile. Sta solo aspettando che tutto finisca guardandosi fare quello che gli viene chiesto.

«Ma checcàzzo *fée*, grullarello?!», si accorge spazientito Ivano. «Ma non hai *preso su* la roncola?»

La torcia s'abbassa con movimento di fioretto che *saluta*, fino ad appoggiarsi sulla lama e sul manico di legno della roncola. Su un tavolinetto piazzato accanto al pannello di controllo dei rulli.

«*Oè*. E manco a *preparàttele*, le cose...»

Amedeo scende gradino dopo gradino, il fagotto di Davide che gira a ritroso su sé stesso come fosse un capocollo gigante dell'albero della Cuccagna, alla festa del 26 luglio.

Prende la roncola guidato dal polso di Ivano; fa in tempo a ripensare alla mancanza di guanti, *ancora*. Comincia a fluttuare da un universo inerziale lontano al nostro con la fatica pericolosa di una decompressione accelerata.

«Non illuminare *me*. Punta sul nodo».

Ivano non replica. Segue la schiena di Amedeo che passo passo si ritrova a mezzo metro dal soffitto, il tondo di luce che si concentra – un alone doppio intorno a due circoli di buio *marroncino* – sul nodo grosso della corda. Amedeo sega la corda con la sinistra provando a reggere il busto *mobile* di Davide.

«*Ceerto—ché—unacàzzo—dimàno*...», le pause coincidenti con gli sforzi di taglio e il crescere dell'incazzatura.

«T'ho detto che non lo tocco, madonna della madonna...», rincalza Ivano. Come spiegasse un diritto acquisito fondamentale a un padrone arrogante.

«*Hocca—pìto—Mà—*»

Ed è sull'ultimo svolazzo curvo della lama che la corda si spezza con rumore di *cadavere che precìpita* sui sacchi di mangime.

«Oooh. E ci voleva tanto, cazzo», dice Ivano abbassando la luce sul pavimento. Per la prima volta, Amedeo avverte nel tono qualcosa che sembra tradurre per il buio e il magazzino l'idea di *paura*.

Amedeo scende – la roncola in mano – fino al corpo di Davide a braccia in croce sui sacchi.

«E adesso che dev'illuminà *nun illùmini*...?»

Con movimento rapido di marito beccato a spiare la vicina di casa mentre stende i panni in reggiseno, Ivano non solo rialza il filo di torcia sul mucchio di balle e cadavere: si avvicina, anche, premuroso, quasi l'energia di un momento di attenzione potesse perdonare lo smarrimento di un attimo; un tradimento guardone dopo vent'anni di matrimonio.

La luce ora si spande sul corpo di Davide. Sui pantaloni cachi, all'altezza della patta, insieme con un turgore decisamente fuoritempo, la chiazza più scura e *già asciutta* di un qualche liquido *grumoso*. Se Ivano e Amedeo avessero le competenze e il *coraggio* neutrale di un medico, saprebbero trovare la parola esatta per definire quello che vedono, evitandosi quello stupore carico di paura e di mistero che li possiede: lo sguardo millenario degli uomini di neanderthal di fronte alla magia incendiaria di un fulmine, la venerazione dei *sapiens sapiens* per una resurrezione raccontata. *Spermatorrea*, direbbe uno studente di medicina del primo anno. Nessuna mandragora nascerà dall'annàffio postmortem di Davide, né l'evidenza animale e ostinatamente viva della sua chimica nascosta troverà mai nessun discepolo sovreccitato a gridare o, prophet, certe *penis tuus cælum versus erectus est*, ché non c'è nessuna dote profetica nell'impiccagione di Davide. Non si sa nemmeno – Germano in questo è stato chiaro: anche se Amedeo non è in grado di stabilire se stesse mentendo o no – se s'è impiccato da solo o se l'ha *aiutato qualcuno*.

Ci sono solo due uomini e una torcia, adesso; e un corpo sorpreso nel cuore postumo della fine: la continuazione inconsapevole – questo forse più di tutto intristisce il terrore *operativo* di Amedeo – delle fragilità che ci consegnano, anche da morti, a un'obbedienza vegetale che ci sopravvive.

«Te li vòi mette un paio di guanti e *'ddàmmi* una mano, ora, *merdaiolo*?»

È la voce di Amedeo che spegne la luce e fa sobbalzare Ivano.

#29 febbraio 2000. Ore 21.53

«... Un po' dopo mezzanotte... ... sì... *mfrr mf.* ... ... ha detto sùbito... ... ... ... E tu prepàrale prima... ... *no*... No *cazzo* che *no*... Va finito tutto stanotte... ... ... ... E non... Ivano *diodiddìo prima e dopo* che se n'è andato no?... ... ... E 'tte càrichi finché *pôi* e continui fino all'ultimo sacco... ... ... *Ho detto nò.* Domattina una sega. ... ...»

*E via* il primo mattoncino. Nel buio non s'è accorto di legare il cànapo al punto più debole di tutto il raccordo in muratura. Staccare un mattone dallo scheletro della Vetreria Vecchia, per qualsiasi corsignanese, era come dare un calcio nel culo alla propria madre *per futili motivi,* o pisciare nell'acquasantiera della Chiesina il giovedì santo dell'ostensione dell'Ecce Homo.

Una notte sola, e Amedeo aveva piano piano scalzato ogni rèmora di compassione per sé e per la propria biografia *fino a lì*. Accettando la richiesta di Germano Barbi aveva, in pratica, messo spontaneamente tutta la testa e il collo nel cappio *tagliente* del presente – e del futuro – più incerto: e ora le occasioni in visita gli chiedevano il conto minuto per minuto. Al buio. Nel ventre antico della vetreria: nella saletta *a torre* dietro il vecchissimo forno del Trecento, a otto nove metri in linea d'aria dalla base cilindrica del Torrione di mattoncini rossi, lo sfiatatoio eterno del fumo di vetro di Corsignano. L'unico punto della vetreria recintato per lavori. Il solo tratto chiuso del paese che non sarebbe stato visitato con sicurezza – il giorno dopo e fino a mercoledì gli operai erano occupati con le travature del campanile di San Barnaba, a Budo: per questo Germano gli aveva indicato quel punto di Corsignano tra gli altri – almeno per le ore notturne che servivano a Ivano per togliere tutti i sacchi di mangime ZeSjet dal capannone di Davide e portarli in un luogo più sicuro.

Dallo spiazzo quadrato e vuoto in cima, la Luna sembrò affacciarsi per un attimo a sbirciare quello che stava combinando Amedeo: da solo, alle tre e otto minuti *di notte*; il cadavere di Davide per terra su un plaid scozzese che non gli arrivava oltre le rotule; lasciando così il resto delle gambe e i piedi a freddarsi *ulteriormente* sul pavimento di cotto. A un chilometro e mezzo da lì, un cinghiale con una bizzarra striatura rossastra nella *cinghia* intorno al collo risaliva il corso della SP 307B voltando dal ponte sul Nardile verso la Salita delle Fonti.

«...ma *gwche caggwzzo...*», soffocò a mezzabocca Amedeo quando sentì sgretolarsi un altro pezzetto di muratura, la torcia di Ivano tra i denti, la polvere di silice a spargersi, *refrattaria*, sui palmi delle mani quasi si trattasse di inchiostro per pergamene, o sangue *liofilizzato*, alla luce della Luna. La destra a tenere la grossa corda di canapa, la sinistra – quella macchiata di polvere rossa – ancora a cercare una fessura, una qualche crepa dove poter far passare credibilmente la messinscena del nodo.

Dopo aver deposto in modo brusco il corpo sul pavimento del magazzino, Amedeo aveva costretto Ivano ad aiutarlo a involtolare Davide nei plaid che s'era portato con sé – un breve pellegrinaggio di entrambi fino al bagagliaio del Fiorino a recuperare coperte e teloni di cellofane – fino a trasformare il cadavere in un grosso fardello arrotolato che, a un'occhiata superficiale (un controllo notturno *fortunato*, magari), sarebbe potuto sembrare un tappeto arrotolato.

Insieme («Ma perché non l'hai parcheggiato subito qui, grancoglione...?» «Grancoglione te, ché sarà meglio che uno lo becchi a portà coperte che a caricà un cadavere, *no?*» «Ma questo a una *decina di metri* da un cadavere? Chi è il grancoglione?», il tenore delle conversazioni tra i due, una volta superato lo sconcerto in funzione di una irrefrenabile volontà di concludere) Amedeo e Ivano avevano caricato il *tappeto di davide* nel cassone del Fiorino. Poi – senza salutarsi – Amedeo aveva messo in moto e aveva riparcheggiato, nascondendosi alla provinciale dietro alla lamiera del capannone, davanti all'Iveco di Ivano («Ma 'icche cazzo *st'fée ora?*» «Aspetto, *testone...* Che vado a *impiccà un cadavere* a mezzanotte e tre quarti? *Aspetterò di 'ppiù,* no?» «Eh *'mma io ciò da caricà le balle...*» «...e che le devi caricà n'i' 'cofano d'i' 'motore?» «*Dove passo, coglione?*» «E le passerai una alla volta per di *cqui,* no?...», tutt'e due a sfiatarsi rochi per non alzare troppo la voce, Ivano a scandire le parole nel buco destro del finestrino, Amedeo in macchina, irremovibile; il corpo di Davide Sereni arrotolato in modo innaturale anche per la morte dentro l'anima di lana di vecchi plaid usati per le colazioni di caccia). Amedeo aveva aspettato fino alle due e mezza. Mentre Ivano, un sacco alla volta, pellegrinava sbuffando dal magazzino al camion; una sessantina di viaggi a completare il carico che aveva cominciato a trasportare già prima dell'arrivo di Amedeo («M'aiuti invece di stà fisso in 'stocàzzo di Fiorino?» «M'hai aiutato te, testa di cazzo?», il nervosismo a ribollire in ricariche costanti di odio appena sussurrato).

Alle due e trentacinque – senza salutare Ivano ma quasi strappandogli di mano la torcia direttamente dal finestrino: lui l'aveva lasciato fare – Amedeo aveva aggirato il capannone, imboccato la 306B al contrario e, sempre con il pensiero compulsivo di vedersi fermare dalla stradale («Capisco *maresciallo*, ma è un tappeto!», con le varianti «Vada pure, vada» e «Ma come un tappeto se c'è dentro un *omo*!»), era arrivato fino alle Mura di Sotto, alla via degli Orti e – le luci del Fiorino spente ad arte, prima d'imboccare il cancellone di ferro del Parcheggio dell'Iliana, lo sterrato in dislivello pieno d'erba *fortuita* ai piedi della Vetreria Vecchia – era entrato nel Parcheggio con il minimo di pressione possibile sull'acceleratore, sfilando a meno di dieci chilometri all'ora fino alle scalette per l'Imbocco di Sotto. La galleria del Trecento che porta ai saloni – e alla saletta *dei lavori* – della Vetreria Vecchia.

Aveva fermato il Fiorino, tirato il freno a mano con una sensazione febbricitante di *intro* del tenente Colombo. Davide, aveva pensato. Davide, ma che cazzo ti sei messo a f*fà*, aveva pensato («se veramente ti sei impiccato te e non t'*hanno impiccato*», la sua stessa voce che gli faceva da controcanto). Che ti sei messo a f*fà* d'impiccàtti in magazzino, maledizione, le cose si pònno risolve in maniera differente eccheccàzzo («se non t'hanno impiccato *qualcuno* del contrabbando dei sacchi di mangimi o–»). Solo se mòri non c'è mai rimedio, no? («o ancora peggio è stato Germano, o qualcuno dei suoi, *no no no* no»). S'era stropicciato gli occhi a forza, per impedire una deriva del cervello che non gli permetteva di incasellare tutto in un male plausibile per sé. Ora, aveva pensato. Se ti piàzzo qui invece che nel magazzino non è che c'è poi tutta 'sta differenza, no? A te che ti fa, no? Anche perché – un margine di secondi a lasciarsi tirar via dalla stizza contro il morto, un passaggio nell'elaborazione del lutto accelerato dalle avvisaglie del senso di colpa da tenere a bada – anche perché che ti sei messo a lavorà per quel pezzo di merda di Germano co sta storia dei mangimi de sti cazzo di Belgi, eh. («Perché gli doveva *d'i' 'ssoldi*, come te. *Merdaiolo*. Che invece *te che stai a 'ffa per quel pezzo di merda di Germano*, eh?») Anche te i mangimi no, cazzo. Non lo sai che *rischiavi* d'avvelenà tutto il Senese e *p*peggio, eh? *E tutta Corsignano*.

E questo («e te invece non sei—»), prima che la parte pulsante del pensiero gli facesse risplendere al neon il cartiglio di complice (con tutto quello che per lui significava il punto interrogativo mancante); prima di riflettere con lucidità sul fatto che gli sarebbe restato ancora tempo per andare *lui* dalla stradale (o, meglio: direttamente in caserma: «... Vede, maresciallo... ... che l'avvocato Barbi presta soldi *a strozzo* 'e questo *lo sapete anche voi...*» «In paese si sa sempre tutto. E se non si sa è perché non si *vòle o non si pò*, e allora? È venuto a raccontàcce le *lèllere?*» «... a 'mme m'è capitato di dov*égli* d'i' *'ssoldi...*» «Sì ma che c'entra il tappeto nel Fiorino?»); per rimettere tutto a posto e fare luce – una luce piccola, magari: una torcia di luce cambiata di segno – sulla morte di Davide.

Prima di tutto quello che avrebbe ancora potuto salvarlo secondo i parametri – comunque non santificabili – del vecchio Amedeo Bui: il nuovo Amedeo già arrivato si convinse che la complicità – la sua, sì – di Davide con la storia dei mangimi e il traffico da Gand gli garantiva – a lui, Amedeo – una soglia *bassissima* di superamento degli scrùpoli. Bastava non pensare a quel che stava facendo proprio quella notte Ivano, dimenticarsene *inconsapevolmente*. Cosa che ad Amedeo era riuscita talmente bene da provare addirittura disgusto – per un attimo: un secondo vigliacco che gli aveva assicurato per sempre lo standard irremovibile di un'eterna dannazione – per Davide e il suo *operato*. Aveva sbattuto la portiera e s'era diretto, risoluto, verso il retro del Fiorino. A recuperare il tappeto e finirla. Aveva spalancato *verso l'alto* il portellone posteriore.

«Oi, Marcello, e 'ssei te...?»

La voce prima felpata poi esplosiva di Alvaro l'aveva congelato in tutti i sensi in un blocco di carne e sangue voltato di schiena. Alvaro s'era avvicinato, in qualche strano modo l'aveva riconosciuto nel buio. «Ah, Amedeo... E' 'ccheffài *cqwi a 'cquest'ora?*», poi l'aveva toccato. Un gesto lieve sulla spalla: il confermarsi della vista di chi *non vede bene* o, come nel caso di Alvaro, *quasi non vede più.*

«Alvaro!», aveva gridato Amedeo. «Ecche' fai te, a quest'ora di notte in giro?»

Il tono era quello a battito veloce e picchi stentati di Richard Benjamin in *Harry a pezzi,* quando parla con la nonna cieca e intanto viene dentro Julia Louis-Dreyfus.

Alla domanda di Amedeo era seguito un abbaiare sfiatato e un passo pesante *dal buio* inclinato del Parcheggio. La Furia di Alvaro. E «Tonino... ... Ho pòrto fori la Furia e l'ho incontrato agli Orti di sotto... giù dai fossi delle Fonti...»

Tonino era entrato nell'angolo illuminato tra il fuoco riflesso della Luna e il bianco sporco del lampione di là dal muricciolo del Parcheggio, sulla strada. Indossava un kilt scozzese a quadrettoni. Teneva una spada giocattolo appesa a un cinturone di cuoio grezzo, una camiciona bianca che sbuffava fuori di cintola; gli scarponi da montagna su calzettoni bianchi di spugna.

«Lo riaccompàgno dal su' fratello ché starà 'n pensiero... E 'tte?»

«Ci sarà abituato, Giorgio...», aveva preso tempo Amedeo.

Tonino – gli occhiali spessi sul viso di bambino invecchiato, i cinquanta e passa anni portati in dono come una grazia irrichiesta («avremmo con noi l'oro, l'incenso, la mirra e *Tonino*») – aveva fatto una delle sue rappresentazioni memorabili. Con lentezza aveva preso l'elsa di plastica della spada; l'aveva tolta dalla cintura con esasperazione teatrale. Quindi – il braccio destro alto sulla testa, la spada dritta verso Amedeo e il portellone – aveva allargato le gambe *a filo*, il piede fermo più basso e in discesa, il braccio sinistro in avanti a parare i pericoli dell'*aria*, nello stesso gesto di Sean Connery in cima alla scogliera durante l'addestramento di *Highlander*.

«E te che 'ffai, invece?», aveva rincarato senza scampo Alvaro a un Amedeo distratto da Connor McLeod. «Erooo... ... So' stato... ...» Alvaro aveva tastato l'involto di plaid e cellofan. «Sei stato al casotto?», e intanto – senza invadenza, solo come se il braccio e la mano fossero un rinforzo necessario alla vista mancante – scrutava curva a curva il cilindro di lana e Davide.

«Sì», s'era salvato almeno momentaneamente Amedeo, la Furia che aveva preso ad annusare – la fortuna stanca della sua vecchiaia inesorabile – e a sorsare con il naso ormai inservibile il fagotto nel portabagagli. Un uggiolìo sùbito fatto rientrare da uno zittalìlla e una carezza di Alvaro.

«Si va, su... E' si dovrebbe andare una volta a caccia...», Alvaro aveva sorriso. «Certo io *v'aiuto a' 'i casotto che* a tirare, vìa...», e gli era quasi scappata una risata. Amedeo aveva tentennato con il capo, accondiscendente. Un sorriso che Alvaro non avrebbe ricordato mai.

«Via, *sgiù*... Tutt'e due...»

Tonino – sempre fisso nella sua immobilità di scozzese immortale – aveva lentamente ringuainato la spada nel suo fodero invisibile. Aveva – fuoruscita brechtiana da un corpo stanislavskijano – salutato con la mano (e con un *ciao* ruvido) Amedeo. Poi i tre – Alvaro, Tonino e la Furia, ormai il corpo quasi ad altezza terreno, per gli anni e la fatica del ritorno – s'erano allontanati verso le scalette e poi nel buio: la Galleria che li avrebbe portati dentro il cuore di Corsignano lasciando libera (sperava Amedeo) l'entrata transennata della saletta.

Il Cieco, il Matto. La Furia. L'Appeso nel portabagagli. Amedeo s'era chiesto quale fosse la *sua* carta in quel mazzo di Tarocchi apocrifo e scalcagnato di paese. Forse qualcosa di spaventoso e irrimediabile come la Torre che ora sembrava giudicarlo, alta verso il cielo notturno di Corsignano, i mattoncini rossi come l'indizio dei peccati nei secoli di tutto il Paese. Di là dal cancello, Apperbohr vede l'Alto sulle Zampe di schiena. E gli sembra di avvertire un odore muschioso di rimpianto.

Ora ti prego. Davide pènzola nel buio appena rischiarato da un riflesso di sponda della Luna, appena un accenno di cera sporca nel nero. Ti prego adesso e per sempre. Non ritornare quando sogno, Davide. Non ritornare quando sono sveglio. Semplicemente, porcaputtana Davide, non ritornare mai. Facciamo che questa notte non è mai esistita. E speriamo che – quando ti ritroveranno – non faranno troppo caso alle manomissioni («in parole, opere e *manomissioni*») che t'hanno portato qui. Io veramente credo – uno spiraglio di vento freddo becca i pensieri di Amedeo sulla mascella, quasi puntasse il dente del giudizio; o gli mettesse alla prova lo smalto – *credo* che è tutto incerto, Davide *mio*. Ché qui se davvero davvero fanno indagini o controlli, se tutto semplicemente non passa come un suicidio di paese, e quindi una *qualche vergogna*, se davvero il rispetto paesano e il mistero del tuo gesto non diventano, sùbito, chiacchiera di vicolo e memoria rinsaldata, per me diventano cazzi veri. Perché o tu ti sei suicidato o io sono complice di un omicidio, oltre che *vilipendista di cadavere* e manipolatore di prove. Un fruscìo dietro le spalle, il gelo che di solito si ascrive alle storie di fantasmi (capelli immediatamente imbiancati, cuore che smette di battere e che poi riprende dopo un'allucinazione oltremondana), Amedeo si volta di scatto – anche se: misurare con esattezza la velocità con cui ci si muova quando il sangue ci scorre dentro come una ragnatela finita di piccoli Cocito è impresa più da filosofi che da medici – e si trova, scura davanti a lui, ferma all'entrata ad arco a sesto acuto (piccola: per arrivare alla stanzetta bisogna chinarsi come pellegrini *in scala*) la sagoma inconfondibile di un cinghiale. Anzi.

Lo sente nel bofonchio rasposo, lo avverte nell'acqua giallognola degli occhi, nel rinforzo grigiastro delle zanne, il tamburello degli zoccoli sul pavimento gli sembra un metronomo di qualche demonio minore – Leviathan l'invidioso, o l'ippopotamesco Behemoth, se la parte più istintiva del suo *es* declina bene i vaghi ricordi del catechismo per la comunione – e soprattutto: riconosce la corona rossa e setosa della cinghia. Non *un* cinghiale. Ma *il* cinghiale del funerale di Agnese.

Per un momento tanto ghiacciato dalla paura («se ora mi carica e mi ferisce sono finito, o morto, o tutt'e due») quanto frenato dalla sorpresa («ma che cazzo fa, *mi segue?*»), Amedeo fatica a ideare un piano di fuga, o di attacco («o tutt'e due»); e si lìmita a fissare *il* cinghiale cercando di capire cosa fare. Finché non gli escono, istintive davvero, pericolose, e stremate, le parole che mai nessun mortale dovrebbe concedersi quando si trova al cospetto del *Dio che lo perséguita*. O, almeno, quando si trova a guardare negli occhi la forma che il Suo Abisso Privato ha preso *per lui.*

«Ma cosa cazzo vuoi, *tu*, da me?», a voce alta, nel vuoto della vetreria. La somma di quello che *i due* s'erano detti a Damasco senza troppo cavillare sul *chi* e sul *come*.

Apperbohr – ma il nome, Amedeo, non può saperlo – tira col naso il dolore abissale di Amedeo, la morte appesa di Davide, come fossero cocaina sparsa nell'aria stantìa della Vetreria Vecchia; poi se ne va, sculettante, rientrando nel buio. Amedeo, per un istante profondo e nero come *il retro* dell'*Origine del mondo* di Courbet, è convinto che il Cinghiale lo stia prendendo per il culo.

#1° marzo 2000. Ore 00.10

Aveva preso il Fiorino perché gli sembrava più comodo della Uno, per quello che doveva fare. «Ma dove vai, a quest'ora?», gli aveva domandato Bella. Più incuriosita che infastidita, in realtà. «Deevo...», la *e* troppo lunga aveva già confermato la moglie nella presenza di una *prossima* cazzata; se n'era accorto anche lui, ma ormai era troppo tardi per rimangiarsi un'incertezza, «... andare a controllare un carico sbagliato di *cartucce* al magazzino... ... Devo ricontrollàlle una per una...» Bella non aveva risposto, né salutato. Per quello che gli prometteva la notte, poteva bastare.

Da lontano, già dalla 306B aveva prima *intuito*, poi *visto* il capannone di Davide, la scritta scandita da quadrati spenti e distinti di piastre al neon S E R E N I M A N G I M I E S E M E N Z E, il baraccone che a poco a poco si era preso il paesaggio come un Bates Motel di eternit che decidesse di affacciarsi sul ciglio della provinciale.

«Mi raccomando», aveva detto Germano al telefono. «Ché anche per te è un modo 'ppe rimedià a quella *cosetta dei soldi*...»

Al telefono, Germano aveva sproloquiato su Davide senza frenarsi sul fatto che fosse morto e che dovesse esso *tolto de llà*. Ma anche ora che guidava, a meno di due chilometri dalla collinetta – il capannone, per un intreccio curvo della provinciale tra il bosco e il digrado del Tedesco, era scomparso – i discorsi di Germano gli sembravano irreali e acquosi, e lui stesso si sentiva in apnea, quasi la conca a ipsilon della 306B fosse il canyon infossato di un altro pianeta, lontanissimo, dalla gravità più *pesante* e dall'aria così rarefatta da *bruciare* i polmoni *durante* il respiro. I mangimi della ZESJET, aveva capito. E gli era balenato tra le rètine e il cervello un ricordo diffratto di telegiornali e di titoli dell'*Eco della Chiana*, magari; o del *Corriere*. In cui si parlava del blocco al confine di camionate di mangimi dal Belgio, e dall'Olanda, molto probabilmente compromessi dalla diossina. Ricordava di non averci fatto caso più di tanto, confidando nella realtà recintata di Corsignano e nella frequentazione – benché saltuaria – del magazzino (e dello spaccio; quello che a Corsignano ancora si chiamava spaccio) di Davide. «Ora non ti sto a dire, Amedè... ... La questione è che *uno dei miei*... ... Ché poi Ivano lo conosci... ... Insomma alcune cose si stanno risolvendo... ... Ma 'tte mi servi *te*, pe *quest'altra*...»

Aveva imboccato il vialetto di ghiaino fino all'entrata della proprietà di Davide. «Fàllo sembrare quello che è... ... *O non sei d'accordo?*», alla fine era stato questo il cuore della telefonata.

# 30.
## NOTTE TRA IL 19 E IL 20 LUGLIO 1999 (8)

**Chi è che, almeno una volta nella sua vita, non ha scritto**

il proprio necrologio? È a questo che sta pensando Fabrizio quando Walter gl'interrompe il pensiero; proprio nel mezzo del suo tradimento più grande, quando sta scrivendo un preciso multirigo mentale: «Era uno di quelli che non sapeva, qualora fosse stato preso e scagliato nel bel mezzo di una battaglia – le Termopili, la fine convulsa di Alessandria la Grande, l'assedio di Vienna, il bombardamento di Dresda, la follia *pacifica* e fangosa di Guadalcanal – *se sarebbe stato* in grado (sempre insidiosa, l'interrogativa, quando non viene esplicitata dall'amo puntinato del suo segno primario) di comportarsi normalmente; o se invece sarebbe stato preso da panico incrollabile; se, cioè, sarebbe stato in grado di continuare a vivere momento per momento o se invece avrebbe barattato l'idea di continuità per una paralisi incontrollata della propria esistenza in vita: limitandosi a scoppiettare, secondo per secondo di conservazione e di *trascorrenza* senza dedicarsi alla più difficile (e però quanto più costruttiva, e gratificante) capacità di non pensare alla morte fino al momento in cui arriva — »

«La mano del morto».

«...»

«Vedi: due *otto neri* e due assi neri... L'altro asso lo cala tra poco...», dice Walter. E così dalla terra da dove non si fa ritorno – almeno immaginandolo – Fabrizio torna nel cuore estivo della sua sala da pranzo, seduto sul divano *ora alla sinistra* di Walter — ora che si sono scambiati di posto sulla seduta in pelle verde, una coreografia minima mentre *Liberty Valance* si accatastava ulteriormente nelle loro memorie, fotogramma dopo fotogramma, fino a *liberarsi* nel giogo fisso del primo nodoso scioglimento a forma complicata di duello.

Lee Marvin paga la sua futura autopsia con un gesto guascone: ma il dottor Peabody rigetta l'òbolo come fosse una supposta restituita al mittente.

«Anche se...», Walter cerca la grazia di una pausa maggiore, ma le carte sul tavolo svolazzano da un piano all'altro senza fermarsi in un qualche stop identificativo.

«... Se ci riesci...», solo fidando nell'espressione di Walter, Fabrizio punta gli occhi nell'angolo in basso a destra, dove in un'evidente versione pionieristica e occidentale della telesina si manifestano un paio di carte. Semi neri, picche in evidenza e – avendo la possibilità di una polaroid immediata per forgiare l'istante di gioco nella rètina – l'intuizione arrotondata dei fiori.

«... Quando lo rivedo in vhs ci provo sempre, a ricontare... Ma mi sembrano proprio *nove*. Non *otto*, picche. *Nove*...»

«E quindi?»

«E quindi...» Walter respira. «La mano del morto è due otto neri e due assi neri. *Otto*, neri. Non *nove*...»

«Sì ma cos'è la mano del morto?», Fabrizio prova a immaginare l'èsito incastrato dei semi e delle figure, in modo da ricreare l'idea anche solo stilizzata di una mano ritagliando e ricomponendo picche e fiori.

«...... Non *mano*», e qui Walter mostra la destra *larga* quasi fosse un Cristo messo alle strette dagli ultimi momenti possibili per esibirsi in un gioco di prestigio. «La mano di poker. Si chiama così perché...... Wild Bill Hickok, quando morì, nel '76... *1876*... quando Jack McCall gli sparò alle spalle mentre giocava a poker...... Aveva in mano due *otto* neri e i due assi neri...»

«... E tu questo come lo sai?» Fabrizio s'intestardisce in una delle domande più inessenziali nella storia famigliare della loro amicizia.

«*Ken Parker*. L'ho letto su *Ken Parker*...»

James Stewart, in grembiule da lavapiatti, sta sul marciapiede di legno in attesa di Lee Marvin. Si guarda la pistola, scende dalla pedana.

«Sarà un arzigogolo della carta, un arabesco», completa per lui Fabrizio.

# 31.
## 2 LUGLIO 2000

**La vera difficoltà di Apperbohr nel distinguere i colori**

è di natura principalmente nominale. Tutto quello che sa o che riesce a sapere si scontra con l'assillo, incessante, del catalogo di informazioni che lo sovrastano, incistandosi nell'osso frontale e appesantendolo; come se la sua fronte piatta fosse la tettoia carica di neve e di ghiaccio di una baita orizzontale a forma di rvrrn.

Non saprebbe dire, in questo momento, mentre si muove avantindietro calpestando nervosamente il drappo morbido dell'erba, se il ritaglio di cielo che incornicia il muso di Llhjoo-wrahh, e la schermaglia bionda dei peli sopra gli occhi, e gli occhi, gli occhi neri di lei che con i barlumi scintillanti della luna sul bosco si riempiono di pagliuzze verdi, e gli rimandano il bosco, di notte, la radice vera di Bosconuovo; *di tutti i boschi* pensati dalla sua immaginazione amaranto di cinghiale— Apperbohr non saprebbe dire, mentre scèvera dall'ombra degli alberi l'oro del riflesso delle luci lontane che da Corsignano rimbalzano fino a qui, se lo spicchio di cielo che incorona Llhjoo-wrahh, un triangolo isoscele di *cadmio*, screziato e puntuto tra i rami a v del castagno, ha una qualche definizione inaccessibile; non è in grado di riconoscere il nome preciso, e perfetto, per il blu che dòmina la scena, più in alto di loro, più su dei respiri che stremano Llhjoo-wrahh e la riempiono di sudore buono – i gioielli d'acqua che le ristagnano a gocce sul grugno, sulla cinta arruffata del collo, e che assomigliano la brina alla fatica conclusa della notte – e questo lo imbarazza, mentre ricambia la paura, e la tenerezza di Llhjoo-wrahh; lei che lo scruta dal basso e lui che le risponde con la perplessità inadeguata dei padri *appena hanno capito di essere diventati padri.*

Il *twrch-trwyth* di una civetta è la nenia monocroma e rassicurante che battezza i sette figli di Apperbohr e di Llhjoo-wrahh; sette. Come le stelle visibili di quello che gli Alti sulle Zampe chiamano il *GranCarro*; che infatti ora declina, sopra di loro, e sembra quasi inchinarsi, curvare assecondando la gonfia concavità della sfera lattea e nebbiosa che li avvolge. Poppano con l'ansia e il fervore animalesco, e rasserenato, e acquoso, e tranquillo – perché è un momento in cui la tristezza e la felicità e il dolore e il pensiero di vita si estinguono in un unico zero algebrico fatto di *niente* – di chi *non sappia*, e forse non saprà mai, *ancora*, che c'è un tempo da svolgere in tutte le sue particole scheggiate di eternità, e un colore, da trovare, per ogni frazione di tempo eterno; da ricavare – il *suo* nome preciso, il battesimo nominale che lo *prevede* e lo *conferma* – per conferire un possesso esterno, *al tempo*, che possa permetterci di dominarlo; anche se con l'illusione malferma delle quattrozampe che ci *costringono* – tutti noi, i rvrrn, i mhrhttrh*rsh*, il Grande Carro alto sulle stelle, non soltanto Apperbohr; o la stanchezza smeraldina di Llhjoo-wrahh sdraiata – a camminare, incerti sulle ossa dei piedi e sugli zoccoli, schiacciati dalla grande menzogna della forza di gravità.

Due gradi sopra lo zero assoluto; più o meno a duecentosettanta virgola quarantadue gradi sotto lo zero, *dove* la luce staccatasi dal principio incerto del mondo s'è *freddata* in luce *spendibile* e atomi di carbonio e materia e chimica elementare. Lontano, oltre le approssimazioni e le distanze che ci permettono di confondere il tempo, e lo spazio, in un'unica eternità rancorosa composta da cristalli bluastri e vizzi di fotoni, e vibrazioni musicali. Nel punto preciso in cui l'*armonia* inizia senza saperlo, l'esatto *momento* del tempo — *dove*, precisamente? Trecentoottanta milioni di anni fa *e un po'*? *Prima*? *Immediatamente dopo* quell'inesistenza accerchiata in cui *il tutto* e la *sua parte* si rinchiudevano compressi nelle *loro stesse* grandezze? Nel *nome*, compiuto e perfetto, di quel colore, di quell'istante heisenberghianamente inesistente, covano le certezze sbiadite di Apperbohr.

Il nome del colore di fondo dell'Universo è lo stesso blu di questo *istante* – il lapislazzuli privilegiato degli affreschi del Duecento; e insieme l'azzurrite di ricavo, il rimedio povero alle mancanze, la scorta làbile del colore pronto a smezzarsi, *nel tempo*, nel verde ramato della vecchiaia più impresentabile, e sbavata: non c'è gerarchia nello splendore, quando si manifesta, nel suo cobalto più fondo e nevoso; nelle teofanie notturne, e *persiane*, della sua stessa serrata, racclusa gelosia. Il punto abissale e convesso del blu di prussia esploso, schegge di tempo e di colore che si raggrumano – i baldacchini della cristianità a conservare, carichi di pioggia elettrica, tutta la loro marginale inconsistenza battesimale, le madonne in maestà, sperdute, come tutti noi, in una mattinata di freddo e di ghiaccio eterno e assoluto, *solo due gradi* sopra i meno duecentosettantatré virgola quindici, molto – *molto* – più lontane degli otto minuti e trentatré secondi che ci separano, quotidianamente, noiosamente, dalla nostra luce privata, dal recinto di luce che non può essere spezzato, né calpestato, da tutti gli sforzi di cinghiale in corsa contro il gelo dell'inverno universale. Un battere di denti che separa l'inverno dall'inferno, nella lingua cattiva, e prigioniera, degli Alti sulle Zampe.

Gli affreschi dorati del tempo. Le pergamene più antiche del mondo, tutta la saggezza in grado di essere *affilata* sulla punta di spillo universale che contiene *tutte le danze di tutti i miliardi di miliardi di uomini e di donne e di cinghiali* che si sono affastellati, l'uno dietro l'altra, l'uno dentro l'altra, dagl'inizi più dubbiosi, e segreti, di quella pergamena irsuta e inutile ch'è stato l'universo, dacché esiste – perché la vita non può certo essere coreografata in termini di utilità – non valgono quella smorfia raggrinzita e umida sulle fauci grugnite di Llhjoo-wrahh, quel succhiare smanioso e diffuso (ognuno dei sette cinghiali, quattro femmine e tre maschi, quattro rvfmlh e tre rvmlh, un ronfio e un biascichìo riconoscibile, e *proprio*, e *privato*, e *loro*; quasi l'individualità di cui loro stessi non sono consapevoli – a meno che non abbiano in agguato *davanti a loro* la sorte appercettiva del padre – si manifesti nella gioia inerziale, e meccanica, dei gesti che la competenza biochimica della vita ha cucinato per loro).

La discrezione riservata, e conservativa, dell'Universo – Apperbohr se ne rende conto soltanto adesso che prende forma, la forma cangiante dei sette cinghiali nati da Apperbohr, e da Llhjoo-wrahh, e si ascrive la compattezza porosa dei sogni, davanti a lui – rèlega la coscienza di un premio così grande nelle stanze chiuse, e discrete, di chi – uomini o cinghiali non importa – ha la fortuna selvaggia e casuale di *vederlo*, almeno una volta; nascondendolo con un velo blu notte e ventoso a tutti gli altri, che altrimenti sarebbero sommersi da 273,15 gradi sottozero di dolore inarrivabile; la notte eterna della mancanza quando la spietatezza sommersa della vita ce ne regala l'idea.

## 32.
## 21 SETTEMBRE 2000

**Adriano Andreoli se la prese particolarmente comoda quella mattina**

di equinozio appena arrivato. Una novità, per lui, che per quasi settantadue anni – esagerava, sempre, quando lo raccontava al Circolo: ma le esagerazioni fini a sé stesse erano il suo personale *sfraghìs* nei confronti del *mondo-bestia* che gli viveva accanto, incartocciato e statico sulla bassa frequenza mortifera della mancanza di fantasia – per quasi settantadue anni, si diceva, dal momento della nascita, in pratica – ché quasi *settantadue* anni è proprio la cifra compiuta di Adriano Andreoli, in questo primo giorno di autunno dell'ultimo anno del Secolo: ed è esattamente il tempo di movimento e di veglia e di *sveglia all'alba* che si ascrive, quando racconta – s'era sempre alzato con il sole.

«E' nun ero ancora nato ché già ero sveglio. Pensa la mi' mamma doveva sgravàmmi a 'ssera, io alle cinque d'i' mmatino prima ero gia *qui*...»

Il giorno prima – ultima estate, venti di settembre come nelle vie più risorgimentali e bersagliere dei paesi di tutt'Italia – era entrato nel bar di Vittorio e aveva chiesto – il giubbetto blu su calzoni di fustagno, l'eterno berretto con visiera, antivento, della MANGIMI PETRINI, che di solito usava all'orto; o quando doveva andare a *guernàre* la Lilla, la vecchissima e spelacchiata cagna da caccia della sua vita («la migliore di tutti e di tutte... E sì che dal '28 ne ho avuti parecchi e *tutti bòni...*») – aveva chiesto se qualcuno poteva segnalargli un garzone. «Un garzone bravo, volenteroso», aveva detto – Vittorio al bancone, un paio di corsignanesi alle prese con la caràmbola, il vecchio Prospero che puntava il Bacardi come un cane cui avessero imposto una dieta a base di spinaci e *erba* cotta *e però se n'era dimenticato* – «uno che abbia voglia di lavorare, di lavorare parecchio...»

«O' Adriano, e a 'cche ti serve, i'ggarzone, ché ciài la pensione della vetreria?», gli aveva chiesto Vittorio, realmente interessato, e sorpreso.

«Ho bisogno di un garzone che m'aiuti a *bestemmià*. Da mattina a sera, ché da solo nun gliela *fo*, è troppo lavoro...»

E così, senza avere trovato un *garzone* che lo soddisfacesse – ché in verità dopo la risata del bar e il segno di croce, costernato, del vecchio Prospero, avventizi blasfemi non s'erano presentati – quella mattina aveva preso il Beretta (era maschio, ai suoi occhi e per le sue parole: come la cagna, la Lilla, doveva essere, era magnifica, e femmina) dall'angolo cieco della stanza (ché il fucile si tiene in camera da letto; scarico, i buchi abissali della doppietta puntati verso il cielo: o più carnalmente e senza malizia contro la madonnina di gesso sulla parete).

Poi, passando da Corsignano di Sopra, tagliando per via dell'Industria, poi via Sdrucciola – l'officina *vetraia* di Giorgio, Claudio e Felice chiusa, stranamente – era salito per via del Passaggio, aveva salutato Amedeo – fermo e piantato all'Armeria come le scritte sulle targhe premio che incideva per i tornei – era transitato per il negozio della *fioraia* (il tempo di un *omaggi, Rosalba*; che era tra l'altro una sua nipote lontana, figlia di cugini); e poi era sceso, di nuovo, per la viuzza fiorita di Primacasa. E s'era trovato davanti, l'aria pulita delle otto e mezza del mattino, più o meno, il miracolo dello *spalanco* dei boschi sotto l'Arlecchino.

Adriano Andreoli era nato nel millenovecentoventotto al Casale del Polardo. In piena guerra s'era trasferito, lui e tutta la famiglia, suo padre Antonio, sua madre Massimina e i due fratelli – Alvaro, il maggiore; e Averardo, il minore: un corteo di *a* che s'insediava tra i campi intorno Corsignano come spighe nei granai del tempo – a Poggiola Bassa, sulla strada per Torracchio.

E quindi, dopo il matrimonio con *la* Bruna – dei Liscaio del Fosso della Ierna – dopo le due figlie, s'era trasferito *in centro*; nella casa di via Appia, prima – la tracotanza meravigliosamente paesana di chiamare via Appia un vicolo sassoso di cinquanta metri – e poi nella casa di via dell'Industria. Adriano cammina tra le stoppie con il fucile a tracolla, la Lilla più avanti, in corsa *sfiatata* intorno a una ceppaia dove potrebbe – *potrebbe*, ormai ci vede poco e ha un'aspergillosi nasale che non si riesce a *sradicare* «e nemmeno co l'acqua ra*sgia*» – avere puntato un fagiano.

Adriano, in realtà, chiamato da un paio d'anni dalla comunità corsignanese dei cacciatori alle poste del cinghiale – per indiscussa perizia «e *settantadu'anni* di pratica» – è un cacciatore di lepri e di fagiani. Non ha mai amato la grassa, quasi invadente mole del cinghiale; «come sparare a un pagliaio», ha glossato, la prima volta che ne ha abbattuto uno: il primo della battuta, la prima caccia al cinghiale della sua vita, due anni prima.

Sicché segue le uste della Lilla fino alla ceppaia; e mentre si china per cercare tracce di guano lungo il filo del bosco, sotto gli elci; pènetra come può con lo sguardo tra i cespugli vizzi delle more (come può perché l'*occhiomatto*, il sinistro: quello dove ha preso un colpo di trave, una volta che *smuzzàvano* i pini di Boscorovo, dietro Budo, ha ormai la pupilla talmente dilatata che per «*mette a fóco* e' mi ci vorrebbe lo zippo di guerra del mi pòro babbo»): ecco che gli compaiono davanti tracce di cinghiale *anomale*, e *stonate*. Le segue per un tratto, minimo, fino a un imbocco nascosto tra due gineprài. La Lilla, che lo raggiunge, s'infila a razzo nel cunicolo e lo precede di corsa, abbaiando. «Lilla e vién' *qui*», fa in tempo a dirle. Ma la Lilla è già fuorivista, nell'intrico geloso del bosco. Lui la segue, chino per proteggere il berretto – che oggi è quello con i paraorecchi tirati abbottonati all'insù; regalatogli dal pragmatismo festivo della su' moglie, i' 'Natale prima, insieme con la cartuccera.

Tra i pruni e i rovi, bestemmiando la Sacra Famiglia insieme con una serie di parenti prossimi; e poi continuando con i parenti lontani – Elisabetta; e una cugina dimenticata di Gioacchino, cugina di terzo grado di Maria, se non ricorda male: più o meno il grado di parentela che c'è tra lui e il babbo della Rosalba: arrivando infine agli apostoli, ai discepoli e vìa vìa catalogando fino a tutti i partecipanti al miracolo dei pani e dei pesci sul lago di Tiberiade, agl'invitati di Cana, ai vicini di casa di Cafarnao – *ecco* che finalmente spunta in una rada sconosciuta sopra il Gidòna, messa a conca tra il campo d'erba e il bosco. Un riparo di cui nessuno ha traccia, a quel che ne sa. «Curioso assai», pensa Adriano, «ma '*bono a ssapéssi...*» Incàmera l'informazione, un vantaggio in più nella conoscenza del Bosco; e si distrae ai saltelli e agli starnuti, struggenti, della Lilla. Che potrebbe – potrebbe – aver confuso du' cavolaie *che fanno all'amòre* con una starna.

Adriano inspira a pieni polmoni; e gli viene in mente che gli sarebbe piaciuto, fosse stato in grado, salvarli, tutti questi ricordi che lo rincorrono: queste piene di vita che gli precìpitano – come le cascate dietro l'Arlecchino, come un uomo che *voli* senza paracadute fino nel cuorenero della terra – direttamente nel nòcciolo antico della memoria. Costruendogli direttamente dei *déjà-vu* del *presente* che gli mangiano, dall'interno, qualsiasi premessa di nostalgia.

Gli sarebbe piaciuto, fosse stato capace. E intanto la Lilla tossisce il coriandolo che ha ingoiato azzannando a casaccio il volo *friabile* delle due farfalle.

# 33.
## NOTTE TRA IL 19 E IL 20 LUGLIO 1999 (9)

**Ranse Stoddard si muove a falcate strette –**

per essere alto un metro e novanta e *magro altrettanto* – da una parte all'altra della Main Street. Tra la polvere del deserto resa appena compatta dalla bruma sottile della notte al suo primo alzarsi.

Walter si alza chino fino al tavolinetto del televisore, prende le emme-esse e l'accendino dal piano di legno.

«Ma che fai?»

«... E mica se ne accorgerà per una, Giorgio...»

«Non è questo, è che non mi va, dài...»

Ranse Stoddard stacca dal muro i resti legnosi della sua targa di «procuratore legale».

Walter ri-infila il filtro della ms ancora non uscita del tutto dal pacchetto morbido e poi lo appoggia, completo di accendino bic, a zeppa tra lui e Fabrizio. Quasi a segnare il muro di fumo che avrebbe potuto esserci.

«Ché poi ti perdi il duello», dice Fabrizio.

Walter tira su dalla sua parte di pavimento l'ennesima lattina con cannuccia. Sorsa coca cola sottolineandolo a uso di Fabrizio.

Ai due che glielo chiedono, ieratico e a suo modo tronfio nello sfolgorìo cremoso del grembiule, James Stewart glielo spiega. «Sto aspettando Liberty Valance».

Nel pieno dell'attesa, la distrazione immediata di Walter si sposta di parecchie centinaia di chilometri. E questo, proprio quando Fabrizio si sta sentendo di nuovo riposseduto dal film.

«Oh... ma tu... ma *ciài* mai fatto caso che il duello di fra Cristoforo è dello stesso periodo di quello di Mercuzio Romeo e Tebaldo?...»

«... Che duello?»

«Nei *Promessi sposi*, quando frate Cristoforo... Lodovico, in realtà. Quando Lodovico fa il duello, muore Cristoforo e lui si fa frate... Se pensi alle date di composizione... Quando— Fra Cristoforo... se ipotizziamo che il duello lo fa intorno ai ventinove, trent'anni... Siamo nel 1600 o nel 1599... O nel 1601... E allora, se è vera la ricostruzione per cui Shakespeare ha scritto *Romeo e Giulietta* tra il '94 e il '96... ma considera che parecchi parlano anche di un altro paio... o tre anni *dopo*... il duello di *Cristoforo*... Insomma l'omicidio di Cristoforo e di quell'altro sono esattamente contemporanei del duello di Mercuzio Romeo e Tebaldo...»

Dal casale dei Morrelli arriva un suono che è a mezzavia tra un cigolìo e il rigurgito di un neonato che si perde nella frenesia della colonna sonora.

Walter succhia un altro po' di coca cola.

«E comunque, più rivedo il film, più mi rendo conto che un duello – tutti i duelli – sono una forma di danza... Pen-

sa ai *Duellanti* di Conrad... Al *Colpo di pistola* di Puškin...
Le schermaglie d'amore... Le danze di morte... Non vedi
come tutto è intrecciato?...... Sempre una chimica di qualche specie... l'elettricità che promana da un tango... O i
giochi d'amore di due che fanno ad acchiapparsi... Ma è
anche e soprattutto un qualche esercizio del potere... Un
esercizio del potere che può essere appianato in orizzontale o spuntonare in verticale, ma che sempre questo è...»

«...»

«O quando si sfiorano. È tutto *duello*. E riguarda l'amore quanto la morte. Vuole dire che la vita si fa *a scontro tra
due*. O non è».

# 34.
## 1° MAGGIO 2000

**Sta leggendo, sdraiato sulla pietra di Piazza del Campo,**

che le grandi agenzie di pubblicità statunitensi sono ormai persuase di dover rinunciare a opuscoli, pieghevoli, pubblicità cartacea, inserti su rivista: basterà colonizzare la posta elettronica di tutti gli utenti del mondo. La notizia gli s'*appaia* con l'altra, simile – il sole di maggio lo fotografa improvviso con una staffilata di luce in mezzo agli occhi, costringendolo a muoversi, un singhiozzo addominale che gli fa chiudere il giornale – che la TriSenx di Savannah, in Georgia, ha brevettato un programma in grado di scaricare *profumi* sul pc.

Il formicolare alla coscia destra lo costringe ad alzarsi, piano, il rovistìo del giornale che gli fa da colonna sonora con fruscìo. L'odore del futuro, si dice. E sinceramente non gli sembra un granché, come premessa.

Durante, una magliettona rosa già *sudata* – con su un fotogramma con Darth Vader, il padre oscuro che punta l'indice guantato e nero contro Carrie Fisher, la principessa Leia Organa, sua figlia segreta; una scritta in caratteri grandi: MY FINGER. E sotto, più piccolo: *Pull it* – jeans scoloriti che in qualche modo gli segnano l'ossessione della pancia; uno zainetto verde militare con il minimo indispensabile per muoversi a Siena: sta aspettando Andrea. In ritardo.

Il Campo ruggisce ogni tanto di una qualche frenesìa. Il Siena Calcio ha perso *ieri* l'occasione di raggiungere matematicamente la B. Con il Pisa. E ora la città intera, *a 'rròta di Palio*, si concentra a sprazzi sui preparativi della festa successiva, dì lì a una settimana, più o meno: l'incontro con il San Donà che dovrebbe portare i bianconeri in B dopo cinquantadue anni.

Durante ha già visto passare due gruppi sparsi di tifosi che trasportavano metri e metri di stoffe — il bianco e il nero del manicheismo senese, lo scudo della Città protetto dalla Lupa, quella commistione di miti che scuote Durante: e lo lascia sempre interdetto, al margine della sua appartenenza all'Oca *per direzione di contado*.

Sta pensando – il rosso delle bandiere del primo maggio che s'accalca dagli spiragli ad arco del Campo di sopra – che se Andrea ritarda ancora dieci minuti va al concerto di là dalla Stazione da solo, a sentire *i gruppi nòvi*. (Renzo dei Mattioli gli ha detto che *ciànno a 'esse* i Baustelle coi Virginiana: ma non gli ha spiegato né dove l'ha letto né quando; sicché potrebbe essere tutta una cazzata: com'è poi facile, nel caso di Renzo dei Mattioli.) Ma non fa in tempo a chiedersi – irrazionalmente, embrionalmente: un pensiero veloce e goffo come un cinghiale che scappi da un vecchio cimitero – se il ritardo di Andrea sia o no un qualche segno legato all'odore in arrivo del proprio privato futuro— che *La* vede.

Lei. La Sonia.

Ne distingue le tette e il sorriso, in quest'ordine, mentre lei gesticola divertita con una schiena – crede – femminile (i capelli marroni lunghi, lisci, sulla schiena, appunto, fino all'incavo del culo).

Sta parlando e mentre parla – a otto, nove metri dalla Fonte Gaia – ogni tanto alza gli occhi e li sposta ad arco, beccandolo di sguincio, più in basso, lui che già arrossisce al pensiero del sudore, della pancia e della foto sulla maglietta (in quest'ordine).

In realtà guarda verso di lui – questo Durante lo sa benissimo – ma non lo vede.

Soltanto. Lei, la Sonia, in questo preciso momento di maggio, con la luce del Sole che si accovaccia sul campo come una mongolfiera a esplosioni termonucleari di elio; mentre sorride, e gesticola, diventa per Durante il modello su cui si appoggeranno tutte le visioni di donne del futuro. Lui questo lo sa. Ogni volta, se mai gli capiterà di innamorarsi ancora, nel tempo che lo aspetta, le mani sudate e i battiti veloci del cuore, tutta la paccottiglia standard che il dio del terzo cielo riserva in kit agli esseri umani; se mai in futuro, quale che sia l'odore che lo raggiungerà, sarà in grado di gestire l'urlo dello stomaco di fronte all'amore: se riuscirà a fermarlo, e domarlo, fino ad arrendersi a quello che il suo metabolismo e i feromoni e l'attrazione da parte della donna di cui sarà innamorato prepareranno per lui: Durante sa che tutto questo sarà sempre, sempre misurato confrontandolo con la luce che vede *addosso* alla Sonia in questo preciso momento irraggiungibile.

E allora. Uno strattone allo zainetto. Le mani a stirare la foto di Darth Vader fino alla curva morbida della pancia.

Durante cammina in salita verso Fonte Gaia; l'amica di schiena della Sonia le fa un gesto di riavvicinamento di lì a poco – un *torno sùbito* a vortice con la mano destra – lasciando a lui la visuale di lei e alla Sonia il tempo esatto per inquadrarlo, lui che s'avvicina tra la folla.

Fosse inerzia da chiacchiera, illusione del Sole, foga della primavera, ipocrisia: la Sonia gli sorride, vedendolo avvicinarsi.

«Durante», gli fa. Come lo battezzasse ora per la prima volta.

Lui sorride di *sì*. Poi si lascia trasportare.

Non visti, lontani, suo zio Amedeo e Andrea stanno imboccando via Rinaldini *verso il centro* del Campo.

«Sonia», dice lui. Lei ha lo stesso sorriso solo *più interrogativo*. Non è quello che dice o si prepara a dire Durante. È il tono. C'è qualcosa nel tono.

«Io... io non lo so se... Insomma non lo so se faccio bene o no. Ma non m'importa. Io te lo dico...»

«...»

«... Io so' tre anni che so' innamorato di te. Ecco. Innamorato innamorato...»

«...»

«... E insomma te lo volevo dire, ché certe cose vanno dette...»

La maglietta è ormai zuppa. E le guance crede gli stiano per esplodere in tanti minuscoli brandelli di carne e di sudore *rosso*. Ma l'ha detto.

La Sonia lo guarda come se le avesse appena rivelato di essere Simone Martini in gita premio dal Duecento.

«Insomma. Ti amo, Sonia», le dice lui.

«...»

«...»

«Grazie», gli dice lei.

Poi, piano, sempre sorridendo, senza perdere un grammo di quella luce interdetta con cui l'ha accolto, muove la testa in su e in giù per salutarlo, in silenzio; e se ne va, di schiena, verso i deserti lontani e *inspiegabili* della Costa Barbieri e di via di Città.

*Ti amo. Grazie.*

Andrea – a un'ottantina di metri da lui – si accorge di Durante e fa cenno ad Amedeo di andarsene *pure*.

Se c'è solo gratuità da spendere nell'amore, pensa Durante, lui ha appena vinto un numero spropositato di tagliandini *sconto*.

# 35.
## 14 FEBBRAIO 2000

Milioni di antenati senza nome, forse, non sarebbero riusciti mai

a spiegarsi con esattezza quello che lui sta provando in questo momento. Le dita di Glenn Gould si sciolgono nell'ultimo tocco, i nervi tesi che si distendono in una magia riproducibile: eternamente variante, dipendente dall'umore e dalle giornate di chi quelle mani le possiede, ma *riproducibile*, se la magia è stata salvata per sempre; e quello che Apperbohr si ritrova all'angolo basso dell'occhio sinistro (la parola è *sinistro*) — quello che si ritrova all'angolo dell'occhio sinistro e che sembra rabbrividire, alla luce del sole al tramonto di questo pomeriggio di febbraio, quello che sente luccicare in scintille diffratte che somigliano alle albe luminose di brina sulle foglie dei castagni; anche se non può vederle: *anche se* avverte, distintamente, la scorza pelosa che già le trattiene, e le imprigiona in una

morte per acqua fatta di resa, e di spiagge di cuoio, *lui sa*
che quelle che sono scese in rigagnoli trasparenti dal fondo
giallognolo dei suoi occhi — perché ormai non c'è che questo, non basterebbero gli occhi nemmeno ad averne cento,
o mille, o milioni, *tutti i milioni di cinghiali senzanome* che
l'hanno preceduto fino a qui, raddoppiati per il numero
possibile di occhi; e questo anche se ci sarà stato, tra tutti i
parenti lontani i cui pezzetti si sono dati appuntamento in
Apperbohr, *ora*, *qui*, qualche cinghiale *guercio*, senza occhi, *cieco*, ci sarà stato: e ancora il numero di occhi che gli
servono, anche se triplicato, quadriplicato da una necessità ingestibile, e furiosa, il numero non basta, per raccogliere tutta l'acqua che ha trasformato il fegato ingrossato dei
suoi occhi gialli in *lacrime*. Il nome è questo. Ridicolo, pensa Apperbohr. Una cosa *così* e un nome ridicolo, stantìo
per tutti. Per gli Alti sulle Zampe, per i rvrrn, per i milioni
di rvrrn senzanome che non l'hanno mai saputo, cosa sono
*queste lacrime qui*, ora.

Apperbohr glielo vorrebbe spiegare. Li vorrebbe tutti
qui, *ora*, accanto a lui; magari sfonderebbe la porta nella
casa dell'Alto sulle Zampe, se fosse necessario per aiutarli
a capire. Salirebbe le scale, grugnendo. Si farebbe capire da
*lui*, dal ragazzo con i peli ispidi sulla testa che l'*altro* Alto
sulle Zampe chiama Andrea. *Ripèti*, gli griderebbe, sgrunfiando, e soffiando e colpendo di qua e di là le mura *di dentro* della casa con la testa, *ripèti*, griderebbe, grugnirebbe,
e alla fine il ragazzo capirebbe, *lui sì*, quello che deve fare.
*Rimettere la magia*, in modo che tutti i rvrrn senzanome
che l'hanno preceduto, ora raccolti in file interminabili,
ammassi di carne grassa alle prese con la masticazione, ad-
dormentati, uno Yehoshafat peloso di antenati sdraiati
sotto la finestra di Andrea, un numero immenso di occhi, e
di *orecchie*, sparso giù giù per tutto il vallone, e poi ancora

più in là, che invade la Scesa di Portarossa con i suoi grugniti, occupa la Chiesina dell'Ecce Homo, invade le *Fonti*, tutto perché Apperbohr li vuole lì. I fantasmi dei cinghiali che l'hanno *preceduto*, richiamati dalla loro inesistenza anonima, con un unico urlo a forma di *cinghiale*, la freccia rossa del tempo che gli circonda la cinta, e gli prosegue il nome sulla schiena, fino alla coda.

Se solo potesse richiamarli in vita per un momento, tutti loro, *forse*, grazie al ragazzo, riuscirebbe a fargli capire quello che ha *sentito* lui. Ché vivere senza poterlo spiegare alle ossa e alle pelli dure e ai peli e alla carne della tua vita non è uguale, manca la condivisione, e la gratitudine, e l'*abbraccio* agitato che Apperbohr cerca in ogni *wrgckhee*: *alle volte, come in questo momento*, riesce difficile anche a lui trovare la parola giusta, *alle volte* gli sembra che qualcuno abbia cambiato le etichette delle parole (*etichetta* l'ha scoperta da poco, passando davanti al negozio dell'Alta sulle Zampe che chiamano *Rosalba*, e *fioraia*, a Corsignano). Alle volte gli sembra che esistano parole giuste dai *significati sbagliati* (la parola è *significati*) — e che è vero anche il contrario.

Vorrebbe parlarne con qualcuno. Vorrebbe avere Llhjoo-wrahh accanto a lui, adesso, anche se *adesso* Llhjoo-wrahh è lontana, chissà dove, chissà con chi. Lui però *sa* che se ci fosse lei, qui, *adesso*, lei capirebbe. Anche lei vorrebbe far ripetere la *magia*; anche lei, *forse*, lo aiuterebbe a richiamare in vita tutti i rvrrn morti che da migliaia di anni lo proteggono e lo separano dalla sua solitudine senzanome. Tutti i rvrrn *passati*, e *anonimi*, che hanno corso i boschi tra Budo, e Corsignano, e Torracchio, e Taverne di San Biagio, quando ancora non esistevano i nomi per *chiamarli*, e tutto era Bosco, e ancora gli Alti sulle Zampe non sapevano dare nomi, confondevano anche loro le *etichette* delle pa-

role come le confonde ora Apperbohr, *adesso* che la magia
è finita e che le lacrime continuano a scendere, il loro nome
orribile per testimoniare una cosa così bella— pensa *maledizione*, Apperbohr: e per la prima volta ne coglie il senso
con tutta la forza che quel senso prevede.

Se solo foste qui, parla con i *suoi* morti. Se soltanto potesse succedere una volta, una volta soltanto, di essere in
grado di regalarvi i miei occhi e le mie orecchie per capire
la magia che è appena passata, come il sogno di un rvrrn dimenticato, come la luce lontana che sfólgora nel buio di
pianeti che non sono il nostro; e che non sono soltanto il
Bosco — che per noi rvrrn è sempre stato abbastanza, ma
non è *tutto*. Se solo potessi, una volta, una volta soltanto,
ripagarvi di tutte le vostre vite *passate* su queste terre di
funghi, e di neve, *quasi solo perché io alla fine potessi tro-
varmi qui*, per caso, e fermarmi sotto le finestre aperte della *magia*.

«Nella prima incisione, quella d-*eel* 1955, è come se
Glenn Gould... a *vé-ventitré* a-*anni*... ancora co-*on* la provincia ca-*ahnadese* ficcata nel genio... co-*ome* se ne avesse
bi-isogno per *reggerlo in pie-edi*...», aveva detto la voce di
Andrea, dalla finestra. E lui non aveva capito sùbito tutto,
un'ora e venti prima, *più o meno*. (Ottantatré minuti e tre
secondi prima, se solo l'istinto di Apperbohr potesse confi-
dare anche nel lustro, accessorio, di un orologio atomico
interno.)

«In que-*ella* del *cinquantacinque*», aveva continuato la
voce di Andrea, «è *co-ome* se Glenn Gould parl-*aasse* con
Bach... La sfro-ohntatezza del genio ch-*ee* parla da pari ap-
pàri con un *ahal-tro* genio... ...», Apperbohr non poteva
saperlo, ma Durante aveva annuito, ascoltando.

«In quella de-*el* milleno-*oovecentottantùno* è *co-ohme*
se Glenn Gould parlà-*ah*sse con sé-*e* stesso di Bach... ormai

invecchiàato... no... aspetta... *sì*... come volé-*esse* raccontarsi la vita passata *attr-aahverso Bach*...»

«E ora quale mi fai sentire?», aveva chiesto la voce di Durante. Apperbohr sapeva *già* che c'era anche l'*altro* Alto sulle Zampe con pochi peli in testa; perché ne aveva sentito l'odore.

«*Quella*—», e c'era stato uno schianto, dall'altra parte della casa. Un portone sbattuto a forza, un carro contro un muro, un cavallo ucciso a randellate, Apperbohr non avrebbe potuto dirlo. Quello che sapeva era che la *notizia* (la parola dovrebbe essere *notizia*) che lo riguardava si era persa nel *dellhhl* scomposto della strana *parlata* (la parola dovrebbe essere *parlata*) di Andrea.

Poi lo schianto s'era sperso insieme alle maree, leviataniche, delle lune di Giove; i fuochi ultravioletti dei Pilastri della Creazione, con le loro dita gassose che si muovono nei giardini della Nebulosa Aquila. La magia che usciva dalle finestre di Andrea, e di Durante, i rintocchi di luce che giravano a vortice nell'aria fredda del pomeriggio, mentre la neve cadeva – una nuvola spugnosa, e una nebbia di vapore che sfilettava le cerniere verdi e venose dell'Arlecchino in tante spine grigie, e spumose, quasi fosse il fiotto di schiuma di balene fantasma – si fermavano sui rami come farfalle gialle, e luminose, destinate a una morte *prematura* e *sciagurata* sulle prime balze delle Montagne della Creazione, sempre lo spazio lontanissimo e perduto delle origini – Cassiopea, in questo caso particolare – il lenzuolo di seta rossa del tempo a coprire le leggerezze di Dio, il fiume scuro che regala buio ad Antares, *fino a non trovare più luce*, se non in questi scocchi che le dita obbligano ai tasti, la rincorsa della magia da un lato all'altro del tempo, come se bastasse un movimento *di qua*, o *di là* dalla morte, per richiamare in vita tutte le luci che hanno attraversato il tempo dal primo vagito dell'universo, dai miliardi di anni che ci separano dall'inizio al *qui* e *ora* di questo rigo nero e *grasso* nel paesaggio piovigginoso di Corsignano.

*Musica*, è la parola, si dice Apperbohr.

Se solo potessi, si dice, se solo fossi in grado di raccontarvela. Si dice. E sta parlando con i suoi morti. Ora non li vede più, ma sa che ci sono. Se li sente addosso, gli zoccoli di tutti loro a battere il tempo del *tempo passato* sulle strade, polverose, dell'eternità.

# 36.
## 8 GIUGNO 2000

**La generazione sfortunata di Carola Giacchetti,**

in questa tardissima primavera dell'ultimo anno del secolo ventesimo, è ancora alle prese con i suoi giochi da carrello del supermercato (per la precisione: l'Ipermercato Panorama di Querce al Pino, una frazione di Chiusi, alle 2.27 del pomeriggio); in collo a sua madre Federica, le braccia tese e il corpo interamente votato all'abbranco dell'asta cilindrica di colore rosso magenta che serve a sua madre – per l'appunto – a spingere il carrello per ora semivuoto. (Se si escludono i due pacchi di zucchero eridania che attirano, con il loro rosso corallo ancora più attraente del magenta dell'asta, l'attenzione della bambina.)

Non ci arriva, Carola Giacchetti; il suo anno e mezzo alla fine poggiato, con attenzione, sullo sgabellino retrattile del carrello da una letteralmente sfiancata Federica Cairoli, già quasi nonpiù – le lungaggini punitive cattoliche della giurisprudenza italiana – Giacchetti.

«Buona però, ora, eh?»

Appena deposta, il clan-ft della seggiolina a segnare la sicurezza di Carola; le due gambe minuscole – anche troppo magre, per la sua età – accomodate dentro le due aperture rettangolari tra le graticelle, Carola si dimentica sùbito dello zucchero alle sue spalle. Preferisce aggrapparsi alla catenina d'oro della madre, tirarla con un gesto vago del gomito da charlie's angel *più che minorenne* alle prese con un assalitore invisibile; e strappargliela via, in sostanza, con rumore ticchettante di immaginetta d'oro che cade sul pavimento del supermercato.

La generazione sfortunata dei nati alla fine del Novecento, in Italia – ma sarebbe arrogante; e difettivo di verità, ascrivere la sfortuna alla sola nazione che, per caso geografico, contiene Corsignano – qui incarnati dalla figuretta sorridente di Carola (ma la nonna materna si ostina a chiamarla Caròla, nonostante le correzioni infastidite della madre, sua figlia: le gerarchie intrecciate in cui tutti, tutte hanno la certezza deviata di essere dalla parte della ragione) – la generazione sfortunata che, a differenza di altre, nasce con Carola e insieme a lei erèdita il peggio della mancanza di futuro dei suoi nonni (e dei suoi genitori), può ancora permettersi il lusso, in quest'ultimo otto di giugno del secolo, di dimenticarsi dello zucchero e di sperperare l'oro che si ritrova in mano. Anche se lo zucchero, va detto, è inscatolato e quindi *ingestibile*, in una realtà fondata sulle leggi di ipermercato come quella frequentata dalla bambina; e l'oro gettato via, in realtà, ha un valore solo simbolico, e nominale, perché l'immaginetta di Santa Caterina da Siena regalata da Marcello a Federica nel primo anniversario del loro matrimonio è solo *bagnata* d'oro – un bagno leggero e sottilissimo: Caterina in preghiera, gli occhi rivolti in alto a destra verso il xx del Paradiso: potrebbe essere chiunque, se non fosse che, in lettere piccolissime e sgangherate, c'è scritto SCATERINA: un'abbreviazione mancante che addirittura la spersonalizza mentre la celebra in effigie – e in realtà è un sassolino di zinco la cui natura Federica scoprirà solo tre giorni dopo, andando dall'orafo di Torracchio a farsi rimettere a posto l'anello di giunta della collanina.

(Né si giudichi male il suo quasi ex marito Marcello; ché non è avarizia la pena che dovrà spuntare a colpi di croce in Purgatorio; è la stupidità nel *giudicare*: ma di questo neppure Dante ci ha lasciato un girone specifico.)

Una generazione sfortunata, quella di Carola Giacchetti; che ancora non sa, in questo giugno ventoso dell'anno Duemila, che le ricchezze che di qui a poco, per quasi dieci anni, verranno celebrate in tutto il Nordoccidente (per quello che significa) come magnifiche, e progressive, sono in realtà già finite dagli anni Settanta della prima crisi energetica e del collasso *golden standard* (per quello che ha mai significato).

Cose che sapevano bene, e con ricchezza di particolari, tanto Ronald Reagan quanto Margaret Thatcher (per quello che significano) quando hanno dato il via all'economia di finzione; in tempi incerti e leggeri e frenetici e aerosi come piume d'oca, saldi come capelli al gel verde che offrano la loro pettinatura all'Uragano Katrina *in preparazione* pensando di salvarsi con il sorriso ottimistico di Rick Astley; anni in cui ancora Carola non era neppure «un progetto nella mente di Dio» (Marcello), né «un'inesistenza dimostrabile a mezza strada tra gli spermatozoi *ancora da produrre* di suo padre e un ovocita *ancora da espellere* di sua madre» (Federica, alla fine della sua convivenza con Marcello: quando rivelargli a voce alta i suoi dubbi sostanziali sull'immacolata concezione, sulla transustanziazione, sulla resurrezione e su qualsiasi altro dogma cristiano in -*zione* non era già più il peggiore dei mali, per lui).

Cose che sarebbero state ribadite altrettanto bene passando agli anni Novanta del *loro* scontento, alla finanza di finzione (la festa grassa dello zucchero e dell'oro promessa a busse aritmetiche di derivati e di zecchini da innaffiare); fino a questa bambina qui, Carola Giacchetti, che ascolta divertita il mormorio di sua madre – dal basso del pavimento, il viso di Federica a cercare santacaterina – «Santocièlo Carola, e sta' buona, però... ... t'ho detto buona, *no?*» (dove il *no* finale ipotizza una speranza pedagogica destinata a fallire sul nascere).

«Ecco». La voce dall'alto è quella della Silvana, ma lì per lì Federica non la riconosce. Alza il viso e resta abbagliata dalla luce al neon al soffitto; la figura che le porge *qualcosa* – è l'immaginetta di SCATERINA ma per un attimo Federica a malapena vede la mano che gliela offre: e il movimento del braccio è un colore bianco sfocato – si trasforma nella camicetta a maniche lunghe della Silvana, ora che i fosfeni girellano sempre più sbiaditi; come minuscoli gremlins in un vecchio episodio di *Amazing Stories* uccisi dall'*introspezione al buio* della pellicola.

«Graazie», dice Federica rialzandosi, il tempo di farsi passare l'ovale di zinco-oro dalla mano sinistra della Silvana alla sua. Quello che vede – quello che mettendo a fuoco sempre meglio può vedere – è una donna di quarant'anni che un tempo (anni prima: cinque, sei) le è stata abbastanza amica da *frequentarla* con discreta assiduità; ma non così amica da permettere a tutt'e due di continuare a frequentarsi nonostante gl'impegni, i matrimoni, il lavoro e il semplice scorrere, inevitabile, degli anni (ché degli amici resta comunque il più cattivo). Con il dipiù miserabile, un anno prima – appena prima di tradire Marcello per sempre, sei mesi dopo la nascita di Carola – di un biglietto spedito con una telefonata senza nemmeno il coraggio di chiamarla, la Silvana. Dopo la morte di sua figlia Rosa. Questa la vergogna che Federica ancora sentiva, acuminata e distratta come un *tacco da tango* sulla punta precisa dell'alluce; che magari si avverte quando il piede che ha colpito è già lontano, *ma certo* rimane addosso parecchio.

«Ho... *Ho saputo*», dice Federica, ormai in piedi. Una mano a cercare – senza trovarla – l'asta magenta del carrello; Carola che grida *ooh-vèèdi* alla terza fila dello scaffale alla sua destra, quella della frutta sciroppata.

Ha proprio detto così; se ne accorge mentre la Silvana – i capelli neri di sempre, solo una traccia leggera di *ricrescita* alle radici; il seno gonfio, e pieno, *di sempre*, una vaghezza pungente che riporta all'idea, appena sussurrata, di cedimento: quasi fosse il fischio di un vento guascone in un palazzo della memoria pronto per una demolizione controllata — mentre la Silvana accenna, con la testa, un movimento che non è né sì né no: dà *solo* una blanda idea di assenso che andrebbe però confermata. Ha proprio detto così, «ho saputo».

«M'è dispiaciuto per te e per Marcello...», le dice la Silvana.

«Ma n*n*o, volevo...»

La Silvana fa una cosa che lei non s'aspetta. La gonna marrone che le si muove addosso per due passi, il carrello con la *sua* spesa lasciato dietro di lei.

«Tranquilla, Federica. Sta' tranquilla».

Le prende le mani nelle sue. Le mani, che Federica – una volta sfuggita dall'appiglio dell'asta – non sapeva come muovere, sono ora ferme, sospese; tenute a mezz'aria dalla conca accogliente delle mani di lei.

«Non ti preoccupare. Davvero».

A Federica, in questo momento, verrebbe da piangere. Lo sente, un grumo caldo che le si scioglie sulla soglia millimetrica della *porticina stretta* del sacco lacrimale. Le succede fin da quando era bambina. I suoi momenti di commozione; i suoi rarissimi momenti di commozione *visibile*, ed *esterna*. Sono sempre accompagnati dallo stesso fenomeno: una freddezza lineare che esplode — mentre sta parlando normalmente, mentre ascolta ancora sorridendo una storia che è già vólta al dramma da tempo.

Ma. Ora. Non. Deve. Succedere. La sequenza di punti fermi le dà la forza di respingere lo sfogo in arrivo. Carola canta a modo suo *uooohd a uondherlll uooor*. Ma la musica è quella del Tg3 della sera. Federica lo capisce, e per fortuna si distrae il giusto.

«Non devi— dire niente. Non c'è bisogno...»

«Scusa», rincàra invece Federica. «È che la bambina, *poi*...»

Sempre tenendole una mano, con l'altra Silvana fa quella che potrebbe sembrare una carezza sulla spalla destra, e sul collo, di Federica. E che invece si trasforma in una stretta vulcaniana leggera leggera.

«Non mi devi dire niente», ripete la Silvana. E nella sua voce c'è *esattamente* quello che sta dicendo.

Tredici mesi prima, più o meno. Il ventiquattro di maggio del 1999. Sua figlia Rosa, di dieci anni, è uscita di casa per andare a scuola, alla Grazia Deledda di Taverne di San Biagio, in un giorno incerto in cui l'assenza della maestra De Luca per un'ora – analisi del sangue – permette ai bambini di entrare alle nove e un quarto. L'aria della primavera s'è fatta sentire nell'ostinazione oscillante delle serrande, per tutta la notte; e Silvana e suo marito Guido hanno fatto l'amore dopo tre quattro mesi che non si sfioravano neppure (la stanchezza, i due bambini: Rosa di dieci e Giulia di tredici anni), danzandosi sopra una con l'altro al ritmo telegrafico delle assicelle di plastica. Quella mattina, con Giulia già a scuola – è uscita come tutte le mattine alle sette e quaranta: le medie sono a duecento metri da casa, ma Giulia ci mette più di mezz'ora di chiacchiere con le sue amiche, a Silvana non dà fastidio, anche se alle volte le piacerebbe fare colazione con tutt'e due le figlie insieme, visto che c'è già Guido che esce di casa prima delle sei tre volte alla settimana, quando ha il primo turno in vetreria; e se i turni sono diversi *dorme* – con Giulia già a scuola e Rosa che sciabàtta divertita tra le stanze, vuote del disordine luminoso del più bel Sole dell'anno, per la prima volta da mesi, Silvana si sente realmente, *sicuramente* felice della sua vita. Se potesse decidere *ora* di descrivere con distacco quello che ha provato *allora*, direbbe forse – di fronte a certe svolte nel tempo non c'è più tempo per le digressioni pausate della delicatezza – che quella mattina (fosse la gioia tiepida che ancora si portava dentro per il sesso *buono* fatto con Guido, fosse il senso smarrito di spossatezza che la primavera le permetteva senza sensi di colpa) lei ha dato per scontata – e, soprattutto: meritata, e inattaccabile – la sua famiglia. Ora. È evidente che, nonostante la verità intima e rivelatrice brandita da Silvana, quello che lei rivelerebbe, se *ora* dovesse descrivere quello che ha provato *allora*, non è del tutto esatto. Non basterebbero le ore, per convincere Silvana che è così. Ma è così.

Silvana si ricorda di aver visto l'ora sull'orologio a parete della cucina: erano di poco passate le otto e mezza, saranno state le otto e trentadue, le otto e trentatré – ha salutato sua figlia, lo zainetto a proteggerle la schiena, la treccia di capelli sporchi, la tuta grigia con le doppie strisce bianche sui pantaloni e sulle braccia. «Ciao Silvàna», le aveva detto; chiamandola con il nome *proprio* che riservava allo scherzo di distanza tra loro. Inesistente, una distanza ancora lontana da quel rifiuto adolescente che ci sarebbe stato, prima o poi; e le cui avvisaglie Silvana trovava già in Giulia senza esserne preoccupata.

Quella mattina del 24 maggio 1999 – l'aria calda che arriva dal rimbalzo di monte che c'è tra l'Arlecchino e il Colle dell'Alfiere, e che poi si slarga, allagando la piana fino a Torracchio, per poi risalire, tiepida, fin sotto le finestre al primo piano della sua casa, all'inizio delle Taverne, come dicono *qui*, le finestre *a dare* sull'accenno di bosco che poi si ricongiunge alla *pietraia* e ai campi di granturco degli Antenati, uno spiraglio di sole di maggio che sembra farsi vivo al suo davanzale – Silvana si sente talmente tranquilla da violare il patto fatto con sé stessa. Non che ne avesse parlato con Guido: né lui le ha mai rimproverato qualcosa, vista l'esiguità extrastatistica del *vizio*. Ha deciso di smettere di fumare; e infatti il pacchetto è sulla mensola del caminetto, in salone, da dieci giorni. Ma stamattina capisce che *si merita* una sigaretta. Il televisore acceso su una replica di *A-Team*, un Templeton Peck in grande spolvero che parla con un Hannibal Smith bogartiano in smoking bianco, Silvana va in salone, prende il pacchetto dalla mensola, tira fuori una marlboro light tra le altre insieme con il bic nel pacchetto. L'accende di gusto e, alla terza boccata, mentre da Italia 1 arrivano gli spari, squilla il telefono.

Quella mattina del 24 maggio del 1999, in via Vespucci, all'altezza del fioraio, *più o meno*, mezz'ora prima degli spari su Italia 1, c'è stato un incidente. A quel che hanno scritto i carabinieri della Caserma Mapprenda di Budo sul verbale *aggiuntivo* d'inchiesta, «Rinaldi Rosa», nata a parola altra parola e residente a parola parola e figlia di parola altra parola poi un'altra parola e un'altra è morta sul colpo cadendo dal «Malaguti Phantom F12 50cc di Riccarelli Paolo» nato a parola altra parola parola parola. Alla Silvana e a suo marito è bastato leggere quell'unica parola diversa dalle altre, deceduta, che è poi la traduzione burocratica che usa la *morte* per farti capire che t'è arrivata addosso, e ti ha cambiato anche la lingua che hai usato fino a quel momento; come se t'avesse trasportato, all'improvviso, da casa tua in una nazione straniera in cui non sai, non puoi spiccicare parola; e dalla quale non puoi fare ritorno, nemmeno tu; e però *non è* la stessa nazione dov'è andata tua figlia, una volta deceduta.

La mattina dopo Federica le aveva mandato un telegramma telefonando al 186. E poi non l'aveva cercata più. Se ne sarebbe vergognata per sempre.

La vita senza compromessi di Carola – le braccia e la testa che si muovono scoordinate come se appartenessero a due bambine diverse – grida alle pesche sciroppate qualcosa che potrebbe essere interpretato come *ospedale*, o *sperare*, o *spirale*: a seconda dell'enciclopedia interiore (e dell'udito) di chi ascolta.

«Io però scusa te la chiedo», le ha detto Federica, mettendo un pacco doppio di riomare dietro le spalle di Carola – che ha cercato di afferrarle al grido di *jovòjo*, evidente retaggio di quella stessa smania schopenhaueriana che si nutre e si alimenta del vuoto di sé stessa – e spingendo il carrello verso il carrello di Silvana; le mani di Silvana già slegate dalle sue, le due donne che hanno ripreso a camminare lungo il corridoio dell'Ipermercato come si fossero date appuntamento lì per la spesa.

«Non ce n'è bisogno... ...», le fa Silvana. Il carrello pieno di chi, a casa, ha almeno una figlia e un marito. «Tutti...

Tutti quelli che mi sono... Non so come dire... Mi sono stati accanto... Persone meravigliose, eh... ... Ma io... E anche Guido, sai... Stiamo— Stavamo per soffocare... ... E non lo possiamo fare...»

Federica annuisce. Carola addenta sbavando la meraviglia circolare e rossa dell'asta.

«Non possiamo farlo per Giulia. Non possiamo farlo per Rosa...»

Sentirla parlare così – le occhiaie ormai calcificate che le segnalano una frequentazione assidua del librium, o del cipralex – la disturba. Non è in condizione di reagire, evidentemente: un po' il senso di colpa – e l'impossibilità di capire il tipo di dolore che si nasconde, canceroso, nauseante, dentro e dietro questa pàtina di condiscendenza – un po' lo stordimento che l'atteggiamento semizen di Silvana le procura. Quasi le verrebbe – le fìsime cattoliche di Marcello spingono una parte di lei nel recinto, sgarbato, della generalizzazione – di chiederle se frequenta qualche gruppo spirituale, qualche confraternita che *le fa bene* inventandole che sua figlia Rosa *sta bene*, o che ha raggiunto una dimensione superiore di indaco e cinnamomo; o che se vuole può mettersi in contatto con lei leggendo i fondi del caffè, o facendosi crescere i peli delle gambe come antenne puntate telepaticamente contro gli elohim. Poi respira, ché non le sembra il modo migliore di rispettare una vecchia amica che ha perso una figlia discettando sulle manchevolezze evidenti della sua elaborazione del lutto.

«Sai, Fede», la Silvana è già tornata al vezzeggiativo di un tempo. «Per quanto ti sforzi, e io mi ci sforzo, sai?...», il nuovo tono l'ha già precipitata in un mare abissale di recriminazioni. «Che ne sai, eh? Ora per colpa dell'astio non del tutto rientrato per tuo marito... per il tuo ex marito ti permetti di giudicare, sùbito, sei diventata *una che giudi-*

*ca...*», si dice, tutto nel breve periodo fonetico di un *mmh* di conferma alla Silvana che la sta ascoltando. Carola batte pesantemente con la fronte contro l'asta rossa, ma si riànima sùbito, le due donne non si accorgono di niente e Carola se n'è già dimenticata distratta dalla ripetitività, inquietante, dei barattoli di polpa di pomodoro.

«Per quanto ti sforzi... Chenesò... Puoi diventare nobel per la chimica pilota di aerei tossicodipendente portinaia professoressa di educazione fisica proprietaria di una giostra ambulante, qui in paese sarai sempre la Silvana, *quella* che ha perso una figlia... ...»

Federica ha già rinunciato dall'inizio del corridoio, dall'incontro con la Silvana, all'idea di poter fare la spesa. E per questo imboccano entrambe, l'una accanto all'altra (finché l'ordine inventariato della fila glielo permette), il tunnel immaginario che le porterà alla cassa 9. Guarda negli occhi la sua vecchia amica e non sa che dirle. Annuisce, ma è come se la Silvana non fosse capace di pronunciare tutti i suoni che servono. Federica avverte, senza sentirlo veramente, un brusìo di fondo, un ronzìo rumoroso, uno di quei fastidi notturni che, una volta individuati, non ci lasciano più in pace e ci decàpitano il sonno (i rivoli di pioggia che sgócciolano dalle grondaie, l'abbaio basso e costante di un cane, da valle a valle, le notti pulite d'estate).

«Le senti, le *occhiate*, Fede. Le senti».

La pesantezza irrisolta della pietà, quando arriva attraverso gli occhi alla frequenza di 160,2 GHZ e scava nelle ossa la sua nicchia di fondo; lo stesso rumore del vento sulle assicelle delle serrande, le notti dei maggi passati, senza la fuga e il conforto di un ritorno anche raffazzonato: un istante solo, il rumore si spegne un secondo, tu ti giri sulla porta e mi dici: «Ciao Silvana».

Appoggiato alla cassa, lo strillone di carta dell'*Eco della Chiana* sembra il correlativo oggettivo di un *Full Metal Jacket* girato da Stanley Kubrick e però montato da Lafayette Ron Hubbard.

---

## L'Eco della Chiana

PROSEGUONO LE INTIMIDAZIONI
DA PARTE DELLE FORZE DELL'ORDINE
DOPO LE RIVELAZIONI FATTE DAL
NOSTRO GIORNALE A PROPOSITO
DEI MISTERIOSI
"CERCHI NEL GRANOTURCO"
DI VIA DELLE SPIGHE A
**CORSIGNANO**

**I coniugi Fucecchio vogliono
LA VERITA'!**

"Continueremo a combattere per la libertà dell'informazione e per non farci mettere il bavaglio", dichiara il Nostro Direttore ai microfoni del TG3 Regione.

(in *Cronache*)

---

Accanto, il contraltare verde e crema del *Corriere dell'Umbria*: «CONTINUANO LE RICERCHE DEL CARICO DI MANGIMI ALLA DIOSSINA. IL PUNTO SULLE INDAGINI DEI CARABINIERI DI PERUGIA».

«Quello che mi fa più paura», le dice la Silvana voltandosi verso di lei – a una distanza di carrello *più* bambina di schiena – «è che tutti i giorni mi aspetto che *poi finisca...* Che tutto questo non sia definitivo, capisci?»

Qui davvero Federica non sa cosa dire; trascinata com'è, di peso, nel più largo e profondo degli abissi umani cui dare del *tu*.

«Pensaci un giorno per volta», le dice. E si convince, immediatamente, che la Silvana prenderà la sua bambina e la scaraventerà contro la parete a scaffale dei liquori; ne è talmente convinta da fare un gesto di protezione *verso* Carola che lei scambia per un gioco nuovo, e afferra la stoffa della camicia blu della madre dicendole *vramma*-ee-lo-*vòjo*.

Invece le occhiaie della Silvana fanno cenno di sì con la testa, poi si rimettono in fila. Il dolore ha una tale fame, brutale, bestiale, perennemente inappagata, da nutrirsi con soddisfazione anche degli avanzi; anche di quelli gettati per sbaglio, e destinati all'inferno concluso della spazzatura. Il dolore è come un cerchio cui manchi un punto per saldarsi in sé stesso, e che ha scoperto che può vivere spezzato e però *saltare*, per *raggiungersi*, ogni volta trascinando con sé i punti che si porta dietro. Finché non resta più niente, solo una traccia geometrica senza dimensioni di quella che è stata la nostra vita.

Sulle colline di là da Budo, una scorreggia di Neekwjjam fa trasalire Apperbohr, alle prese con un'annusata di trifoglio. L'odore buono della mentuccia spesso non può nulla, contro la digestione lenta dell'universo.

# 37.
## 17 APRILE 2000

*(Il luogo dell'incontro è, come al solito, alla radura*

*dei Graar-ar; anche se, quando i rvrrn s'incontrano, i cervi cercano di stare più alla larga possibile, alle volte si gettano corna intrecciate e tutto nell'acqua bassa del Nardile – che passa di poco lontano – altre volte millantano una possibile lotta che non ingaggiano. L'ambientazione è tipicamente pomeridiana; tipicamente primaverile — la primavera che s'insinua nei boschi di Corsignano quando l'aprile più desolato non ha ancora fiaccato le fungaie; e il fango di pozza dei cinghiali è ancora evitato dai rvrrn, pure nel momento di maggior caldo. Si può immaginare di arricchire la scenografia con* spargimento *costante di pollini, magari con un cannone per la neve ricollocato* ad hoc. *Partecipano alla scena, in semicerchio e in quest'ordine, guardando l'emiciclo di fronte e partendo da sinistra:* Apperbohr *e* Mm-eerrockwr; *poi* Neekw-jjam *e* Feenz-sstnér *e* Chraww-nisst.

Llhjoo-wrahh, *incinta, è vicina ad Apperbohr; di poco defilata dietro di lui, a qualche passo da un elce.* Partecipa al raduno, naturalmente; ma ha anche bisogno di sentirsi protetta dall'ombra dell'elce e dal semicerchio di rvrrn *che compongono la sua famiglia allargata. Si può immaginare di rifinire* – appunti per il trucco – *quello che Apperbohr alle volte immagina come il* guizzo biondo *di peli sugli occhi e sulla fronte di* Llhjoo-wrahh *con la stessa rifinitura giallodorata del corteo di aureole che attorniano* La Maestà *del Palazzo Comunale.* Più o meno. *Di fronte all'*emiciclo famigliare, *il coro dei rvrrn. In lontananza, potremmo immaginare dei manichini – magari in legno lo scheletro, rifinite in gommapiuma e plastica le fattezze – raffiguranti* Andrea, Federica, Durante, Fabrizio, Walter, La vecchia *Antonia,* Arletta Traversari, Marcello *ecc. ecc. Si dovrebbe pensare anche a come nascondere l'addetto ai movimenti.*)

Ed èccomi quì a sostenère a paròle sonànti
Le paròle dell'àltro *rvrrn* che chiàmano Àpperbohr.
Io dìco e a paròle più cònsone cèrco di fàre
Attènzione a quèllo che vuòle poi intènderci Àpperbohr.

APPERBOHR

Quèllo che dìci mi tròva col cuòre in tumùlto
O Amìco mio càro e sodàle di tànte battàglie!
Hò già più vòlte ridètto in quèst'assemblèa
E lo ripèto anche adèsso che il tèmpo richiède
Là giusta dòse di ascòlto e dì comprensiòne.
Ècco vi dìco che il tèmpo è ormai giùnto, solènne!
Tenètevi strètti e ascoltàte se pàrla qui Àpperbohr!

Nòi ti ascoltiàmo ma invèce tu pàrli in enìgmi,
Ingànni col ruòlo preziòso che adèsso è di Mm-èer-
rockwr!
Ma nòi non possiàmo più règgere a quèste pretèse:
Ribèllano i fuòchi coi fuòchi che andiàmo appiccàndo.
O tù ci ridìci perchè noi dobbiàmo seguìrti o... ...
Dov'è che ci hai dètto Apperbòhr che dobbiàmo se-
guìrti?

MM-EERROCKWR (*cambia ritmo*)

Non vi hà ancora chièsto null'àltro che tèpido ascòlto si-
lènte!
O davvèro quellè vostre orècchie riempìte di gràsso e di
pèli
E quei cùli lardòsi che avète impedìscono il vòstro ca-
pìre?

(*Segue un mormorìo che non è tanto di offesa quanto di
stupore; visto che, in una prospettiva non-ironica e perlopiù* letterale: *a conti fatti la conformazione fisica di Mm-
eerrockwr, agli occhi del Coro dei* rvrrn, *non è tanto diversa dalla loro.*)

APPERBOHR (*su sollecitazione improvvisata di Mm-eerrockwr cambia ritmo anche lui*)

Troppo scùra è la vòce di Mm-èerrockwr se pàrla agli
accòrsi in radùra.
Òra riprènde il discòrso ai fratèlli con suòno più giùsto.
Rìcorderànno i rvrrn che il nòstro riprènderci il cìbo

Àccumulàndo catàste che sègnino il nòstro passàggio
Ha già procuràto notìzie nel mòndo in cui vìvono i
mhrhttrh*rsh*!
Hò per quèsto bisògno chè il vostro impègno matùri;
Ràccoglierèmo poi i frùtti pèr tutte lè barricàte
Àccatastàte nei luòghi in cui troviàmo per pàsto
Tùtte le mèle e il grantùrco che i mhrhttrh*rsh* trarrèbbe-
ro a sè!

(*Il Coro dei* rvrrn *si lascia prendere dall'agitazione: i famigliari di Apperbohr, in qualche modo compartecipi della sua* appercezione, *tendono a divagare, infiammando la
frenesìa del Coro dei cinghiali.*)

APPERBOHR (*cercando di placare gli animi surriscalda-
ti; prima rivolgendosi al cerchio più stretto, poi* allargan-
dosi)

Non fàte, Vi prègo più chiàcchiere stòrte! Oh fratèlli, il
pòpolo *rvrrn*
È stànco di tròppe paròle e vorrèbbe quei fàtti che sòli
Verità van cercàndo ed aiùtano il mòndo a compòrsi da sè
In un cèntro più sòlido e nuòvo di paròle e di vìta da
dìre.
Io non crèdo che mànchi ora a Mm-èerrockwr la costàn-
za a spiegàre il raccònto.
Ma vediàmo se è chiàro l'aiùto che ripàrte già ognùno di
vòi...

CORO

Perchè non ci dìci a che fine vuoi l'aiùto di ognùno di
nòi?

Ancòra non ci hài rivelàto i motìvi che spìngono Àpperbohr
Per bòschi e per stràde rupèstri e attravèrso i recìnti dei
mhrhttrh*rsh*!
... E poi perchè non ci hai mài rivelàto i motìvi che spìngono Àpperbohr... ...?

(*Fa per intervenire Llhjoo-wrahh, che si avvicina ad Apperbohr, gli si affianca. Apperbohr non le dice nulla: tanto
sa già che deciderà da sola cosa fare. Llhjoo-wrahh, l'ancora piccola evidenza della sua prossima maternità, si muove
verso il centro del cerchio, sbruffa, arcua lo sguardo cercando uno per uno i rvrrn che hanno appena parlato nel
coro... Poi grugnisce, infastidita, volta le spalle al Coro e ritorna sotto l'elce, ancora più all'ombra; come se sdegnasse
tutta la parte di là dall'emiciclo di famiglia.*)

APPERBOHR

Già vi dìssi più vòlte che il fine è una lòtta comùne che
esèmpio
Mòstri nel tèmpo ai rvrrn (... a chiùnque di lòro verrà
E sarà ìn questo bòsco che ormài più nessùno di nòi
Avrà peli a asciugàre nel sòle, né grìda da dàre alla lùna...)
Còme vi pòsso spiegàre in un mòdo che pòssa fugàre
Coi dùbbi anche il dùbbio più grànde: che Àpperbohr
crèda sé stèsso
Il rvrrn divèrso dagli àltri: ma quèsto davvèro non è.

MM-EERROCKWR

Ma adèsso concèdi un momènto chè io intervènga di
nuòvo.

Òra a paròle è già chiàro il sènso di quèllo che dìci.
Sè lo propòni di nuòvo, si pèrde anche quèllo che c'è.
E il pòpolo rvrrn si decìda. Con tè oppure còntro di tè.

(APPERBOHR, *un mormorìo*
Vi chièdo Fratèlli di èssere pronti a combàttere
Vi chièdo di fàrlo fidàndo nellè mie paròle.
Vi chièdo Fratèlli di èssere pronti a combàttere)

(*Nel pieno della* baraonda, *con Nèekw-jjam che si muove a fare da scudo ad Apperbohr, Feenz-sstnér che indietreggia verso Llhjoo-wrahh e intanto controlla i movimenti del Coro; con Chraww-nisst che si distrae con gli stessi
occhi strabuzzati di Latka Gravas e Mm-eerrockwr che
ruggisce:* sipario.)

# 38.
## 14 MAGGIO 2000

«Ricòrdati sempre che tra "la grande illusione"

e "la costanza della ragione" passano ventisette anni...», gli diceva sempre Rinaldo. E rideva. Eleonora ci aveva messo quasi tutto il Liceo – trascrizione sui vari diari scolastici, ricerca affannosa della fonte (della quale s'era sempre vergognata di chiedere *a Rinaldo*, appunto), pedissequa accettazione della lettera del testo per ogni amore rincorso: sempre confidando nel fatto che l'*illusione* non fosse in realtà mai tale, ma richiedesse invece una fede costante, inattaccabile.

Solo anni dopo, al terzo di Università, a Siena, la visione notturna *casuale* su due reti differenti dei due film (Rai 3 il primo e rete 4 il secondo, una sequenza numerica cardinale quasi cabalistica, a ripensarci ora, mentre sale per la Salita di Monte Mulo e supera il portone della Chiesa Grande di Corsignano con la Tipo 1.9 TD), *La grande illu-*

*sione* di Renoir e *La costanza della ragione* di Festa Campanile – dal romanzo di Pratolini – le aveva chiarito per sempre che non di *traccia* della durata di un impegno si trattava, nelle parole di Rinaldo, l'amico fraterno del padre; o di un mònito a *perseverare* nelle proprie fisime erotiche: ma di un gioco di parole fondato sulle date di uscita dei film.

Quando aveva capito – le lenzuola fradicie di sudore e di umori indistinti dovuti alla passione per Enrico Maria Salerno – che era irrisione e motteggio fine a sé stesso e non un consiglio semipaterno sul rincorrere i propri sogni d'amore: Eleonora Antenati, le guance rosse per l'emozione e l'orgasmo recente, si era sentita *scoperta*, e fragile; piena di delusione e di vergogna, paradossalmente: ché l'evidenza dell'illuminazione quasi le faceva pensare che Enrico Maria Salerno – Millo, nel film – avesse potuto vederla dal televisore mentre si masturbava.

La Tipo grigia gira a destra dopo la scesa, percorre la Via del Passaggio sfilando accanto ai cartelli mortuari. Uno, dilavato dalle prime e dalle ultime piogge di primavera porta ancora la traccia sfocata di **AVIDE SERENI** e, poco più sotto, **44 anni** e **Ne danno il triste annuncio i parenti e gli amici tutt**, Eleonora fa appena in tempo a cogliere il grigio sul bianco quando, nella coda semiconsapevole dell'occhio, s'insinua il rigo del cartello accanto **la moglie, la nuora e i nip** e poi più niente, solo le mura perimetrali dell'entrata alta del Ruvello e – trentacinque, trentotto chilometri all'ora accelerando – la farmacia, il Circolo, un tratto lungo di frenata e di STOP, poi ancora a destra verso i pini del monumento ai caduti, le scuole (elementari a destra, medie a sinistra), i giardinetti, la caserma: gli universi rinchiusi di Corsignano verso il *campo sportivo*.

Parcheggia nello spiazzo sterrato a ridosso dell'entrata, le macchine dei corsignanesi e dei torracchiani incastrate secondo composizioni a intarsio che sembrano ideate dal pronipote di Gargantua la mattina di Natale. S'incastra tra una vecchissima 600 carta da zucchero e una Cinquecento verde militare, facendo attenzione a lasciare agio tra gli sportelli; il culo della macchina a sfiorare di poco la mascherina di un Fiorino. Poi scende, avvolta dall'eco a stantuffo delle grida sugli spalti, sotto di lei – il campo sportivo di Corsignano è più basso della provinciale – che rimbalzano sul cemento a sbalzi degli spogliatoi, all'entrata, mescolando i ritmi liberi di «Lormacciòni hai da andà in galera*aa*... te, e 'l tu' babbàccioo» con i sincopati di *cor-si-gna-nè-si-ci-fà-te-'na-sé-ga* che cominciano – già al settimo del primo tempo e ancora sullo 0 a 0 – a scaldare gli animi del derby.

In realtà la Federazione Calcistica di Corsignano di derby casalinghi ne ha due all'anno: uno con l'A.S. Torracchio, uno con la Polisportiva Piancaldo, che fonde le due sezioni di Alto e di Basso in un'unica squadra. E per due (tre) volte all'anno lo sterrato *di qua* dalla Diga, il piazzale davanti agli spogliatoi, il boschetto di lecci che prepara l'inizio sud-sudovest del paese, il campo di calcio in erbetta – «e pare 'l Franchi», il commento di Stirner all'inaugurazione del *campo nuovo* nel '93 – e, soprattutto, gli spalti a gradinata di cemento: *tutto*, per le tifoserie paesane, diventa motivo di odio e di scontro fine a sé stesso; talvolta di là dal risultato dell'agone.

Quando Eleonora Antenati oltrepassa il cancello verde e sfila verso un posto libero sulle gradinate, il Torracchio è insidiosamente sottoporta; e – Santini in porta, i quarant'anni indossati come la maglia grigia di Zoff ai mondiali di Spagna *ma* con una miopia sottovalutata ancora più pericolosa e magathiana – l'attaccante in maglia gialloblù numero 11 che colpisce, quasi l'avesse mirato, il palo alla destra di Santini è Patrizio Cordicelli, trentacinque anni, una luminosa carriera calcistica *dietro* di sé; non fosse stato per quell'infortunio a diciannove anni, sette mesi e tre giorni, già promessa dell'A.S. Perugia: quando un oscuro terzino destro della Piavatese di cui la memoria ha dimenticato anche il nome è entrato a gambatesa e scarpino puntato sul ginocchio sinistro di Patrizio e sul pallone – in quest'ordine – raggiungendo *pur a fatica* tutt'e due gli obiettivi; e così lesionando per sempre e senza possibilità di recupero (le lungaggini di certi interventi di soccorso delle serie cadette *o peggio*, la preminenza ineffabile del caso) il legamento crociato anteriore e il futuro in arrivo d'i' Cordicelli. Il grande amore di Eleonora Antenati. Da almeno dieci anni.

*Sì*. Perché nonostante le riflessioni postorgasmiche, la spietatezza delle conclusioni razionali, la consapevolezza dolorosa dell'assurdità di tutte le sovrapposizioni solipsistiche alla brutalità vitalistica della realtà; nonostante la pochezza del ricordo di Rinaldo, lei, Eleonora, ha, negli anni, continuato a muoversi tra gli affetti e gl'innamoramenti con la stessa, pervicace, stordita, inconcludente ostinazione di sempre.

*No*. Perché se si potesse penetrare nei recessi più intimi e gelosi della privatezza cordicelliana: ci si accorgerebbe da sùbito – tutti: chiunque abbia un minimo di accortezza perspicace spicciola, *chiunque* non sia disposto a sospendere la felicità sull'abisso nero e rassicurante di una bugia protettiva – che: non solo Patrizio Cordicelli non è innamorato della sua più estenuante ammiratrice. Non solo comincia a malcelare un fastidio violento ogni volta che gli càpita di scorgerla tra la folla, a una festa, in un supermercato comune, addirittura quando la vede al telegiornale. Ma è anche, da anni, felicemente innamorato del suo convivente, Sergio Bardaccia, quarantunànni, rappresentante di commercio per la BELDEL PRODOTTI PER L'EDILIZIA S.R.L. di Grasciano.

*Sì*. Basterebbe spostare lo sguardo dal battere di mani di Eleonora al tiro di Patrizio – visti tutt'e due malissimo, il battimani e il tiro, tanto da Elvio Monaci, accanto a lei sulla sinistra; quanto da Amedeo Bui, due gradoni alle sue spalle – verso il punto degli spalti più vicino alla porta del Torracchio: dove Sergio s'è *già accorto* dell'arrivo di Eleonora e sta pensando, più o meno per la decima volta in un anno, che nemmeno uno sproloquio veemente *alla* «Bambolina *e' ciavrésti anche rotto il cazzo*, a sto punto, perché *e' se Patrizio nun vòle dittelo e' un po' perché* son cazzi nostri, un po' perché è gentile di suo a modo suo e' te lo dico io: *noi* – *io e Patrizio – ci s'ama, ci piacciono ll'òmini*, ci si piace a vicenda, capito? Te potresti anche di *cqui* in poi finìlla e *sciacquàtti dai coglioni* te e tutt'i tuoi... Che: *a Patrizio e a me ci piace orgogliosamente i' ccazzo. Nella fattispecie: a Patrizio: i' 'mmio!* Porca di quella *majala scrofa de la majala...... Senz'offesa, eh?!»

*No.* Lo farebbe anche Sergio. Se non fosse che è perfettamente, compiutamente consapevole del fatto che Eleonora non se lo dice; ma tutto questo lo sa già. Il problema di scoprire la verità è sempre meno lacerante di nascòndersela.

Patrizio alza gli occhi verso Sergio e di passaggio vede Eleonora. Lei gli sorride. Lui ricambia. Esausto.

---

Sottocollina, Apperbohr e i *suoi* – Feenz-sstnér, Mm-eer-rockwr, Chraww-nisst e Neekw-jjam – stanno puntando gli odori *convulsi* (questo l'aggettivo che invade la testa di Apperbohr) che arrivano da di là del poggetto. Due notti prima hanno raccolto e nascosto tra le foglie e i rami di leccio alcune *provviste* – ogni volta che *Cinghiarossa* gli spiega il significato, Chraww-nisst se ne dimentica e lo confonde con *previste*, più o meno; e grugnisce di terrore guardandosi intorno – proprio a ridosso della rete divelta e di quel buffo intarsio di legnobianco che gli Alti sulle Zampe chiamano *porta*. «Per andare dove?», gli ha chiesto Feenz-sstnér rassestando un cespuglio sulle pannocchie. Apperbohr è stato molto vago. «Già. Per andare *dove?*», avrebbe voluto chiederle, anche lui. «*Qui e là*», la risposta. Neekw-jjam ha grufolato. Come se capisse.

Al diciassettesimo del primo tempo, sempre sullo zero a zero, Dossetti del Torracchio corre sulla destra del campo, forsennato come Ardiles davanti alla cinepresa di John Huston, fino al cross per la testa di Galdi, il numero 10, che *spreca l'occasione*, la palla due tre metri a destra del palo di Santini. Sempre immobile, *più o meno al centro*. Al terzo rimbalzo verso la rete di ferro intrecciato, il punto che non tiene, il rialzo dei Cinghiali di Apperbohr, squilla nella borsetta il cellulare di Eleonora.

Quando Eleonora Antenati vede a chi appartiene il numero – il caporedattore, Migliani – le priorità *immediate* le si smuovono nella lavagna nera dell'inconscio appaiandosi in orizzontale (Patrizio, la dieta, l'articolo sui mangimi belgi, il concerto di Claudio Baglioni al PalaRossini di Ancona).
«Pronto?» (Apperbohr ha appena incrociato il viottolo tra i papaveri: si ferma, rincuora gli altri sulla sostanziale

*innocuità* delle grida che sentono. È solo difficile spiegare che non stanno combattendo. Stanno giocando. «Vwaahr grmmsslr *gkrr?*», prova a chiedere Neekw-jjam *alla parola strana* che ha appena detto Apperbohr.)

«Pronto, Eleonora?»
«... Chi vuoi che sia, *Pinco?*»
«...»
«... Eleonora?»
«Sì, Dino. Sono Eleonora...»
Pensa di sfuggita al suo nuovo Nokia 7110 e al fatto che i sessantadue anni di Dino Migliani usano i cellulari con la stessa sospettosa reverenza con cui l'ingegner Kemp si *offre* alla cuffia che gli porge Guglielmo Marconi.
«... ... Quand'è che *torni?*... C'è da lavorare sulla *cosa della* ZeSjet...»
«... ... Dino, io *sarei* in ferie fino a dopodomani... ... Ho lasciato gli appunti alla Serena, nel cassetto aperto della scrivania *mia*...»
«... Ma che appunti? Ci so' notizie *nove*, pare che un carico *grosso* è ancora in giro e 'cqui da 'nnoi...»
Il boato che l'avvolge – «Eleonora... *ma 'indo cazzo 'sei?*» – è il gol del Corsignano al diciannovesimo del primo tempo. Un tiraccio sporco di Nazzali da otto nove metri, più o meno.

Ad Amedeo sembra di urlare più di tutti gli altri corsignanesi – e sì che sono tanti, ci saranno almeno cinquanta supporter, nonostante la posta in palio sia poco più (o poco meno) del quarto e quinto posto. È un grido che lo lìbera, per un momento, un attimo dilatato di sfogo, dalle ossessioni degli ultimi mesi. Il dèbito con Germano. Che comunque *in parte* c'è ancora; solo *rimandato* alle indeterminatezze precarie del tempo che sta vivendo. *L'urlo* gli esce di gola – lo scatto delle gambe, le braccia rivolte al cielo in un gesto molto simile a quello di Willem Dafoe in *Platoon* solo apparentemente *cambiato di segno* – quella velare che *esplode* in *gggòoooool* nemmeno lo spettro quatripartito di Nino Manfredi in *Pane e cioccolato* l'avesse posseduto fino al *tiè*.

E infatti: «Sette a zero, finisce 'sta partita. Anche otto, se ci hanno tempo...», così dice Amedeo a uno scettico Donato, ancora seduto, portato lì dal figlio perché non se la sentiva di lasciarlo solo a casa. «Per me», fa Donato. E *basta*. Come se nell'affermazione di sé si nascondesse una qualche verità preclusa *anche a lui stesso*.

Quando Amedeo si risiede, la felicità già estinta di chi non può patteggiare le proprie ossessioni troppo a lungo, il sorriso ancora impresso in volto con la stessa luce morta delle stelle più antiche, Eleonora si sta muovendo tra i permesso *permesso* per andare a parlare *meglio* con Dino Migliani, scostandosi dal tumulto doppleriano del gol.

Ed è sul terzo *permesso lontano* e *inudibile* di Eleonora, perso nel rumore a ondate degli spalti («Oh Donati e vòi sbrigàtte a rimette 'sta palla...» «Lormaccioni in *galera* hai d'andà... Hai capitoooo? Hai capito *onnòooo?*...»), che Amedeo scorge, prima una nebbia grigionera di là dalla rete, poi una sagoma *certa* a forma di cinghiale, poi un altro, altri due, altri tre, *quattro* cinghiali dietro *quello con la frezza rossa* — è in quell'istante (il diavolo per come Amedeo lo immagina) che Apperbohr – ma di certo Amedeo Bui non ne conosce il nome – gli si appalésa, di nuovo, a ricordargli i suoi lutti ridicoli e la *mota*, inevitabile, che lo ricopre: il fango e il sangue che gli sembra di avere sempre addosso, come un prurito, o una colpa; ugualmente intrattabili e *presenti*. Vorrebbe lavarsi le mani anche nel sonno, le poche volte che si addormenta; e una notte Bella l'ha trovato – sonnambulo, incerto – davanti al lavandino del bagno, al buio, a guardarsi allo specchio come dovesse farsi la barba a occhi chiusi, la luce *esplosa* dal clic di sua moglie comunque incapace di svegliarlo dall'incubo che gli si riproponeva: Davide, *appeso*, lui che cercava di *salvarlo* mentre uno dei dèmoni più neri e intrattabili, sottoforma di cinghiale, gl'impediva di *resuscitare* l'*amico appiccato*, «Scusami, Davide», aveva mormorato tra i mugugni impastati del sonno, Bella non aveva capito: e però sfidando le dicerìe sui sonnambuli l'aveva svegliato, *piano*, una carezza e un *amedeo*: lui aveva aperto gli occhi sull'ultima immagine che la rètina tratteneva, un cinghiale nel bagno, in fondo allo specchio.

Lo stesso cinghiale che adesso – quasi i giocatori ammassati sottoporta del Torracchio non se ne accorgono nemmeno; Santini si muove all'indietro verso il centrocampo e grida *ohe*, attirando l'attenzione dello stadio – esce prima forzando con il grugno e la testa il basso *svèlto* della rete, poi si piazza davanti all'entrata *sfondata* del bosco: come un arcangelo peloso che difenda *la dispensa maggiore* del Paradiso. *Mmmgrhr Mmmgghr* grufola a zanne piene Apperbohr, mentre i compagni, dietro di lui, si schierano a drappello lungo la rete, proteggendo i mucchi – otto, nove metri dietro di loro – e l'idea stessa che ci siano, aiutandolo nella missione diversiva che Apperbohr gli ha imposto.

Devono *temerli*, gli ha spiegato Apperbohr. E però non devono capire il tracciato delle varie *raccolte*. Il punto all'inizio del bosco. I tronchi cavi nel viottolo verso la Diga. Se gli Alti sulle Zampe rintracciano i percorsi segnati, *loro* rischiano di perdere una parte cospicua del lavoro di *approvvigionamento* delle ultime settimane.

Bisogna seminare paura e sconcerto nelle fila nemiche, ha spiegato Apperbohr. Un fuoco momentaneo che *li sconcerti*. Né Feenz-sstnér, né Mm-eerrockwr, né Chrawwnisst né Neekw-jjam se ne ricordano già più, *del perché sono lì*. Ma si scalmànano grugnando e bofonchiando di là dalla rete mentre Apperbohr zampetta i primi passi oltre la linea di fondocampo e prende possesso dell'area di rigore.

«Ma che cazzo vòle, ancora, 'sto cignàle di merda?!», grida Amedeo a sé e *attorno a sé*. Eleonora s'allontana incuriosita verso gli spogliatoi. Le due squadre si fermano e cominciano: tutti i giocatori, uno per uno – Santini il più vicino *al pericolo* – ad ammassarsi dalla parte opposta del campo; *quasi dentro* la porta di Ferrazzi, il portiere dell'A.S. Torracchio.

Amedeo *travàlica* Donato e suo figlio, l'impeto un po' goffo di Gino Cervi negli anni Cinquanta, attraversa tutta la gradinata saltellando tra i piedi dei tifosi, ancora affascinati dall'*ulteriore stranezza* dell'assalto.

«Manda subito... *Sì*... Tutta la troupe... Ancora i cinghiali delle *altre volte*», sta dicendo Eleonora al telefono quando Amedeo – senza scusarsi – si scontra con la sua spalla e la schiena, facendola incespicare. Elvio, dietro di lui, si premùra di vedere se la *signora sta bene*. Stralunata, Eleonora, fa cenno di sì. Fissa con sconcerto la schiena di Amedeo, che ha già deviato verso il parcheggio, scomparendo alla vista.

Il tempo di raggiungere il cancello che scompare anche Elvio. Dino Migliani ha riagganciato. Eleonora – il pensiero *sospeso* di chi non sappia realmente cosa fare – cerca Patrizio tra la folla di giocatori ma non lo vede. Patrizio è sottorete verso gli spalti. Parla con Sergio che gli sta dicendo – quasi lo sta implorando – *viénvìa su*... Risalite da di *cqui...* Un po' il pensiero *comune* di tutti quelli che – superato il momento di incredulità, recuperata la memoria operativa delle notizie degli ultimi mesi – si stanno sbracciando e indicano il cancelletto sud del campo sportivo.

Il cinghiale dalla frezza rossa è al centro del campo. Grugnisce controcielo. Poi tira a sé il respiro, arretra con un paio di *tocht-tocht* morbidi sull'erba. Quasi si preparasse a un calcio di punizione dal lìmite.

«Madonna della madonna di sta cazzo di Tipo...» Amedeo s'è praticamente incastrato tra la macchina di Eleonora e la Cinquecento di Elvio. Che arriva, di corsa, dietro di lui. «Ma i' 'che *fé*, lévati che devo *chiamare* in caserma con l'autoradio...», gli *comunica* il guardacaccia prendendolo per la camicia.

«Stàtti fermo un po', Elvio... Che ora vediamo *madonnadiddìo*...»

Amedeo salta, strusciando le scarpe contro la portiera della Tipo, fino al cofano della Cinquecento di Elvio; poi s'insinua, senza badare ai calci che dà tanto all'auto di Eleonora quanto al cofano del suo Fiorino, tra la fiancata del Panorama e la macchina di Mauro, uno spiraglio che attraversa a fatica, smadonnando. Fino all'*ooh* di sollievo che gli esce di bocca – la bocca di Elvio che lo segue, *aperta*, incapace di capire cosa stia facendo – davanti alla portiera del Fiorino. La spalanca, afferra una sacca nera oblunga, struscia via di scatto la lampo fino a tirare fuori la doppietta, già carica, che insieme al 692 da piattello tiene sempre nel bagagliaio. Elvio questo lo sa; e tutte le volte s'incazza.

«Amedeo che ti sei rincretinito del tutto? *Oh*!», ed è un *oh* netto, di quelli che non concedono filtro o poscritti. Ma che Amedeo, semplicemente, ignora. La pancia di Elvio s'incastra nel tragitto di Amedeo: vorrebbe agguantarlo prima della *cazzata*, inspiegabile, che sta per fare.

«Amedeo!», grida affannato Elvio incastrato tra la Tipo e la sua Cinquecento. Vede Amedeo saltellare tra le auto verso la scesa meridionale dietro il casotto degli spogliatoi. Ma non può fare nulla per fermarlo.

Amedeo, la doppietta in mano, scende veloce la collinetta che lo porta al cancelletto sud, già aperto, da dove sciamano a forza – ghiaino che s'accalca in un imbuto – i giocatori delle due squadre. Quando vedono Amedeo ansante e *furioso* avvicinarsi all'entrata, i due mucchi gli fanno spazio, allargando l'idea di clessidra liquida che vanno formando – le grida forsennate di sgomento dagli spalti, i *checcàzzo fai* che fioccano con gli *oh* e gli *ohi* di fastidio, e sconcerto, insieme ai *coglione*, *Amedeo* e *viénvia testadicazzo* che rispondono alle intuizioni in sequenza della doppietta – mentre il Cinghiale dalla Frezza Rossa segue la scena dalla piazzola, *ferma*, del *suo* centrocampo.

Da lontano, alla vista *spianata* del wk-poow dell'Alto sulle Zampe, la fuga laterale di Mm-eerrockwr – un *grugnito* lungo, spaventato, insistito, *disperato*: il tutto della durata di soli due, tre secondi – convince gli altri tre che la strategia migliore, in quel momento, è la *corsa*. Neekw-jjam s'attarda un istante di più per richiamare Apperbohr; ma poi si dimentica perché è lì e, semplicemente, segue la nuvolaglia di polvere alzata dai compagni. Apperbohr si accorge del parapiglia alle sue spalle e lo accetta con un cenno affermativo del grugno.

*Ora ti sparo in mezzo all'occhi*, pensa Amedeo. In corsa, ansimante, imbraccia la doppietta e mira otto, nove metri dopo la bandierina del calcio d'angolo. Dall'altra parte – la folla ammutolita, i giocatori che spiano la scena *di qua dalla rete* (come se una filettatura di *fildiferro a rombi* potesse proteggerli tutti da chissà quale sciagura), quasi fossero i bambini alla fine di *Roma città aperta* che assistono alla fucilazione di Aldo Fabrizi – Elvio si ritrova a corricchiare lungo la linea laterale del campo, «Amedeo!», grida senza troppa convinzione: più sorpreso dalla follia momentanea dell'armaiolo che preoccupato dall'idea di uno sparo in arrivo. Dietro di lui, il Nokia spento in mano, *il contorno* di Eleonora: la gonna lunga fin quasi alle caviglie, la curiosità rasserenata di Tosca poco prima del *fuoco*!

Apperbohr fissa l'Alto sulle Zampe contenendo lo spavento. È andato troppo *in là*. Ora deve sperare soltanto che la — *distorsione*, questa la parola che *sente* nell'odore del mhrhttrh; la *furia distorta* di cui il mhrhttrh è preda lo *costringa*, in qualche modo, *all'errore*. Apperbohr sa – ma non saprebbe spiegare perché – che sono pochi, davvero *pochi* gli Alti sulle Zampe capaci di gestire i momenti — *cruciali*, la parola che cerca è *cruciali* – della loro vita senza lasciarsi sopraffare dall'*errore*.

B-KBOW, abbaia la doppietta, il colpo che si perde di là dal centrocampo di Apperbohr.

B-BMMKMB, *continua* Amedeo, sempre in corsa, il secondo colpo che fallisce, *ancora*, il bersaglio.

Il silenzio ventoso e improvviso che lo ferma, *scolpendolo* nell'erbetta a una decina di metri dal Cinghiale dalla Frezza Rossa.

I due si guardano negli occhi.

Stravolti, e *rassegnati*, quelli di Amedeo; rubizzi e acquosi e interrogativi e *indagatori* quelli di Apperbohr.

Tutto il lato *umano* del campo sportivo è immobile. Elvio Monaci è paralizzato nel gesto di stupore che l'ha cól-
to dopo il primo sparo – Amedeo che, davvero, s'avventu-
rava verso il *cignàle* col fucile spianato *manco fosse Steve
McQueen* – le braccia aperte come se dovesse ricevere un
paccodono dal cielo. Eleonora Antenati vorrebbe avere
Patrizio, accanto a sé. Che invece sta stringendo la mano di
Sergio; entrambi ammutoliti dalla scena che gli s'è parata
davanti.

«Ma che cazzo ciài nella testa, Amedeo?», *dice*, semplicemente, il vecchio Donato.

Nel silenzio irreale del pomeriggio le parole si scolpisco-
no a mezz'aria.

Il Cinghiale dalla Frezza Rossa si volta, lasciando Amedeo con il fucile *steso* lungocoscia; si muove verso il buco
nella rete da cui è *entrato* con la stessa flemma da sostitu-
zione dei grandi campioni che abbandonano il campo da
trionfatori. Sul display del cellulare di Eleonora, il messag-
gio – *un refuso*, nota – di Tarcisio Nedoli che le dice che sta
arrivando con la *trup*.

Apperbohr si scava l'uscita nel buco rialzato della rete.
Amedeo scorre lo sguardo alla sua sinistra, i giocatori, gli
spalti, gli spogliatoi, Elvio Monaci. Cerca il conforto di
una qualche condivisione che non arriva.

Solo come lui, pensa, *giusto* Giuda Iscariota dopo l'am-
mazzacaffè.

# 39.
## 26 OTTOBRE 2000

**Gli Alti sulle Zampe che lo stanno rincorrendo con i wk-poow**

imbracciati, il raschio ingolfato e l'abbaiare convulso degli awgr, il fresco opaco del bosco che gli sferza il grugno mentre taglia le gettate diagonali del vento, tutto il chiasso martellante e insistito fatto dal gruppo defilato guidato da Neekw-jjam e da Feenz-sstnér; tutto lo sta portando, da solo, al mucchio di legna del Muro nel Bosco, in fondo alle gradinate di valle di là dal corso interrato e sotterraneo – solo un tratto, una galleria di rovi e stoppie che lo protegge ed è una trappola naturale contro *rvrrn* e Alti sulle Zampe – del Gidòna, il torrentello asfittico che si stacca dal Nardile e impozza i campi oltre Mignone Basso, lontanissimi, *fuori* dal riparo tempestivo del Bosco.

Sente più *vicini* gli ànsiti ottusi e servili degli awgr, che l'hanno evidentemente trovato sottovento e sono impazziti per l'eccitazione di *stanarlo*.

Può continuare a correre, però; l'importante è che lo stradello di Conca Nascosta lo trovi sopravvento almeno di poco, gli ultimi odori lasciati a galleggiare sull'aria tiepida di ottobre, la traccia pronta a ingannare – per troppa intensità in un luogo non raggiunto, questo il *piano* (*piano* è la parola) – il nasoschiàvo degli awgr e i wk-poow dei mhrhttrh*rsh*. E infatti corre, Apperbohr, corre galoppando come non ha mai fatto negli ultimi mesi, come non ha *fatto mai*, in tutta la sua vita. Questa fuga che appare *vigliacca* (*vigliacca*, è la parola) è in realtà forse la cosa più coraggiosa e insensata che ha fatto da quando il primo grugnito cinghialesco di *Cinghiarossa* s'è affacciato *dai* muriccioli di Corsignano: con la nuova consapevolezza di potersi *insinuare* tra i mhrhttrh*rsh* alla pari; anzi: con il privilegio inspiegato e univoco di una *capacità* in più, rispetto alla mancanza di immaginazione degli Alti sulle Zampe. E corre, corre Apperbohr, scheggiando al suo passaggio obeso le tacche di corteccia che il freddo ha già scalzato; s'incide i fianchi, grassi, pelosi, sfregiati dalle scudisciate ramose dei ginepri, dalle spine biforcute delle fruste basse, corre infangando *di sé* le pozzanghere di ristagno dei fossi. Pensa a Llhjoo-wrahh e ai sette figli nascosti – per quello che possono, come possono – oltre le fungaie di Taverne di San Biagio, nella prigione di rovi sottocosta, appena prima del Balzello del Vento, dove il Bosco inizia (o finisce) a seconda del *confine* (*confine* è la parola) da cui si guarda. Pensa al drappello di rvrrn con Mm-eerrockwr, a quando gli Alti sulle Zampe li hanno accerchiati, e quasi raggiunti, mentre finivano di ammassare – rotolare di legna e di fango scavato, rumore di cassette e di pannelli di ferro divelti – i *detriti* del frwrffm *wrgckhee trascorso* (*detriti* è la parola), la scoperta ultima di Apperbohr, condivisa *a forza* con la famiglia dei rvrrn e il Cerchio di Coro della Radura dei Graar-ar, *mentre finivano di ammassare* tutta la roba utile – questa l'intuizione – *per le scorribande successive*. Non solo un *segno* ma un *lavoro* preliminare al futuro. Solo che s'erano attardati troppo.

E ora Apperbohr corre, salta dentro il canaletto in ombra, tra i cespugli, verso Conca Nascosta, ormai dovrebbe essere chiaro – sente distintamente l'abbàio congestionato di tre, *no*, quattro awgr a cento metri da lui, più in alto, a settentrione (*nord*, è la parola), e due (tre?) Alti sulle Zampe e altri due awgr a nordest, si muovono allargando la traccia mentre si muovono – ormai è chiaro che l'esercito sparso degli awgr non solo ha fiutato *soltanto la sua traccia*, dopo che lui s'è staccato grugnendo *ordini* dal drappello ritardatario di Mm-eerrockwr: la sta anche perdendo, almeno Apperbohr lo spera, mentre zòccola affondando nel terriccio fino a un tratto alto di zampa, e si costringe alla velocità anche dove dovrebbe semplicemente zampettare fossofosso fino alla Conca.

Una foglia di tiglio, secca, bruciata di giallo e di nero, svolazza sull'onda d'urto di una sfuriata di scirocco, oscilla pericolosamente su un mulinello invisibile – tanto per i cinghiali che per gli uomini – quindi s'incanàla, volando come un minuscolo deltaplano per lucertole, in uno dei tanti sbalzi di mezz'aria; e infine *plana*, tagliando un angolo di trentatré gradi, per otto metri *circa* (centimetro in più, centimetro in meno), sulla *spalla* di Apperbohr; su quella che dovrebb'essere *la spalla sinistra*, la massa di carne e di peli che si arruffa nel rosso di cinta che gli dà il nome, tra il collo e la schiena.

Apperbohr pensa intensamente a Llhjoo-wrahh, conta i nomi dei figli come fosse uno scongiuro contro il freddo, e l'idea nebbiosa di morte che ottobre prepara. Hanno tutti e sette nomi di piante del bosco, lui e Llhjoo-wrahh hanno voluto così, sono *parte* di questa terra e questa terra è la loro, si sono detti. Apperbohr sbuca nell'anticamera erbosa di Conca Nascosta, l'eco rialzata degli awgr. La foglia di tiglio appiccicata alla spalla sinistra come ricompensa, *dorata*, alla corsa tra i rovi.

# 40.
## 18 APRILE 2000

**Davvero Elvio non riusciva a spiegarsi tutto l'accanimento**

di Amedeo, l'armaiolo, nell'organizzare le battute di caccia contro i cinghiali. Lo conosceva fin da quand'era ragazzo. Si pò dire che le prime volte col su' babbo – con Demetrio, ch'era cacciatore rifinito – e' ce l'aveva accompagnato lui, alle poste. E però non l'aveva mai visto così *incarognito* contro i *cignàli*. «E capisco che strascinano via le cose e *d'vastano* i coltivi, Amedè», gli aveva detto una sera al bar di Vittorio, «ma e 'tte sembra che ciài una rabbia personale...»

Certo era un po' che i cinghiali si comportavano *strani*; anche Stirner l'aveva detta giusta, ché il cinghiale al funerale dell'Agnese, *prima*; e poi tutta sta storia dei campi di mais e delle razzìe. I' 'cche ciavéveno, a cercà rogna? Lui pure, Elvio, s'era trovato una settimana prima a dové seguì una traccia che non si capiva cos'era: dallo stradello di là dall'Entrata era arrivato in un punto *morto* del bosco dove c'erano *legne*, e pezzetti di cassette della frutta, tutto ammonticchiato. «E se non fosse che so' *troppo intilligente* per dì ste *scemàte...* Guarda: e' sembrava un casotto da caccia fatto dai *cignali...* O *'mmeglio* dirò un cappannìno di quelli che facevamo da soldati alle manòvre...», Vittorio aveva annuito, ascoltando. «Ma Amedeo, madonnadiddìo», aveva *butto giù* l'averna, «e' sembra indemoniato, ci s'è accorato di brutto... Distribuisce le cartucce gratis».

Quella mattina l'aveva visto da solo, due fucili a tracolla – uno per spalla – che seguiva le péste fuori dal Parcheggio grande sotto la Vetreria Vecchia. E' sembrava ciavésse la febbre. «Oè *Amedeo*», l'aveva chiamato. Lui s'era girato a scatto, i fucili dentro le custodie che e' son ballonzolati come canne del Fosso del Morto. Per un momento *gli sa* che non l'aveva *riconosciuto*.

Manco fosse un fantasma, invece del guardacaccia. «E che ti credi che so' i' 'ffantasma di Frediano?», gli aveva riso *contro*. Amedeo più che ridere con lui gli aveva mostrato i denti; e aveva puntato il Fiorino al parcheggio. «Oi Amedè... E non me li lascià nn' i' 'bbaga*glià*io... ... E che figura ci fo se ti fermano?...»

La finaccia che aveva fatto il pôro Frediano, davvéro. Il guardacaccia che l'aveva preceduto. Trovato morto nell'auto, nel Bosco di là da Macchiareto, la mattina di Natale. Ché gli era venuto un infarto mentre si tirava una sega all'aria aperta.

# 41.
## 3 OTTOBRE 2000

**Te l'avevo chiesto anche con una certa gentilezza,**

gli dice Amedeo. Davide. Ti avevo domandato con il *cuore in mano* di non venirmi più a trovare, dopo morto. «Babbo?!», lo chiama Andrea dall'altra stanza.

Amedeo è seduto sul divano, nel buio del salone. Bella sta dormendo da un paio d'ore, ormai; è andata a letto prestissimo, martoriata dall'emicrania e dal silenzio ormai eterno e rancoroso di *lui*.

Quando Andrea entra nella stanza, il chiarore giallognolo che promana dalla sagoma seduta di Davide si sperde nello schiocco di luce dall'interruttore al lampadario.

«Babbo?...... Ma che fai a luce spenta qui da solo?»

L'occhio azzurro e quello nero di Andrea guizzano *in sequenza* – un leggero ritardo del primo, uno strabismo di Venere di cui ha avuto conferma medica solo di recente – da un punto all'altro della sala da pranzo, il mobiletto coi fucili; le vetrine del mobile grande, il tavolo – un paio di sedie ancora *scòste* come se ci si fosse appena alzato qualcuno.

Amedeo respira forte. Da quando è successa la cosa del campo sportivo, nessuno ha denunciato nulla; Elvio s'è limitato a fare una paternale accompagnato dal maresciallo Tolmezzo e a impuntarsi sull'abitudine sciagurata di tenere *sempre* una doppietta e un sovrapposto nel Fiorino («Quante volte *tòl'detto*, eh? ... Maresciallo, e' lei non se l'immagina nemmeno *e'* le volte che gliel'ho *detto...*» «Lo immagino, lo immagino...»). Nessuno – nemmeno tra i tifosi, o i giocatori di Corsignano, o di Torracchio – s'è azzardato a mettere in giro *se non in un modo che l'ha reso ridicolo* per tutti i paesi della provincia la notizia del suo doppio sparo *sottolineandone* la gravità *reale*. Tutto – fatto salvo il verbale e la *denuncia* ancora senza riscontri evidenti alla caserma dei carabinieri di Corsignano – è stato risolto e ascritto alle leggende curiose di cui s'ammantano il mondo del calcio *minore* e la provincia, in generale, quando le scelleratezze non producono ferite manifeste.

La figura di Amedeo l'*armaiolo* di Corsignano era quindi stata ridotta al rango *sperso* e grottesco di un Edoardo Galzaroli; o di un Moreno Baviali, che per impedire le nozze tra sua figlia e un rappresentante di indumenti intimi di Capannucce s'era travestito da prete e aveva cercato di convincere la famiglia di lui che il *loro* figlio era un indemoniato.

«Babbo? *Oh...*», all'improvviso il dolore alla testa lo ferma mentre si avvicina ad Amedeo. Una fitta a forma di kriss malese che penetra *ondeggiante* tra tempia e tempia costringendolo a una smorfia – e un *mugugno* trattenuto – di dolore.

«Che c'è?», riemerge finalmente Amedeo.

Preso alla sprovvista, Andrea non riesce a tutelarsi né a imbastire una qualche scusa *protettiva*. È costretto a dire al padre la verità. «Non lo so». Gli dice. «All'improvviso. Un dolore alla tempia», si massaggia la tempia destra, «*qui*».

Gli occhi morti di Davide – Amedeo se ne accorge mentre si alza – seguono l'armaiolo (dimagrito, le guance che gli si sono rinserrate sugli zigomi: quasi la *magrezza* fosse una malattia infettiva che ha preso da Germano Barbi) fino al figlio.

«Fammi vedere», fa Amedeo ad Andrea. E gli studia le tempie, prima una poi l'altra: più un massaggio sciamanico che una qualche anàmnesi duratura.

«Avrai preso freddo, una ventata...»

«Può essere», Andrea si sottrae all'abbraccio incerto del padre. «Non stare qui al buio», gli fa Andrea di schiena, già sulla soglia dell'ingresso. «Non ti fa bene».

Davide si alza incerto sulle gambe, la chiazza *rappresa* sui pantaloni, la striscia rossa del laccio sottocollo che lo *evidenziano* e lo ribadiscono alla memoria di Amedeo. Amedeo si gratta una guancia, si rimette seduto sul divano lasciando la luce accesa. Gli sembra un viaggio troppo lungo quello delle otto, nove mattonelle fino all'interruttore. Davide si accomoda vicino a lui.

Quello che fa imbestialire di più l'Armaiolo – ormai sembra che la sua professione di sempre, la targhetta di famiglia gli si sia appiccicata addosso come un *oltrenome*, più che un soprannome vero e proprio – è che Davide, in realtà, non ricambia quasi mai il suo sguardo pieno di dolore: il senso di colpa nei suoi confronti che gli ossessiona le giornate. E glielo fa vedere, *bellomorto*, nella sua *cazzo di sala da pranzo*. È sempre come se gli rinfacciasse, con il silenzio giallo degl'impiccati, che la sua vita ultraterrena sarà sempre legata all'anomalia *consolidata* del suicidio:

tutti i corsignanesi pronti a giurare sulla sua *ultima, evidente* vita trafelata e sconnessa, nei mesi prima d' 'i 'ffattaccio; «ché lo si vedeva che viaggiava di qua e di là pe' Corsignano com'avesse una bestia a mordelli i' 'culo— l'*avéssimo capito prima*».

«Ma perché—», bisbiglia esausto Amedeo alla sagoma appennicata di Davide, il mento che gli tocca quasi lo sterno – l'osso ioide è *andato da parecchio*, dopotutto – la lingua penzoloni, un attaccatìccio di sangue rappreso che gli s'è aggrumato a rivolo a forma di fico d'india *rosso*— «che mi vòi dire? Eh? Madonna della Madonna diddìo...? ... Che non è vero che ti sei suicidato? Eh?... ... Visto che stai qui— *almeno dìmmelo... ...*» Gli c'è voluto tutto il coraggio di cui non è mai stato capace, per formulare a gesti la domanda; uno smaniare che, visto da Bella, o dal figlio, li avrebbe confermati nella loro idea di crollo e *disfatta*; senza possibilità di ritorno.

Ed è ora che Davide Sereni, ormai nemmeno più la parvenza di quello che è stato, gli occhi *inquietantemente* simili a quelli del cinghiale del campo sportivo, avvicina il viso livido agli occhi – sconcertati, in preda al panico – di Amedeo. «Ecche c'entra, questo», àlita sul *muso* dell'armaiolo, *costringendolo ad annusarlo*; il fiato che gli ricorda il sedano marcito, e la terra smossa di quando piove, l'inverno, al bosco di sotto all'Arlecchino. «Che vòle dì, come so' morto? Ormai non lo so nemmeno io... Ma a te, comunque, e' nun t'è mica importato...»

Amedeo avvicina la fronte alla fronte grigiastra di Davide; si toccano come compagni di squadra che abbiano appena vinto una partita, o ragazzini che si sfidano a chi regge di più lo sguardo dell'altro senza prendersi a *sgrugnate*.

«Ma non te la prènde più che tanto, *Amedè*», gli dice Davide con la voce del su' pòro babbo Demetrio. «Io 'nnel so mica ch'avrei fatto, al posto tuo... ... E ora come ora non è che, addì i' 'vvero, e' m'enteressa poi più che tanto...»

Poi si alza, Davide. Si sgranchisce le gambe come per *buttare via* il formicolìo dei troppi giorni da impiccato. «Guarda anche i cignàli... E' *non ci si capisce più niente* nemmeno co' 'lloro». Amedeo non saprebbe dire se le ultime parole *avevano* la voce di Davide o *la sua*.

«Ci si vede, sicché, Amedeo...», gli fa Davide. Stavolta *sicuramente lui*. Ed esce dalla stanza, scomparendo – il passolento dei morti; o dei vecchi – oltre l'orizzonte dell'ingresso.

Per un momento lungo quanto la vita che avrebbe voluto, Amedeo ricorda – una fatica leggera che gli toglie il fiato – gli occhi viola di Agnese, lucidi, e luminosi, l'ultima volta che hanno fatto l'amore.

Quello che Apperbohr capì, quando l'Uomo con il cappello disse

*Ripènsaci, amico,* fu che esisteva tutta un'infinità di universi, intorno a lui, che finora gli erano stati preclusi; e – fosse una cascata di luce dal cielo, o semplicemente la YALE arrugginita finalmente scrollata per spalancare l'uscio muffo della cantina delle profondità cinghialesche che lì abitavano – Apperbohr ebbe improvvisamente la percezione, densa, liberatoria, di un mondo sfaccettato che lo prevedeva. E, cosa ancora più importante, lui poteva assumersi la responsabilità, e l'infinita – davvero – luce del cuore di ritenere quel mondo degno di considerazione.

Poi un grido un grugnito un *urlo* uno squarcio nel cielo di luglio; una ferita luminosa e nera, oro e tenebre come gli occhi dei rvrrn per quello che mangiano. E le prime parole nuove che invasero il cranio peloso di Apperbohr, facendosi spazio e aerando le stanze semivuote della memoria, furono IN QUELLA PARTE e BENEDICTUS. Sformate; quanto sanno esserlo i fuochi fatui del sonno dell'*istinto* che genera frasi di senso compiuto.

# 43.
## 24 OTTOBRE 2000

**Amedeo Bui viene raggiunto dalla voce sgraziata**

della vecchia Antonia. «O' Amedèo, e' tu mica ti ricorderesti la ricetta di *come cucinava* i' 'cignàle la tu' pôra mamma?»

Una richiesta che lo spiazza, decisamente. Amedeo ci pensa un secondo, o due; l'idea della su' mamma che si segnava le ricette che si ricordava, quelle che gli aveva insegnato la su' mamma e alla su' mamma la mamma della su' mamma e vìa *ascendendo* matriarcalmente fino a Gea, o a Eva; e ancora prima, *alla* Creatrice, prima – ché se genera Dio donna dev'essere: almeno *anche* Donna: la più banale delle illuminazioni: e però a Giovanni Paolo I gli era costata un pontificato; e anche qualcosa di più.

«O' Antonia, e mica lo so... E' mi ricordo che se le segnava, ma sinceramente...»

«... Oh. È che ci pensavo da*càpo* a *ièri*, al *modo* della tu' mamma... E mi so' detta e *chiedàmojelo* a Amedeo, no?»

«*'Ete fatto* bene, Antonia... Ma davéro e' *nun saprei che*

*dìvve...*», e qui l'Antonia entra proprio, in armeria. Sotto-
voce gli chiede *come stée*, come stai, la voce bassa bassa di
chi voglia far capire che è per affetto che lo chiede, *non per
impicciarsi*; e in qualche modo la vita stessa della vecchia
Antonia testimonia di sé. Poi, a un gesto vago e imbarazzato di Amedeo, cambia discorso.

«Ché continuano le battute e a fine mese c'è la festa a 'i
'Circolo, e se c'è qualcosa di nòvo per cucinà i' *cignàle*...
che io l'ho sempre detto... La tu' mamma *già* cucinava *benissimo* i' 'ssugo di lepri... Ma *poi* come cucinava i' cignale la tu' mamma, nessuno...»

Amedeo si rende conto che l'Antonia sta confondendo la
su' mamma – che le ricette se le segnava, sì, ma il cinghiale
non l'ha cucinato mai: gli faceva *schifo*, e «impressione»,
diceva, sapeva «di *salvàtico*» e insomma non aveva mai voluto «nemmeno toccàllo, in cucina» – la sta confondendo
con la mamma della su' moglie, la Ginevra dei Salvani, la
mamma di Alighiero e della Bella, che era la migliore cuoca
di cinghiale di tutto Corsignano; soprattutto per il sugo in
bianco *pei pinci*. Ma che non ha lasciato mai memoria di
nulla in nessuno scritto né *a voce*, nemmeno alla figlia.

Amedeo fa però sì con la testa; non se la sente di contra-
riare la vecchia Antonia e confermarla nel suo rincoglioni-
mento senile.

«Che te 'ttu lo sai come faccio io i' ccignàle?», gli domanda l'Antonia gesticolando. «Co' i' gginepro...», si risponde da sé. «... Come m'ha detto la mi' nonna...», sorride, precìsa. «La mi' nonna Germina, *a dirla bene*...» Una
pausa, studiata. Cui Amedeo replica – l'imbarazzo che si
mischia con il desiderio che se ne vada, la vecchia Antonia,
il fastidio crescente di chi, al momento: e' potesse, scari-
cherebbe sei sette caricatori di automatico tra gli occhi dei
cinghiali che passano sottobosco: e di uno in particolare,

che non riesce più a pensare, maledizione, senza vedégli gli occhi viola dell'Agnese morta, o quelli spalpebrati, e *ingrigiti*, del pòro Davide da appiccato – *replica* forzandosi con il sorriso ecumenico, e pretesco, al quale si convertono, talvolta, quelli che lavorano al pubblico per troppi anni. (E s'è dimenticato ancora una volta del figlio, si accorge, nella classifica istintiva dei dolori. Della visita medica. Dei *gemelli* che lo abitano, stando alle nuove conclusioni della Ronconi. E delle emicranie che lo tormentano da un paio di mesi. *Antonia*, come fai a non capì *che ve ne dovete andà*, eh? Come fate?, pensa. Ma non glielo dice.)

«È stata», il pollice a cerchio con l'indice, «la mi' nonna Germina... a insegnarmi che il ginepro va sbriciolato e messo prima, nella marinatura, insieme co' 'i timo»; arcua le dita della mano e sembra di vedere la Mina degli anni Sessanta colpita dalla Luce dell'Arca come Belloq. «... E poi il rosmarino, *poco*... E la *sminuzzata* di ginepro... più i' *ssegreto*, naturalmente...»

Sull'accenno al *segreto*, Amedeo allarga le braccia sconfitto.

(Ché poi chi è che non è abitato da gemelli di sé che lo tormentano, eh? Gli sembra di non aver conosciuto altro che vecchi e nuovi amedei, da quando è successa la *cosa* di Davide. Ma come si fa, eh? Come si fa?...)

La vecchia Antonia sorride, ancora, esce salutando. «Allora d'accordo? Se 'tte tu ti ricordi qualcosa, o trovi dove s'è segnata la ricetta — e' me lo dici...»

«Sarète servita», dice Amedeo assecondando a voce alta un uso perduto degli allocutivi; di solito riservato alla su' nonna. La mamma d'i *ssu'* babbo; che ogni volta che *le dava i' ttu'* lei si offendeva o non capiva, pensando che stesse parlando co qualche fratello che non vedeva.

Lontana la vecchia Antonia, i lavori di rifinitura comple-

tati, le targhe per la gara di tiro al piattello di Budo conse-
gnate; Amedeo si riaccomoda sulla sedia, svuotato e stanco e al tempo stesso però *elettrico*, e sull'orlo dell'esauri-
mento nervoso; come Bruce Banner costretto ancora una
volta a ricomprarsi i vestiti strappati da Hulk.

«Amedeo, scusami». Alza la testa verso l'entrata dell'armeria.

«Dimmi, *Alvà*...»

«Ciavrésti mica ancora i galleggianti quelli bianchi...
Quelli che faceva i' 'pporo Demetrio con la balsa?... ... Perché se ce li hai ancora li comprerei, ché so' quelli che una
volta vedevo meglio, p'andà a' 'ppesca... ... Hai *visto mai*?»

«Ce l'ho qualcuno, mi sa... ... Ma *bianchi*, Alvaro?»

«Eh, l'hai capita?... ... 'Un vedevo già quasi niente eppure quei galleggianti piccini bianchi mi si stagliàveno nell'acqua e so' gli unici che capivo s'i 'ppesce abboccava... ... ...
Hai *visto mai* un giorno di questi», Alvaro si èvita la voce
di dentro che gli urla addosso, «dovessi tornà a pescà...»

«Guardo, un secondo... Ce ne dovrebb'esse un sacchet-
tino che l'altro giorno l'ho visto... ... mentre rimettevo a
posto i timbri...»

Tutta questa cerimonia con Alvaro è perché, sotto sotto,
una parte di lui è convinta che Alvaro sappia che nel tappeto dentro al portabagagli c'era il cadavere di Davide Sereni.
E che se non lo rivela al mondo è solo perché ha un'infinita
pietà per lui. E per quello che è diventato. Come sua moglie
Bella, magari. Come suo figlio, soprattutto *ora*, se davvero
hanno avuto un senso le sortite di Davide in sala da pranzo.

«O' come sta il tu' figliòlo, ch'è tanto che 'un lo vedo?...», gli chiede Alvaro.

Amedeo si gira sugli occhiali spessi e opachi di Alvaro. «*Alvaro*... Andrea addìlla tutta... Non sta tanto *tanto* bene...»

«Ommadonna, e i 'cche cià?—»

# 44.
## 26 OTTOBRE 2000

**La cartuccia esplosa, il grilletto del sovrapposto a canna liscia**

tirato, molto più morbido della Beretta dell'angolo cieco, va detto, la palla che viaggia a una velocità approssimativa di 580 metri al secondo – si tratta di uno dei prototipi di Sauvestre da 28 grammi, preferibile (per stabilità di tiro, anche se siamo un po' al di sopra degli 80 metri di distanza dal bersaglio) alle palle da cinghiale più pesanti (40 grammi delle Brenneke, o delle Gualandi). Il minimo di 11,83 delle Dolomiti's Ball ancora non commercializzabili non sono comunque consigliate, vista la stazza del cinghiale e la velocità con cui ha caricato di lato cercando di uscire dalla Conca.

La sauvestre dovrebbe essere penetrata nel punto più morbido della cinta, se l'occhiomatto non gli ha fatto qualche scherzo baileyano della percezione. Ha visto lo spruzzo di sangue alto e *piumato* a mezz'aria nemmeno fosse il pennacchio dei carabinieri a cavallo. Il cinghiale s'è frenato: e poi però s'è buttato in mezzo ai rovi, rimanendo indifeso e visibilissimo. Il secondo colpo – dopo una corsa leggera: ché lui non *corre*, mai, *al limite cammina in fretta* – il secondo colpo è stato sparato otto, nove metri più avanti. La seconda palla, azzerata a 107 metri, ha raggiunto il cinghiale a quasi 600 metri al secondo: così che lo scarto da questa distanza è di poco meno di 5 centimetri. La Sauvestre ha preso pieno il *bersaglio* grande costringendo il cinghiale a un grugnito mugolante, lungo, mentre – se ci si avvicina lo si vede bene – il contraccolpo l'ha tenuto in falso equilibrio per qualche secondo, poi – *più* la prima sauvestre sulla *cinghia* ormai del tutto rossa di sangue – è crollato a terra. Con un verso che – abbàio della Lilla a parte – se uno lo dovesse ripetere, direbbe qualcosa come *lljowg-ragh, lljowg-ragh*.

# 45.
## NOTTE TRA IL 19 E IL 20 LUGLIO 1999 (11)

**Fabrizio ingoia una manciata rasposa e salatissima di mezze arachidi**

come fossero antibiotici votati all'harakiri.

«Che scena, *Fab*. Guarda qua...»

«Tu parli troppo», dice Tom Doniphon. Strofina il fiammifero su un mobile *fuoricampo*. Walter rimórmora ogni battuta come fosse un biàscico di qualche culto secondario pieno di folklore privato. Fabrizio è ipnotizzato tra la morte marginale della guerra di Bierce e le arachidi. Fissa lo schermo e sgranocchia, senza dare alcuna priorità alle due azioni. Pensa a come Walter continui a gestire questo tempo di passaggio tra una madre morta e lo *scandalo* che lo avvolge a tappeto come un sudario.

«E pensi troppo». Lo fissa, Tom Doniphon. In quegli occhi che John Wayne gli ha solo momentaneamente prestato, Tom Doniphon trova il tempo infinito delle rivelazioni. E si vede che non gli regàla nessun sollievo: non c'è riparo da questa tempesta umanissima e singolare che l'ha squassato dagli stivali al cappello restituendolo a sé stesso completamente *rinnovato*; e ghiaccio come le grondaie quando gela.

«E comunque. Non l'hai ucciso tu Liberty Valance».

E sul *cosa?* respirato di James Stewart Tom Doniphon scandisce il suo incantesimo, il *verbo* che restituisce vita passata alla vita presente e riorganizza il mondo ogni volta che viene *esposto* alle intemperie blindate del ricordo.

«Ripènsaci, amico». *Think back, pilgrim.* Nella lingua in cui Tom Doniphon pensa. E vive.

E in questo esatto momento di epifania, nell'istante prezioso in cui le tessere di un qualsiasi *mosaïque vivant* si ricompongono per dare vita a universi plausibili e colorati, la notte di Corsignano esplode in una summa atheologica e ferina di grida e rantoli e suoni e grugniti, quasi un fulmine sonoro si fosse raggrinzito nello strato epidermico del buio, appiccicandosi al nero concavo dell'estate come la crosticina luminosa di un graffio siderale, le luci sperse che si prefigurano da sùbito in cicatrici. Quello che arriva dalla collinetta dei Morrelli alle orecchie *impressionate* di Fabrizio e di Walter e li costringe a voltarsi verso l'antimateria scura del davanzale è fatto del *runghio* dell'omone di Bierce, del grugnito primitivo della scoperta del fuoco, del silenzio accartocciato della morte di Lee Marvin; del fuoco inerziale che mangia il futuro della stanza di Hallie vomitando tutta la cenere che nemmeno il deserto riuscirà a spolverare via. Nel cervello parallelo di Walter *c'è* d'un tratto il mastino dei Baskerville frustato a sangue con *il suo stesso guinzaglio* e la lacerazione fortuita della scoperta della morte e dell'omicidio *dell'osso* di Kubrick. È un lamento prolungato che s'affaccia sulla fine dell'innocenza e poi se ne ritrae, ritornando indietro devastato, e ancora più struggente, perché saturo e impregnato di imperfezioni come un'aria *all'improvviso* viziata che si scopra da sola per quel che è, dopo un solo sbattere di persiane. È un suono intraducibile perché fatto di tutte le note sopportabili da un ascoltatore allenato *più una*: che è quel discrimine tra ciò che la natura *depone* prima di forgiarsi in artificio, e persistenza indotta.

«*Gggghhm-Ah-phhcrhhhiap-hippp-piqhhhh-aqhhhhh-paaapaachhhhhh-paaaahhhhhhh-odaaalhhhhhhh-dudhhhhhhhh-pnhi... Rvrrn-*Pstvnddms... Mmgh-*Mmgghhg-mhhhh...*», è più o meno quello che sente Fabrizio, la mandibola ancora pressata su polvere di arachidi già attaccata dalle perossidasi.

A Walter – cui per un secondo lunghissimo sembra che il *suono* venga dal ricordo stesso di Tom Doniphon mentre fuma – viene da pensare (un tremito, la morte *futura* che passa sul tuo spazio perimetrale di tomba, per dirla con il vecchio Osvaldo; non bastassero le morti passate e presenti a mangiarci vivi di dolore) che quella confusione inesplorata di *ggh* e di *mugghi* brontëiani abbia una sua, agonica vita propria.

«Ma che c*affo* è...», dice la bocca impastata di Fabrizio, mentre il suono riemerge in sbuffi e in un altro tipo di grugniti e grufolìi. E sulla terra smossa della collina si sente uno zampettare spigoloso e aritmico che induce – la corteccia più dura delle nostre paure, il retaggio delle grotte del tempo quando l'inconscio fa partire il ronzìo millenario del superotto *in bianco e nero* dei neanderthal; o il lampo *hd* del Medioevo cattolico – all'immagine rossa e forconata di un diavolo, o al raspare di saggina delle streghe.

Fabrizio – le mani ancora salate di frammenti di noccioline – s'affaccia alla finestra e *parla da solo* a Walter.

«Guarda che questo è Tonino che ne ha *organizzata* un'altra—TONINO!...», grida al primo lampo di notte e di declino dei rovi. E zittisce il suono. La notte estiva è immobile all'improvviso in modo *binario*: on-off, acceso-spento. Solo un improbabile sciacquìo della pompa del pozzo dei Nardi, mezzo chilometro oltre il casale dei Morrelli.

Il primo sparo di Liberty Valance ritorna dalle eternità concessive e recuperabili del ricordo, mentre Walter si alza anche lui e si accosta a Fabrizio, in silenzio. In attesa che suo zio Tonino si dichiari e spieghi il *suono* che li ha appena pervasi. Dietro le loro schiene, Tom Doniphon è un'ombra sul muro del Vicolo Incerto da cui è cominciato tutto. Dice solo *Pompeo*. E Pompeo gli passa il fucile. «Ora basta», ripete Lee Marvin.

Fabrizio lo raccoglie e lo esaspera contro il pruneto più basso, cercando di affezionare gli occhi allo scuro da basso. «EH!... Ora BASTA!... ... Tonino... *Zio*... Sei tu a fare *i gioche'*...?», e gli esce il fonema bastardo con cui pensa di ammansire suo zio: con le note di qua dalle colline e dalla piana di Taverne di San Biagio, dove Tonino è nato.

«Guarda che se è lui stavolta m'incazzo proprio...»

«... Ma come lui?... Sembrava più un animale...»

Ranse Stoddard e Tom Doniphon sparano insieme. Ma la pallottola di James Stewart è molto più lenta di quella di John Wayne.

«...»

«...»

«Omicidio volontario. E non ne sono pentito», è la risposta *responsabile* di Tom Doniphon al *perché* sfrigolante dell'avvocato.

«E che cazzo di animale era?... ...»

«...»

«... Guarda è più probabile che sia qualche minchionata di— TONINO!... ... Zio! Se sei tu stavolta *un po' m'incazzo*, eh?!»

«Dài lascia stare. Se è lui tra poco torna...»

«...»

«E se è una qualche bestia se ne andrà...»

*Hallie è felice. Lei ti voleva vivo.*

Fabrizio e Walter rientrano lievemente smarriti nel cuore del salone.

*Ma tu mi hai salvato.*

*Vorrei non averlo fatto.*

La divaricazione tra la verità e il gesto da fare li riporta immediatamente nel centro incandescente del film. Quello che voglio, quello che devo.

«Cazzo il luteranesimo da cowboy...», dice Fabrizio.

«Gli Stati Uniti d'America», continua Walter sedendosi. Fabrizio resta in piedi, il culo al bracciolo. Prende il pacchetto di sigarette del padre e ci armeggia girando e rigirando una sigaretta filtro-sbocco, sempre fisso su James Stewart, spaesato; e seduto.

«*Esattamente* gli Stati Uniti d'America. Tu non ti preoccupare. Io faccio il lavoro sporco e mi sacrifico per te: non c'è nemmeno bisogno che si sappia—*anzi*: non si deve, sapere...»

*Hai voluto insegnarle a leggere: e ora fa' che legga dei tuoi successi.*

«Io sono qui. Sparo nella schiena a quello che ti sta per ammazzare e te ne faccio anche prendere il merito *giusto*, e leggendario. Poi me ne ritorno nell'ombra. E tu vuoi rompermi i coglioni per il Vietnam, o per l'Afghanistan, perché appoggio Pinochet (e però intanto ti proteggo)... o perché se vedo un sandinista gli faccio il culo?... ...»

Fabrizio guarda Walter allocchito.

«Vabbe' ma cazzo *Liberty Valance* c'è... È il sacrificio per amore, è Cyrano è... ...»

«È il duello. E la guerra. E l'assunzione di responsabilità... Fino alla mutilazione o alla morte... Devi solo scegliere quali sono le priorità... ... *Più la storia degli Stati Uniti* come loro si vedono...»

Quando sull'uscita solitaria di Tom Doniphon riappare il *vecchio* senatore Stoddard: sembra proprio il Lincoln gigantesco del suo Memorial; solo più a suo agio, con la gamba appoggiata allo schienale di una sedia.

Fabrizio non si dà requie. «Ma quello è *un altro* tipo di John Wayne, dài... che non c'entra niente con *Un uomo tranquillo* o con *Un dollaro d'onore*... Proprio tu, Walter, mi confondi *Liberty Valance* con *Berretti verdi*?...»

«...»

«... È dura, Fab, non capire mai un cazzo *ma in modo sbagliato?*»

«...»

«... Ho parlato di come gli Stati Uniti vedono loro stessi: e loro si vedono *così*... Hanno bisogno di pensare... In assoluto l'epica che hanno *decretato* è la somma dell'atteggiamento greco e di quello romano... Socrate muore ma Atene vive: è *Liberty Valance*. Piega il capo all'imperatore e fa' il cazzo che ti pare, *Berretti verdi*... Dove certo manca l'arte, l'amore, lo strazio dell'errore, il fascino leggendario del sacrificio *fine a sé stesso*... Ma è così...»

Qui siamo nel West, dice Maxwell Scott. Dove se la leggenda diventa realtà, vince la leggenda.

«Che poi gli *Stati Uniti* non sono tutto questo e solo questo... Ma una larga autopercezione di questo tipo è... più che *possibile*...»

Fabrizio guarda la finestra e lo spicchio di collina. Gli sembra di intravedere un passo di Luna dietro il punto più alto dei sette pini dell'Oltreprunaia.

«Tutto duello e guerra— ma c'è duello e guerra...»

«E quello dipende dagli esseri umani. E dall'arte... ...»

«...»

«... Quali sono i tre film di guerra che ti sono piaciuti di più negli ultimi vent'anni...»

«... Negli ultimi venti *precisi*?...»

«Sì. Quindi *Il cacciatore* è fuori *di uno*, ché è del '78...»

«... Ma ha preso l'Oscar nel '79...»

«E 'sti grancazzi. *Il cacciatore* no...»

«... Vabbe' allora è facile». Prende l'accendino dal tavolinetto. Si appunta sul labbro inferiore la sigaretta *prescelta*. L'accende, tossicchiando e strizzando gli occhi alla seconda sbuffata. «...*nnnc*... Non c'è nemmeno da litigarci troppo... *Apocalypse Now*, *Full Metal Jacket*, mfccf... e *La sottile linea rossa* di Malick...»

«Questo perché l'hai visto da poco...»

«I' 'ccazzo. Perché è un capolavoro, grancoglione *te... assoluto*...»

«*Platoon* no».

«... ... Diciamo che *Platoon* lo metto tra le tombe etrusche e il Monte Fumaiolo».

Walter sbotta a ridere suo malgrado.

«Quindi per *evitare* il problema hai scelto i tre più... letterari?»

«Ma che cazzo dici letterari, sono cinema puro: sono grammatica del cinema... tutti e tre grammatiche *nuove*... che il cinema lo *rifondano*, e tu mi dici "letterari"...»

«Occhèi...», l'errore è talmente frettoloso e marchiano che Walter addiviene sùbito a una resa. «Ho sbagliato *modo*. Però di nuovo Conrad. Poi il senso del potere di Kubrick... E pensa che Joker si salva perché Palla di Lardo muore...»

«Le solite stronzate, Walter...»

«NO. Mi sarò sbagliato a fare il *facilone* con le etichette, *ora*, ma se Joker si salva questo è perché Palla di Lardo viene lasciato darwinianamente *a casa* dopo che ha eliminato lo sporco... Che è poi quella prorompente testa di cazzo del Sergente Maggiore Hartman... Ma se Joker ce la fa a Hué è soltanto perché qualcuno, prima, si è materialmente sacrificato mettendosi da parte *solo dopo avere eliminato* il problema... ... *Lo sporco*, Hartman... Liberty Valance...»

«...»

«...»

«E Malick, allora...?»

«Malick è l'assoluto e l'eternità, è Kubrick che s'interroga e *che poi* accenna centinaia di risposte parallele che cambiano mentre parliamo... ... Ma anche lui prende quel gran figaccione di Jim Caviezel e gli piazza sopra una croce...»

«...»

«...»

«Tutto qui? Vuoi ricondurre a... una mitografia affastellata tutte... tutta l'infinita bellezza di quelle immagini e di quella... stracazzo di voce meravigliosa fuoricampo... Le due direzioni del tempo tra la voce e le immagini... Scorsese e Malick, praticamente *gli inventori* dei due tipi di voce fuoricampo... e *La sottile linea rossa* per te è solo il sacrificio di Caviezel?...»

«... MA CERTO CHE NO, cazzone...» Walter è incredulo e indispettito. «Sto solo scavando una galleria tra le altre, ma che mi conti le parole, adesso?... Guarda che *La sottile linea rossa* l'ho amato anch'io...»

«...»

«... Quello che non possiamo sapere, nei precordi, nei punti precisi dove non ci soffia mai nessun vento che non venga da noi... anche se ne stiamo a parlare per ore, poi... quello che non possiamo sapere sono le *differenze* di motivo per cui l'abbiamo *amato*...»

«...»

«...»

Questo e altro per l'uomo che ha ucciso Liberty Valance. E Ranse Stoddard resta a mezza strada tra la sua pipa e Washington. E per la prima, vera volta, ci accorgiamo che gli occhi a mezz'asta di Hallie stanno fissando antichissime pieghe del passato, il momento irrisolvibile in cui l'amore *in fieri* per Tom Doniphon è diventato devozione a Ransom Stoddard. E per la prima, vera volta, ci sembra di trovare in quello sguardo socchiuso, e orgoglioso, il rimpianto *futuro* per una vita che non è stata: e che comunque non sarebbe stata plausibile. Mentre il treno se ne va con la stessa spossatezza rugginosa con cui è arrivato.

Fabrizio, la sigaretta in mano, la gola riarsa *per principio*, prende una lattina di coca cola e se la porta con sé alla finestra. Pensa alle differenze di cui parla Walter e intanto cerca di cogliere il movimento impercettibile della Luna sui pini. Un biancore che a mano a mano si spande, quasi la luce cercasse nuovi spigoli e confini frastagliati di ombre per chiedere conto della sua premura invadente. Pensa alla *Sottile linea rossa*; e a quello che è già dentro di lui quando impara qualcosa, o la vede per la prima volta. Il duello e la guerra. E la morte. E il sangue.

E però, in tutto quel sangue.

E in tutta quella morte, *e in quel sangue*, riesci a capire esattamente cos'è il lutto per *un'intera* umanità quando Jack Bell legge la lettera di sua moglie, *Oh my friend of all those shining years. Help me leave you.* Oh amico mio di tutti quegli anni splendenti. Aiutami a lasciarti. E se hai un cuore; se hai davvero un cuore *umano* che non puoi evitarti; allora proverai solo dolore, e non soltanto per lui, sperso nel verde militare di Guadalcanal, spaesato e *solo* come solo gli esseri umani in lutto possono essere. Proverai dolore per entrambi. Per tutti e due. Per il soldato semplice Jack Bell e per sua moglie, innamorata di un capitano dell'aviazione perché *troppo sola*; che gli sta chiedendo il divorzio per lettera: e anche se capisce che non può, non deve, non *dovrebbe* farlo, non sa evitarselo. E in tutta quella morte, in tutto quel sangue, tu che a Guadalcanal non sei stato mai *sai* comunque per certo – se hai un cuore, un cuore umano che ti pompa sangue da dentro e ti singhiozza tutte le lettere di divorzio e di abbandono perdute dall'umanità, guerra dopo guerra – cos'è la *fine* quando arriva. Spietata come la vita; e come la vita pronta a ricominciarsi ogni volta: *anche se* per un altro dolore, non troppo lontano da te.

Fabrizio lancia il mozzicone dabbasso dopo averlo schiacciato sul davanzale; e *lì*. In quell'istante già lontano e perso, si accorge del muso puntuto di un cinghiale, gli occhi acquosi che balùginano tra i rovi. Un cinghiale che probabilmente è stato lì per ore e che era immobile, riparato da una conca tra i cespugli e dal buio nero della collina. Ecco di chi era *la voce*, pensa Fabrizio senza accorgersene.

Gli occhi del cinghiale – un frèmito del grugno, un passetto cadenzato sul posto delle due zampe anteriori – si fissano in quelli di Fabrizio, senza che nessuno dei due perda la presa.

Poi Fabrizio alza la lattina di coca cola poggiata sul davanzale, tira via la linguetta con uno strappo improvviso. Punta la lattina verso i rovi, il cinghiale fermo tra le spine come fosse di vedetta. Sparge un po' di coca cola oscillando la lattina nel vuoto buio che s'allarga davanti a lui.

«Ma che fai?», gli chiede Walter dal divano.

Fabrizio sorride e mormora *benvenuto, Balthazar*. Benvenuto. Je te baptise au nom du Père, et du Fils, et du Saint-Esprit...

# III.
## *AGHÉIN*

Di séguito, lo schema del Duello così come potrebbe intuir-
lo un cinghiale

nel corso della sua prima *appercezione*:

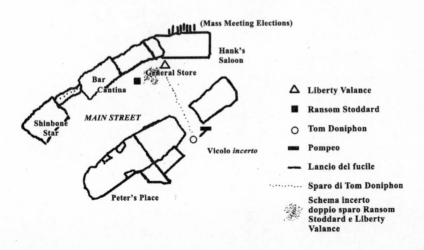

... concentrandoci sul Vicolo *incerto* [per cui *cfr* le intuizioni di Walter Malpighi al capitolo 12 del *presente* romanzo]: possiamo notare, in aggiunta alla *legenda* esplicativa, che la traiettoria della pallottola del «presumibilmente *winchester*» di Tom Doniphon raggiunge il *bersaglio* «Liberty Valance» *più* o *meno* dalla stessa distanza *filmica* da cui il *sovrapposto* dell'Andreoli spara la Sauvestre il 26.10.2000 in località Conca Nascosta.

# 47.
## 29 OTTOBRE 2000

«Com'è?», fa Mm-eerrockwr; e si avvicina

a Neekw-jjam, che fissa l'Arlecchino e sembra stupito dalla solidità liquida del tramonto.

«Cosa?», fa Neekw-jjam.

«Com'è *le cose*, in generale, dopo il fatto», mugugna basso. Sembra quasi che voglia *trattenere* i grugniti al di sotto di una certa soglia di rumore.

«Quale fatto?»

«Di Apperbohr», gli dice Mm-eerrockwr: e il tono è quello stizzito di quando *spiegava* Cinghiarossa al resto del Coro della Radura.

«*Mm*, Apperbohr, sì...», annuisce con scatti nervosi del muso Neekw-jjam. Allarga le narici puntando un odore lontano tra gli altri, di là dai digràdi sotto i bastioni di argilla di Corsignano. «Arrivano gli aghi di pino, il vento *di laggiù* si porta dietro gli aghi di pino...»

«Tu sei già stato alla radura?», domanda Mm-eer-rockwr.

«La radura dove?», risponde Neekw-jjam con un'altra domanda.

«La radura dei *rvrrn*, Neekw-jjam! ... La radura delle riunioni...»

Un cespuglio alla loro destra si abbassa, ci passa attraverso Feenz-sstnér, che sgrunfia a tutt'e due «com'è?» e li raggiunge sul ciglio basso del dirupo. Il sole è una sfera enorme, e rossa. Se soltanto potessero, tutti e tre lo paragonerebbero a una Gualandi, o a una Slugger Magnum; magari proprio alla palla incandescente che ha centrato Apperbohr nel centro perfetto tra il collo e la schiena. Ci vedrebbero una delle infinite forme che assume la morte, se solo sapessero raccontarsi la morte.

«Com'è cosa?», fa Mm-eerrockwr.

«Il fatto, come state?», chiede Feenz-sstnér. «Avete visto Llhjoo-wrahh?»

«Llhjoo-wrahh chi?», chiede evidentemente *preoccupato* Neekw-jjam.

«Come *chi*?», fa Mm-eerrockwr. E si volta verso Feenz-sstnér.

«Llhjoo-wrahh di Apperbohr...», spiega Feenz-sstnér a Neekw-jjam. «Apperbohr», ripete.

«Ah, Llhjoo-wrahh di Apperbohr...», conferma Neekw-jjam. Poi smuove la zazzera elettrica contro le striature porpora e rosa vivo del cielo. Sembra di assistere a uno dei momenti primari di una creazione minore, il cielo un'immensa *minestra* grumosa di melograno e di vermiglio: le sferzate vaporose delle nuvole che s'immergono, e poi sbandierano al vento di ottobre – le lenzuola ad asciugare di Dio – nel cuore tenero del magenta, fino alla luce acciaio e indaco del crepuscolo in arrivo. È un declino silenzioso che li trova tutti e tre attenti, a fissare *il laggiù* come se dovessero interpretarne il disegno in lingua *rvrrn*.

«Il *fatto* non mi fa dormire», dice Feenz-sstnér, e grugnisce qualcosa che è a mezzavia tra uno sbadiglio e un raschio di dolore.

«Quale fatto?», chiede adesso Mm-eerrockwr. Neekw-jjam guarda Mm-eerrockwr. Poi Feenz-sstnér. Si aspetta una risposta che non arriva.

«C'è odore di rosmarino, *da di là* di *laggiù*», dice Mm-eerrockwr.

Feenz-sstnér ci pensa un attimo, muove le froge a cercare l'odore. Poi, come se si ricordasse all'improvviso di una notizia che deve dare a Neekw-jjam.

«Di Apperbohr, il fatto di Apperbohr...»

«Non ci dimenticheremo mai di Apperbohr», fa Neekw-jjam.

«Ma quale fatto?», chiede Mm-eerrockwr.

«Di Apperbohr», fa Neekw-jjam.

«Apperbohr chi?», gli chiede Mm-eerrockwr.

«Il fatto di Apperbohr...», ripete Feenz-sstnér.

«Ma Apperbohr chi?», domanda Neekw-jjam. Feenz-sstnér guarda smarrita Mm-eerrockwr. Che fissa Neekw-jjam, annusa la ventata di rosmarino che lo supera e gli passa sui peli del collo.

«*Già*. Apperbohr chi?», chiede a Feenz-sstnér. Lei lo guarda come se lo vedesse per la prima volta.

«Chi è Apperbohr?», domanda, curioso, Neekw-jjam.

# 48.
## 27 NOVEMBRE 2000

«Sembrerebbero davvero del tutto terminate le attività cinghialesche

che negli scorsi mesi hanno messo a dura prova la pazienza dei contadini del corsignanese. Come se una mano invisibile avesse deciso di coprire, all'improvviso, tutte le bizzarre scorribande vandaliche cui abbiamo assistito dalla primavera scorsa fino a quasi un mese fa: più o meno dall'inizio di novembre, tutto è tornato normale: niente più furti di granturco, né cassette della frutta messe a bloccare le entrate degli orti. *Vero*, signor Fucecchio?...» «Be'... A esse veramente *veramente* sinceri... io e' 'un ciò mai creduto che i *cin-ghiàlii*...»
(dal Tg3 Regione del 27.11.2000, *intervista televisiva* di Tarcisio Nedoli a Franco Fucecchio, 0' 00"-0' 42")

«Noo... E mica dico che so' stati proprio gli *ufo ufo*... ma certo che...» (1' 23")

«... E perché lei, dottor Nedoli, e' mica l'ha *vvisti* i cerchi... *gròssi—*» (1' 57")

# 49.
## 23 SETTEMBRE 2000

«Così sarebbe questa, la morte, amico mio,

questo spicchio di luna alla fine delle colline, la luce incerta delle case illuminate da Corsignano; il gigante sdraiato di pietra e di sassi che sembra una scatola piena di buio, adesso, ora che non riesco a svegliarti?»

Apperbohr mugugna una qualche preghiera fatta di grugniti, e di borbottìi. E intanto spinge, pésta, scava, *picchia* col grugno nel grugno di Chraww-nisst e insiste, grugnisce e *insiste*, non vuole accettare che non si muova.

«Muòviti», gli dice – come *sa* e *può* – «àlzati... Smètti questa finzione, perfavore... Ora tu smetti di sanguinare», Apperbohr abbassa il muso ad annusare il terreno, la pozzanghera di sangue che esce dal corpo squarciato di Chraww-nisst; la palla l'ha colpito *male*, l'hanno preso al ventre. Ha corso per tutto Boscorotto, fino alla radura dei Graar-ar; Apperbohr l'ha visto quando è uscito dal canaletto per Conca Nascosta, l'ha seguito, chiamandolo. Fino a qui; fino a questo riparo di rovi, un'ansa segreta del Nardile, dopo la diga. Un'*affiorescenza* d'acqua —*affiorescenza* potrebbe essere la parola, la parola che serve ad Apperbohr per spiegare questo ristagno d'acqua che infanga il sangue di Chraww-nisst; Apperbohr ha capito che quando le parole non ci sono bisogna trovarle, masticarle come se fossero ossa di cervo da spolpare: e se al dio delle parole non va bene allora che si perda, che *mi perda*, grugnisce Apperbohr, ora che mi ha lasciato *qui*, da *solo*; e non riesco a convincere Chraww-nisst a svegliarsi.

«Chraww-nisst!», quando l'ha raggiunto, sanguinante: che già barcollava nell'erba alta, e cercava il rinfresco stagnante del fango.

«Ho *cose* che—» Chraww-nisst è crollato con un rumore di ramo che cade nell'acqua. Non sapeva spiegare *cos'era il dolore che lo stordiva*. «Ho delle cose», diceva. E intanto dalla pancia *aperta* Apperbohr vedeva spuntare le *cose* che non dovrebbero stare fuori dai *rvrrn*, le *cose* che *fanno* i *rvrrn* da dentro: e così ha cominciato a spingere, *dentro*, e leccare il sangue come se così potesse trattenerlo, quella lunga scia di sangue che perseguitava Chraww-nisst fino a trovarlo, disteso, preoccupato *di non capire* quali cose avesse, fino a trasformarsi in lago sotto di lui, mentre Apperbohr provava a tenergli la vita insieme, a mordere i lembi spaccati di carne che gli si andavano distaccando sempre di più, la fuga dai mhrhttrh*rsh* gli aveva crepato le sacche di grasso in un'unica poltiglia irrimediabile.

«Non morire», gli ha detto Apperbohr, leccando il sangue che pareva colare dai canini, dagli angoli della bocca.

«Cos'è, *morire*?», gli ha chiesto Chraww-nisst. L'ha guardato, aspettandosi una qualche risposta che probabilmente avrebbe dimenticato sùbito. L'ha guardato fiducioso; convinto che Apperbohr potesse spiegargli quella parola che ha appena detto, e che lui non ha mai sentito, e se l'ha già sentita è uguale, non sa cosa voglia dire, ora che *ha delle cose*, che la bocca è piena di *amaro* e *di acqua*, gli sembra, *eppure ha sete*, è come se *avesse sempre avuto sete*, intuisce per un momento Chraww-nisst, che aspetta che Apperbohr gli spieghi. L'ha guardato, Apperbohr ha grugnito, ha spinto il sacco di viscere che s'abbassava sempre di più, al ritmo degli spasmi involontari di Chraww-nisst.

«Cos'è, *morire?*», gli ha chiesto Chraww-nisst. E lui, Apperbohr, con tutta la sua arroganza (*arroganza*, è la parola), con tutta la proterva vanità dei suoi comizi alla radura, la sua superiorità di rvrrn, lui, Apperbohr, *non sa cosa dire*. Perché neppure lui, con tutte le sue *parole* in mostra, cadute in continuazione dall'alto o da dentro – questo ancora non l'ha stabilito; forse non gl'interessa – con tutte le parole che *possiede*, e la capacità di portare la *magia* di là dal tempo, solo immaginandolo. Con tutta la sua disperata, approssimata, furiosa smania di vivere da rvrrn con i rvrrn e di *cambiarli cambiando sé stesso*. Lui, per quanto si sforzi, *non sa cos'è morire*.

E allora – guardàtelo come continua, a buio calato e allagante: come le stelle cadenti di parole che lo sommergono, tristi, *inascoltabili*, destinate a tutti fuorché a lui fino a un *ciclo prima*, un giorno prima, *un istante del tempo-prima*, *guardàtelo* mentre continua a spingere il corpo *morto* di Chraww-nisst, e lo chiama, e lo insulta – maledetto testone, svégliati, *rovina dei rvrrn*, gli dice – guardàtelo mentre cammina avantindietro sui suoi zoccoli, e rifinisce il bordo spaccato del ventre di Chraww-nisst a testate; la pancia chiusa come un sacco, e il ventre *riaccostato*: che ora è fermo; *stabile* e quieto come le *cose morte*, àlzati andiamo via, gli dice.

E poi, nei lampi lucidi della consapevolezza, la lingua che continua a leccare via il sangue dal muso scomposto di Chraww-nisst; sembra lo debba preparare per il funerale, aggiungere la biacca ai peli, per renderlo più presentabile di fronte al Coro dei rvrrn.

«È questo, morire, amico mio? Quest'ammasso di carne, e di sangue, e di peli, che non si muove più? ... ... *Sei questo, morire?* ... Tutta quella vita *inutile* che c'era e che non c'è più? ... ... Aiùtami, se puoi, ché io non capisco», dice Apperbohr alla morte di Chraww-nisst. Aiùtami a capire, se puoi. Epperò ritorna, anche solo a chiedermi di nuovo cos'è — »

# 50.
## 26 OTTOBRE 2000

«Pronto... ... ... sì», ormai anche soltanto la voce

le riusciva insopportabile. Perché dietro alla voce – falsa, untuosa; ancora votata alla riconquista, ridicola, dopo più di un anno e mezzo di separazione, tre relazioni di lei (tutte *cortesemente segnalate*, a Marcello; ché lei, Federica, era solo onesta, spietatamente onesta: non si trattava di una recriminazione; era semplicemente un modo, garbato, per rimanere in contatto con il padre di sua figlia secondo regole che fossero dal principio lineari; e *civili*): dopo quasi diciotto mesi di distacco, *alla fine* di un tradimento da esasperazione – *dietro e di là dalla voce* i falsi convincimenti di Marcello gli si erano talmente radicati addosso da diventare una seconda pelle *sostitutiva della prima*. Era così grande il fastidio che provava per lui, nell'ultimo periodo, da non riuscire a guardarlo senza lasciarsi andare a divagazioni mentali piene di odio; e di violenza. Lo *vedeva, anco-*

*ra*, parlare dal divano, la soluzione rigorosa di sua madre presa come esempio di vita, la proposta *erotica* di andare a pranzo da lei, la domenica.

Era qui che Federica s'immaginava di uscire, attraversare la strada; mentre, sicuramente, Marcello continuava a parlare: senza accorgersi che lei era uscita (perché Marcello *la* amava, sì: di questo era certa: ma in un modo egoista e ossessivo che non prevedeva il *suo* bene — il suo di lei, intendeva: era una visione *vigliacca, e statica*, del concetto stesso di «esistenza». Purché lei gli restasse avvinghiata, anche *disgustata*, anche recalcitrante alla sola idea di sfiorarlo, per lui andava bene: quasi non fosse un essere umano di carne, e di sangue, *lei*, Federica: come se l'amore non fosse, *anche*, la visione alla pari del conflitto *mentre accade* — questo almeno è quello che credeva lei; giusto o sbagliato che fosse, non c'era mai stato modo di mettere alla prova il conflitto stesso: ché non solo Marcello lo evitava – che sarebbe anzi stato, questo, un modo complice di *glissare*, o scardinare le stesse discussioni disinnescandole dall'interno – semplicemente lo *rimuoveva*. Creando un universo fittizio di ipocrisie che non gli appartenevano, peraltro: non erano *sue*: se le era imposte a forza per una qualche remissività endogena da cui si sentiva protetto); Marcello l'amava, sì, nel suo modo soffocante e *sbagliato* per lei: per questo quando lui parlava, dal divano, immaginava di essere già in ferramenta, a un centinaio di metri dal portone di casa: ottanta, novanta metri. Immaginava di entrare – «potremmo anche andare alla Fiera di Gualdicciolo, no?» – di chiedere, con la purezza d'animo degli *eroi* dostoevskijani raggiunta *un po' prima* dell'accettata alle vecchie; o dei propositi, più o meno inconsci, più o meno espliciti, di parricidio, «se per caso in negozio» Alceste aveva «una chiave inglese, di quelle grosse, da film comico, o da *supermariobros*». Nella fascinazione idraulica della divagazione, lei poi pagava – non tanto: Alceste le faceva sempre un prezzo buono, da cliente onirica affezionata – prendeva la scatola con l'*enorme* chiave inglese: ogni volta diventava un po' più grande, e pesante. Poi rientrava, saliva le scale; prendeva possesso del divano; lui, nella divagazione, le chiedeva sorridendo «ma dove sei stata, non mi sono accorto» e lei di solito non gli permetteva un eccesso realistico di battute; veniva sùbito presa dall'agitazione di frantumargli il cranio in modo cruento, e salvìfico, con la chiave inglese: colpendolo ripetutamente e però lasciandolo vagare vivo per la stanza, praticamente a pezzi, nello stesso modo in cui *non* muore Peter Sellers in *Hollywood Party* e continua a suonare la tromba.

Per non uccidere – per non massacrarlo, in realtà: ché ogni volta si trovava scossa, e preoccupata: e trovava una risposta al *perché*, di tutti i personaggi cinematografici, i suoi idoli veri fossero *Hannibal the Cannibal* e il Sordi di *Piccola posta* – per non massacrare così tante volte in sogno Marcello aveva deciso di lasciarlo.

«Niente di particolare... ...»

\* \* \* \* \* \* \* \* \* \*

«... ... No. Con mia madre...»

\* \* \* \* \* \* \* \* \* \* \* \*

Carola è in soggiorno; girella nella tutina arancione sporca sul davanti di *mousse* al cioccolato.

(*La madre ne stava mangiando una* coppetta *davanti alla televisione, prima della telefonata di Marcello; e la bambina se n'era approfittata, infilando indice e medio della mano destra nella ciotolina di plastica e poi scappando via, ridendo, verso l'ingresso*).

«... No, Marcello. Non sùbito... ...»

\* \* \*

«Neanche tra un po'... No... ...»

* * * * *

«*Nonlosò, quando... ...*»

* * * * * * * * *

«Guarda se fai così non te la passo *nemmeno*, Carola, *non* — »

Era sempre la stessa trafila; con una circolarità che lasciava sconcertati. Prima c'era un attacco a voce sfiatata di «come stai, che hai fatto oggi», che agli occhi di Marcello, evidentemente doveva dare il giusto contributo a una nuova idea di sé: non rasserenato; e però capace di garantire tanto la giusta comprensione quanto un'innegabile capacità di gestire la nuova condizione di separati (*ma non è detto*). In questa fase, Federica aveva già rimosso il primo ribrezzo: in questo caso concentrato su una deformazione congenita dell'osso cuboide del piede sinistro di Marcello; che, quando era innamorata di lui – la pianta del piede sembrava schiacciata *in fuori* come se *fosse stata presa a mazzate con un*'enorme *chiave inglese* – a malapena sopportava. E che adesso era un modo *disgustoso* di tenere a bada ogni *avance* telefonica di Marcello: l'eros le crollava *ai piedi* e lui era già fuorigioco prima di cominciare con le domande. Poi – evidentemente la ventata di allontanamento riusciva a trasportarsi attraverso il cavo telefonico – c'era un'improvvisa accelerazione sul *dove sei stata questi giorni*, cui lei non rispondeva; chiedeva (ed era una manipolazione immediatamente identificabile: perché aveva a che fare con l'assegno di mantenimento: per Marcello, un modo virile di segnare un legame) se la bambina era stata o no con la baby-sitter (che poi era una ragazzina di quindici anni che abitava nello stesso palazzo di Federica).

———

Carola è arrivata davanti alla porta-finestra della cucina; Federica l'ha lasciata accostata, quando è andata in cucina a prendere la *mousse* nel frigo. Ha aperto la porta-finestra, ha dato un'occhiata alla pianta di rosmarino sul balcone, uno sguardo alla salvia: ha pensato che poteva ancora restare *fuori*; poi ha accostato — attenzione: soltanto *accostato* la porta-finestra, il legno a toccare il legno di poco, il vento che (appena lei è tornata in sala) ha aperto uno spiraglio d'aria abbastanza *largo* per le dita di una bambina di ventitré mesi.

E ancora. La terza stoccata riguardava la domanda – insidiosa, talmente prevedibile da imbarazzarla *per lui* – sul *vedersi* e *parlare*. Che trasformava le due precedenti in palliativi di relazione matura *ancora più malriusciti*, e disgraziati; minando da subito le basi di quel patetico «ti va di vederci, dopodomani» – l'effetto mirato non funzionava, con *la* Federica – «per parlare un po'?» E quando Federica fermava qualsiasi proposta di appuntamento; rincarando il rifiuto non solo sulla breve, ma anche sulla lunga distanza (era una keynesiana negativa: confidava nel fatto che «alla lunga distanza saremo tutti morti»). Allora lì l'animo nero e *vero* di Marcello si manifestava – e qui va detto, a maggiore riprova del mancato *concerto* tra i due, che erano paradossalmente questi i momenti in cui Federica avvertiva non solo una certa stima, ma anche una parvenza, ghiacciata, di quello che era stato il sesso tra loro, prima del crollo; ma venivano immediatamente soffocati dal fastidio che la voce nasale di Marcello le procurava (quando perdeva il controllo sull'ipocrisia lo attraversava una rinite nervosa implacabile e devastante, che nei momenti di maggiore tensione lo faceva parlare come Franco Latini). E qui lei si *costringeva* alla minaccia – crudele, anche questo va detto: del tutto arbitraria e sregolata – di negargli Carola *come già era stata in grado di fare all'inizio della loro separazione.*

Carola ha messo le quattro unghie della mano destra nella feritoia minuscola d'aria tra lo stipite e la porta; e preme con il pollice, aiutandosi con la sinistra, per scalzare il *fermo* di ferro che in parte ancora resiste, puntuto, fissando la porta-finestra sulle piastrelle della cucina.

Finché Carola non riesce a *far strusciare* il fermo, sfruttando l'equilibrio precario che s'è creato; e ne ride, vedendo la porta che si apre, aiutata dal vento che le sbatte contro: uno spiraglio più largo, una *fetta* d'aria perfettamente *vestita* sulla *silhouette* di Carola. Che, com'è nella sua natura predatrice, ne approfitta.

«È di là — »
\* \* \* \* \* \* \* \* \* \* \*
«No. Non m'importa, fai sempre così, *po — no, 'ssei t' —* »
\* \* \* \* \* \* \*

Carola è sul balcone; la tutina troppo leggera, i calzettoni già sporchi per la polvere sulle mattonelle rosse. Cammina fino alla ringhiera. Riesce a piantare la faccia – le piace che il vento le solletichi il naso e la costringa a chiudere gli occhi – tra una stecca di ferro e l'altra. Il viso *esce* oltre il bordo d'aria del rettangolo tra le due stanghe. (C'è sempre una qualche aria reclusa che aspetta, a farci caso.)

«È sempre la stessa, *nooo...* Sempre nello stesso modo...»

Carola toglie via il viso dalla strettoia – si struscia un po' le guance, che infatti rimangono rosse: e si arrossano ancora di più per le mattane gattesche del vento. Decide di aggrapparsi al corrimano orizzontale e piantarsi sul bordo del vaso di gerani. Il primo piede – la calza è quasi venuta via del tutto, la punta *lunghissima* della calza cióndola oltrebalcone, mentre il calcagno, nudo, è piantato nel terriccio dei gerani.

«Sei tu che devi capirlo, Marcello... ... Io non devo capire niente...»

Il secondo piede, ancora calzato e protetto, atterra sui gerani con rumore di gambi che scrocchiano e si spezzano. La ringhiera – questo Marcello gliel'ha sempre rimproverato, tutt'e *tre* le volte che in quest'ultimo anno e mezzo (*più* o *meno*) Federica gli ha permesso di *salire* in casa – è troppo bassa. Anche per Federica. E infatti Carola, adesso, tiene lo sterno appoggiato al mancorrente e si sporge facendo il rumore dell'aeroplano – imprevedibilità delle mimèsi infantili – con grande dispiego d'arte, e di concentrazione. *Wo-oooo-oooo-ooo* —

«Senti, Marcello. Te lo posso dire che mi hai rotto i coglioni?... ...»

\* \*\*\*\*\*\*\* \*\*\*\*\*\*\*\* \*\*\*\*\*\*\*

«No, è così. Non è *pensabile*... ... Sei una persona intelligente, *non puoi scientemente* rompermi i coglioni...»

*Wooooo-oooo-ooo Wooooo-oooo-ooo Wooooo-oooo-ooo*

«*No*. Non sono intrattabile. Sono separata. Hai capito quello che vuol dire? Se-pa-ra-ta...»

*Wooooo-oooo-ooo Wooooo-oooo-ooo*

«E allora vorrà dire che andrò all'inferno».

*E qui.*
Carola lascia la presa del mancorrente orizzontale, barcolla un po' sul terriccio morbido dei gerani, perde l'equilibrio.

«Sì. Almeno lì non ti vedo, non mi telefoni. *Non mi rompi i coglioni*».

Carola mette le mani alle orecchie, come volesse proteggersi. Ma è troppo tardi.

«... E lo so. * * * * Sono così. Sono volgare.. * * * * * * * *... No. Carola è di là, non mi sente... ...»

Il rumore c'è già stato. Lontano. Di là dalla collina, ha continuato a propagarsi fino al villino a due piani a destra del palazzo di Carola e di sua madre. Poi s'è *sciolto*.

E un altro *botto*. Uguale. Carola sta per togliere le mani dalle orecchie; *e invece* le serra meglio, sorride. Le sembra un gioco. Anche se il silenzio che arriva dopo i due spari le fa impressione senza *spiegarle perché*.

«Ora te la chiamo... Càrola... Càaarolaaa...»

Alla voce della madre, Carola scende velocemente dal vaso di gerani, incespica sulla stoffa scalzata senza cadere. Rientra nella feritoia tra porta e stipite. Si gode il tepore improvviso della cucina.

Nei suoi sogni di adulta, spesso, assocerà il ricordo di quei due rumori all'odore di terriccio smosso. E se ne scorderà però a ogni risveglio, lasciandosi intristire soltanto da un vago retrogusto acido che le ricorderà le domeniche d'inverno a Corsignano; in quarta ginnasio. Quando le sembrava che la vita fosse una prigione senz'aria, e c'erano stati momenti in cui s'era augurata la morte, per *sopportarla*.

# 51.
## 27 OTTOBRE 2000

**Se solo potesse dare un nome rvrrn al dolore, lo farebbe.**

Riuscirebbe a trovare i nomi alle cose come Apperbohr. Farebbe come ha fatto lui quando l'ha chiamata per la prima volta Llhjoo-wrahh: a ogni suono seguirebbe una cosa, a ogni grugnito apparirebbe quello che il grugnito chiama. E lei vorrebbe fare questo con l'ombra scura che le ha preso lo stomaco, e la pancia, come se mangiasse erbe amare, e carogne di animali, tutto il giorno, tutta la notte. La sua bocca è un pozzo pieno di buio, e lei vorrebbe sapere come chiamarlo – *dolore*, le spiegherebbe Apperbohr, magari: se ci fosse ancora Apperbohr – lei, Llhjoo-wrahh (si ripete da fuori come se la chiamasse ancora lui, ma non è la stessa cosa) vorrebbe riuscire a nominare questo abisso senza-fondo, più fondo del Salto della Chiana, più scuro e terrificante della notte in cui i mhrhttrh*rsh* cercarono i suoi figli con gli awgr, e i wk-poow, e Apperbohr non si trovava.

Vorrebbe nominare questa condanna senzaluce con il suo nome; lei sa che così potrebbe conoscerla: e combatterla; risalirebbe il fiume del tempo – se solo sapesse cos'è, il tempo; se solo sapesse che c'è chi lo pensa come un Nardile annoiato e stanco, con un inizio; e senzafine: perché finirebbe con lui anche chi lo considera un fiume – e la caricherebbe a testa bassa, la parola *che non vede*; quasi dovesse proteggere i suoi figli, o *di più*: come se dovesse proteggere i suoi figli *e Apperbohr* da questa parola buia che lei non riesce a grugnire.

È un grumo di sabbia che le scava il collo, e la gola, da dentro. E lei sa — lo sa e basta: è una di quelle *cose* che condivideva con Apperbohr: uno dei motivi per cui *lui è ancora dentro di lei*, anche ora, anche *qui*, alla radura vuota dei graar-ar: la radura vuota dei rvrrn, ormai; dacché Apperbohr è stato Apperbohr non se ne sono più visti, nel Cerchio del Coro; quasi avessero paura di *loro* e del *loro Cerchio*. È una parola che *non smette mai* di divorarla da dentro; e lei ha bisogno di strapparsela di dosso, se vuole sopravvivere. Pensa ad Apperbohr. È passato un solo giorno da quando *non lo vede*; un ciclo soltanto — lui le ha parlato di cicli, provando a versare nelle parole dei *rvrrn* le parole degli Alti sulle Zampe. È solo un giorno che non lo vede: i mhrhttrh*rsh* che l'hanno *colpito* l'hanno portato anche via, di là dai sassi luminosi sulla collina *alta*. È solo un ciclo, luce e buio, giorno e notte, eppure la spaventa il fatto che quasi non si ricorda più di lui. Prova a fermarsi sulla striscia rossa che gl'invadeva di peli la cinta, e il filo striato della schiena; ma già non vede più il suo grugno, la stortura asimmetrica dei canini, il giallo acquoso degli occhi sotto la luce nera delle pupille. Non riesce che a ricordare dei *pezzetti* di Apperbohr, senza più coglierne il ricordo e la *memoria* della figura intera.

Ed è adesso che grida, e grugnisce il suo *dolore* – sa che cos'è, ormai, ma continua a non *saperlo nominare* – e *continua* a gridare, senzapace, un grugnito che si alza in volo e sfida l'aria delle colline, il vento che soffia da maestrale e le drizza i peli sulla schiena, le accarezza la scorza di cuoio della pelle con le mani fredde della *morte* che non riesce ad accettare. Dolore e morte le mangiano la carne da dentro: e lei non può nemmeno impedirglielo con l'incantesimo svelato di un nome.

Llhjoo-wrahh grida e gli uccelli intorno scappano terrorizzati; spaventati da quel grugnito che non cala, non si smorza a terra, ma invece cresce: e spiega al bosco, ai tordi che ruotano e saltellano come impazziti tra le fronde basse degli elci, ai passeri che scuotono la testa a dire *no*, a quelle parole non nominate, a quel ruggito basso e fondo che ha in sé la fosforescenza dei fuochi fatui e il presentimento della tempesta, l'odore di ozono, e l'umido, che abbattono gli alberi con il fuoco dal cielo, e la pioggia, quando l'acqua dall'alto crolla a fiumi sugli Alti sulle Zampe; e sui rvrrn.

Llhjoo-wrahh grida quello che non sa; come fanno tutti i mhrhttrh*rsh* del pianeta: quando s'incontrano loro malgrado con il dolore, e con la morte. E con l'irreale, inaccettabile verità di essere *finiti*. Che almeno non lo diméntichi, grida Llhjoo-wrahh controvento: sta già patteggiando il futuro che non possiede con chiunque – bestia o mhrhttrh*rsh* – possa esaudirla. Che almeno non dimentichi Apperbohr, grugnisce, ma il grido si riempie di nuovo dolore, perché Apperbohr, ormai, è poco più di un nome. E presto, *lei lo sa*, Llhjoo-wrahh lo sta gridando al mondo perché qualcuno, qualcosa *lo aiuti a restare*, non c'è tempo, non c'è più tempo, il nome di Apperbohr diventa parte del grido, e del grugnito e *presto, troppo presto*, nemmeno più quello.

# 52.
## 27 NOVEMBRE 2000

**Adriano Andreoli ritorna dalla battuta di caccia al cinghiale**

stordito. Sua moglie, Bruna Liscaio («dei *Liscaio* del Fosso della Ierna»: che era una precisazione *storicamente* ridondante, visto che di Liscaio, in tutta la Toscana e l'Umbria, ce n'erano al massimo nove, o dieci, alla fine del ventesimo secolo; e invece negli anni Trenta, quando *la* Bruna era bambina, ce ne saranno stati almeno una ventina, di Liscaio, tutti lì al Fosso, una visione novecentesca di olmi e di casali); *la* Bruna, come la chiamavano a Corsignano, conosceva il marito da quasi settant'anni. Era sposata con lui da cinquanta; e si erano fidanzati, in pratica, bambini. Perché lui del Ventotto, lei del Trentadue: già nel Trentasei, Trentasette, nel pieno dei giochi contadini (che consistevano, perlopiù, in un aiuto reiterato ai lavori dei grandi), in quella conca breve di colline che separava i due casali – il Polardo e la Ierna (e Poggiola Bassa sarebbe stata ancora più vicina) – che la Bruna e l'Adriano fossero «*destinati a sta' 'nsieme*, e' s'era capito subito, *noi*», avrebbe detto Antonio – il babbo di Adriano – a sua moglie Massimina, la sera del matrimonio del figlio; quand'erano tornati dalla cerimonia, e avevano apparecchiato nell'aia per tutti gli *amici* dei casali vicini: più o meno tutti parenti, in realtà; e incrociati per quell'incastro di nomi comuni e di cognomi sfasati che poi compongono l'araldica contadina dei paesi. E poi s'erano salutati, sulla porta di casa. E genitori e figli erano andati ognuno in una camera diversa dello stesso casale; e l'abitudine e la luna di miele s'erano fusi insieme in un unico luogo, in un unico tempo. Anche se diffratti, e distinti, dalle pareti di una povertà dignitosa.

«Che poi luna di miele pe' modo di dì... Che i' 'ggiorno dopo, più o meno, già s'era ai campi... ... E la Mariolina, anche, è nata quattro mesi dopo... Sicché, o la mi' figliola è un fenomeno che la dobbiamo portà pe le fiere... O insomma la luna di miele noi s'era già bell'e fatta, vìa...» Quando Adriano lo raccontava; senza malizia, ma anche senza nessuna vergogna, né sensazione di fastidio, o di mancanza di *decoro*, la Bruna, di solito, fremeva. Ancora cinquant'anni dopo, con due figlie e cinque nipoti; nel centro esatto, e d'oro, di un matrimonio durato più di dieci, o dodici matrimoni fortunati, ancora s'imbarazzava, per quel vestito che non era «proprio bianco bianco, *giù*...» Per essere stata costretta – la violenza inumana e insensata di don Agenore; e di tutta la chiesa cattolica *almeno* degli anni Quaranta e Cinquanta – a sposarsi nella Chiesina Piccola dell'Ecce Homo, a Portarossa. Chiesina miracolosa – lo sapevano tutti, a Corsignano, *al* Torracchio, alle Taverne, a Budo e a Piancaldo: lo potevi chiedere a tutti, e *tutti* te l'avrebbero confermato – la Chiesina del Ciglio (perché costruita nel Duecento con i sassi del

Nardile; sul bordo di un ciglio che strapiombava su tutta la valle, di là dalle Fonti, fino al solco millenario del fiume) cui tutti i corsignanesi erano molto più affezionati che alla Chiesa Grande: e amavano il santissimo eccehomo molto più – *ma molto di più* – del crocifisso dell'altaremaggiore. Ma che era destinata ai matrimoni riparatori. La Bruna e l'Adriano, quell'anno: e poi, un paio di mesi dopo, Osvaldo e la Cinzia. Ché poi la bambina, quando Dio e' ci si mette e sa 'ffà di suo, era nata morta; e l'Agnese, *invece*, era nata parecchio dopo.

Legati Osvaldo e Adriano già tra loro da un'amicizia inestricabile – «come i rovi quando si sfràscano», diceva l'Adriano; «che pare che si richiùdano p'aiutasse tra 'lloro» – Osvaldo e Adriano, negli anni Cinquanta della loro giovinezza prodigiosa, erano stati poi comproprietari di una moto Guzzi 1100 che li aveva condotti – i turni doppi per accompagnare le mogli, avanti e indietro; poi *tripli*, e *quadrupli*, al ritmo dell'adolescenza delle figlie (di Adriano) – alle feste da ballo, ai fidanzamenti, alle feste della mietitura, alle sbornie più allegre e indimenticabili della loro vita; fino alla fine degli anni Sessanta, quando la moto *morì di morte naturale*, e venne sostituita da una fiat 126 (Osvaldo) e da un vespone piaggio 125 (Adriano): ché il patentino, sì: ma la patente *mai*. E che nessuno gli chiedesse perché; ché anche lui, bene, *e' non* se lo sarebbe saputo spiegare. Fino agli anni Ottanta dell'apecar — su cui Adriano aveva aiutato a prendere la patente, invece, almeno *tre nipoti*; scorrazzandoli e facendosi scorrazzare, pericolosamente, per tutte le provinciali che circondavano Corsignano e i paesi *gemelli*: fino dentro i fossi: ché una volta quasi si ribaltavano, Adriano e il *nepote maggiore*, e ancora se lo ricordavano, in paese, quelli che passavano in que' momento pe' la 309 BIS, e ancora giuravano, quasi vent'anni

dopo, che l'ape andava di sguincio su una *rota sola* praticamente, che l'unica davanti quasi *'un faceva presa*. E gli
anni Novanta delle passeggiate, alla fine: che la vista s'era
talmente abbassata da non farlo stare tranquillo (né lui, né
la Bruna) quando si metteva in viaggio per l'orto, o per andare a comprare il mangime al Torracchio. O dal pòro Davide Sereni: ché, *anch'a* 'llui, e che gli avrà detto la testa,
*poròmo*. O quando, semplicemente, se ne andava in cima
al Monte Arlecchino a respirare, o a cercare funghi all'*Entrata*. Alle volte lui e Osvaldo; e spesso Raniero: che ciavéva la stessa età d'Osvaldo, cinque sei anni in più d'Adriano, la stessa età del su' fratello Alvaro.

E l'amicizia tra Osvaldo e Adriano – e quella, speculare
e parallela: i miracoli contadini degl'*incroci*, appunto, tra
la Bruna e la Cinzia – non aveva mai cambiato di segno.
Neppure quando la Cinzia se n'era andata a Torrita con
Bastiano; lasciando Osvaldo solo *prima*, e anche *poi*, quando, dopo Bastiano, era morta *pure* la Cinzia: e Osvaldo
sempre premuroso, e disperato, pe' il male *ch'era stata*, la
su' *vecchia* moglie, «*male* da soffrinne io pe' non pote*nne*
prende un pezzo *io*, d' 'i 'ddolore che ciavéva». Nemmeno
ora, che Osvaldo era in fin di vita, allettato — che poi
Osvaldo e Adriano avevano lo stesso cognome, anche se
non erano proprio imparentati imparentati (le meraviglie
accidentali delle genealogie provinciali): Andreoli tutt'e
due; e Osvaldo era il nonno di Walter, che già solo questo
era un premio a una vita, pensava Adriano; nonostante
quel coglione del su' babbo, «ché l'Agnese è sempre stata
sprecata, per lui». Quando lo diceva, la Bruna s'incupiva;
e lo rimproverava. Ché le scelte d'amore non si giudicano.
«E sennò io che dovrei dire co' tte?», gli chiedeva. Ma ride-
vano. Si capiva che scherzava. «Ché», diceva, «patisce
l'amore degli altri chi ha poco del suo». «E questo chi lo di-

ceva?» «I' 'mmi babbo, poròmo...» «Ma tu guarda te cristo che ciavévo i 'ssocero poeta e 'unnél sapevo...»

Così, schermaglie o no, esagerazioni di Adriano o no: suo marito aveva pochi segreti, per la Bruna. E ora ch'è tornato dalla battuta di caccia, stordito, lei sa che deve aspettare un po' che gli dica lui; prima di interrogarlo lei se lui non parla.

Ma stavolta non ci sono lungaggini, o reticenze. «Hai cacciato?», gli chiede lei.

E lui, zitto. Poi. «E cacciare ho cacciato, ma non ho sparato a nulla».

«E' son finiti i cinghiali?»

«... Sta' zitta... L'ho trovati, i cinghiali... Al Colle dell'Alfiere... ... E' quando so' arrivato, e ce n'erano tre. Due so' scappati. Una era una femmina, grossa: ciavéva i peli... sul muso... gialli...»

«Avrà fatto la tinta...»

«O' madonnadiddio ora che non ti racconto più niente...»

«No, e racconta... *ti fermo?*»

«... ... E insomma questi scappano, la Lilla li rincorre ma fa un *casìno*, sbaglia strada torna indietro...»

«È vecchia...»

Adriano fa una smorfia di dispetto. Si ferma, respirando forte. «... E *insomma* stracòllo i' 'ssovrapposto, punto... ... Saremo stati a un'ottantina di metri, in linea d'aria, da poggetto a poggetto...»

«Ebbe'? Hai *spadellato?*... ...»

«...»

«Ch'hai fatto?»

«...»

«...»

«E' nun ho sparato... ... La cinghiala gridava, grugniva...»

«Era una cinghiala...»

«Eh, ho capito... Ma insomma mi grugniva addosso... ... Capito? ... Nu lo so... ... Era un grugnito strano, non te lo so ddì... ... Non me la so' sentito di sparàlle...»

«Che vole dì un grugnito strano...»

Adriano allarga le braccia, come se non riuscisse a trovare le parole. Come se le parole per spiegare a sua moglie Bruna, dopo cinquant'anni di matrimonio, dopo due figlie; dopo le fughe in Guzzi e i funerali degli amici, le corse al Nardile di quand'erano ragazzi, e la notte in cui il vecchio Antonio morì— Come se le parole per spiegarle quello che aveva davvero provato sentendo quel *grido*, in realtà, *non esistessero.*

«E la *cignàla* sgrufolava, faceva *aghéin, aghéin*... ... E' sembravano versi d'amore».

# CINGHIALERIE

# 18.
## 26 LUGLIO 1999

«Grmm rhabrr dmggrnn mcrhrssr ...»[1]

«Vworr?...», gli chiede Chraww-nisst, alzandogli il muso contro il grugno.

«Mdommr vworr? ... Grmm. Rhabrr dmggrnn mcrhrssr».

Chraww-nisst sniffa un punto preciso nell'erba. «Rvrrn grmm mfrsshs bmrwr bmrwr... Grmm kwsvr grmmsslr Neekw-jjam... grmmsslr crmcchrrw Neekw-jjam...»

«Ahr grmm grmmsslr *ckhee* srhhr?»

Da una siepe cespugliosa di ginepro spunta la zazzera irsuta di Neekw-jjam.

---

1. Questa che proponiamo di seguito è la resa esatta dei dialoghi tra cinghiali in lingua cinghialese (*cfr* cap. 18 alle pp. 184-91 del romanzo). Per qualsiasi dubbio linguistico o problema di interpretazione, rimandiamo al *Prontuario* alle pp. 441-50.

«Mcrhrssr grmmsslr?»

«Rhr Vworr *chkee* ravrrnr?», gli fa Apperbohr, sgrunfiando.

«Grmmsslr Neekw-jjam», fa Chraww-nisst ad Apperbohr. «Mfrsshs bmrwr  bmrwr...», e lo ribadisce bofonchiando contro i fiori bianchi del coriandolo. «Mfrsshs *mmgr?*», fa Chraww-nisst a Neekw-jjam.

«Vworr?», Neekw-jjam si avvicina a Chraww-nisst e ad Apperbohr.

«Vworr mcrhrssr?», chiede Chraww-nisst a Neekw-jjam.

«Vworr mfrsshs?», fa Neekw-jjam.

«Whaaer?» Chraww-nisst gira il muso dalla parte di Apperbohr. «Vworr mfrsshs?», gli fa.

«Prprwwh *ckhee*», fa Apperbohr, eccitato dagli odori intorno e però *costretto* a cercarsi una sponda che in qualche modo lo aiuti a *capire*.

«Prprwwh *ckhee*», ripete Apperbohr.

«Vwaahr-rawh?», chiede Chraww-nisst. Poi sniffa di nuovo il coriandolo. «Grmm kwsvr mfrsshs Neekw-jjam, bmrwr», dice. Fissando Neekw-jjam.

«Mgyeowrr?», chiede sorpreso Neekw-jjam a Chrawwnisst.

«Prprwwh *ckhee... Grmm-rawh...* Hagrr rwwh *grmmrawh...*»

«Mcrhrssr? Qwarr rwwh?», domanda Neekw-jjam a Chraww-nisst.

«Mcrhrssr grmmsslr rwwh...», semplicemente *dice* Chraww-nisst.

«Rqwlh mcrhrssr hagrr *ckhee shh* rvrrn wuiarrh *ckhee* srhhr rhr srhhr *ckhee* rvrrn...», Apperbohr sente distintamente i battiti frenetici e aritmici che gli schiaffeggiano il petto da dentro; e capisce che si tratta del cuore. Del cuore:

e del sangue che gli scorre lungo tutto il corpo massiccio e peloso che si ritrova — *addosso*. La parola potrebbe essere *addosso*.

«Rhabrr dmggrnn mcrhrssr, gmgrr *ckhee*... Rhabrr dmggrnn ahr grmmsslr hddmst...»

«Qwarr mcrhrssr?», gli fa Neekw-jjam.

«Mgyeowrr mhrhttrh*wgr*frwsh gmgrr "*Wgr*mhgngrhh, *rvrrnrvrrn*"... Gmgrr...», spiega Apperbohr.

Neekw-jjam incrocia lo sguardo di Chraww-nisst. «Mcrhrssr grmmsslr *wgr*frwsh?», gli chiede.

«Frwsh. mhrhttrhfrwsh, gmgrr», gli risponde Chraww-nisst.

«Qwarr frwsh*hhh*?», chiede Feenz-sstnér arrivando a piccoli passi dallo stradello verso la Diga, più a valle. Si piazza dietro Apperbohr, lo saluta. «Qwarr frwsh*hhh*?», ripete. Feenz-sstnér è una cinghialessa di cinque anni che conosce Apperbohr da quando erano i figli di due cucciolate dello stesso tratto di bosco. Lei di primavera e lui d'autunno. Chraww-nisst e Neekw-jjam sono di poco più giovani; vengono tutt'e due dalla fascia meridionale del Boscogrande, vicino a Budo, ma ormai si sono trasferiti qui, sotto Corsignano, da parecchi mesi. Da parecchi di *quelli* che Apperbohr sta imparando a chiamare mesi secondo le *cadenze* – crede che più o meno questa sia la parola – degli Alti sulle Zampe.

«Grmmsslr mmgr mfrsshs bmrwr *-chrmgchr*? Ghreowmm grmm vhreethmth crmcchrrw Neekw-jjam...», le fa Chraww-nisst appena lei gli accenna uno sbruffo roco di saluto. Neekw-jjam abbassa il grugno sull'intrico di coriandolo. «Vworr mfrsshs?»

«Prprwwh *ckhee*, srhhr grmm —*wnnmenhttho*...», implora sempre più frenetico e rugghiante Apperbohr, smusando a ventaglio tutti e tre. Feenz-sstnér annusa anche lei il coriandolo e poi indica Neekw-jjam a Chraww-nisst.

«Grmm vhreethmth mfrsshs -Neekw-jjam...»

«Mgyeowrr?», le fa Neekw-jjam. Poi fissa il coriandolo, alza il muso su Chraww-nisst.

«Rhabrr rhabrr whoomf *mgmgmgh wgr*mhgngrhh...», infigge gli occhi negli occhi di Feenz-sstnér.

Lei annuisce. «Ahr dmggrnn, crmcchrrw*rawh*. Grmmsslr Neekw-jjam...»

«Hagrr mcrhrssr?», le chiede incuriosito Chraww-nisst.

«Mfrsshs - chrmgchr, grmm vhreethmth ...», gli risponde Neekw-jjam.

«Mgyeowrr?», domanda Chraww-nisst a Neekw-jjam.

«Mgyeowrr mcrhrssr?», chiede Feenz-sstnér, apprensiva, a Chraww-nisst. Poi gira lo stesso interrogativo sospeso ad Apperbohr, annusa il coriandolo.

«*Wgrgwghh ckhee srhhr —wnnmenhttho*... Mhrhttrhw*gr*frwsh - - - - *gwr*frhhtfowkhsseaw gmgrr *"Wgr*mhgngrhh, *rvrrnrvrrn"*... Rhr grmm grmmsslr wktrhll *wgr*hddmst - - wrowmshh mcrhrssr*rrr*... ... Grmm *wgr*mhgngrhh mcrhrssr*rrr*, *wgr*mhgngrhh *ckhee?*... Mcrhrssr*rrr* ... Ahr 'nhkrawh grmmsslr *wgr*hddmstfowkhsseaw — 'nhkrawh grmmsslr *wgr*'nhkrawhfowkhsseaw fowkhsseaw ... grmmsslr *wgr*shh wrowreem -wrowreem wrowmshh *shh* grmmsslr hagrr mcrhrssr*rrr*...»

«Qwarr mcrhrssr*rrr*?», fa Feenz-sstnér, preoccupata dai grugniti ansiosi di Apperbohr.

«Mcrhrssr grmmsslr *gwr*frhhtfowkhsseaw?», chiede Neekw-jjam a Chraww-nisst.

«Ermmsslr mmgr mfrsshs -chrmgchr?», gli chiede Chraww-nisst di rimando. Di scatto, Feenz-sstnér si rivolge ad Apperbohr come se dovesse chiedergli *la* domanda *ruggente* della sua vita.

«Mcrhrssr grmmsslr *Wgrgwghh?*»

«Vworr mfrsshs -chrmgchr?», domanda Neekw-jjam ad Apperbohr. Un fruscìo tra i cespugli dietro di lui, l'irruzione ballonzolante di Mm-eerrockwr, a piccoli passi rigidi e a zampe divaricate.

«... -Mmgr mfrsshs -chrmgchr?», chiede Mm-eerrockwr ad Apperbohr. La striatura acquosa e vagamente indaco dei baffi scintilla al rosso del tramonto, di là dall'Arlecchino.

«Mgyeowrr?», fa Chraww-nisst all'ultimo arrivato.

«Mgyeowrr mcrhrssr?», chiede Feenz-sstnér a Chraww-nisst.

Apperbohr si allontana di quattro, cinque, sette metri arrancando all'indietro. Si gira verso i tronchi di quercia – *cerqua,* dicono *gli Alti sulle Zampe di Corsignano*: e non saprebbe spiegarsi quale voce gli ha indotto (*indotto* dovrebbe essere la parola) la spiegazione paesano-botanica che gli è frullata in testa: *ora* che sta accettando di capire *cos'è* una «testa» – poi ritorna nel gruppo.

«*Hmmgrrr ...*», gli fa Chraww-nisst.

«*Hgrhmm?*», lo salutano a sprazzi Mm-eerrockwr e Feenz-sstnér. Neekw-jjam sta sniffando a piene narici la barba di coriandolo.

«... -Mmgr kwsvr vworr mfrsshs -chrmgchr?», gli chiede.

«Grmm *wgrmhgngrhh* mcrhrssrrrr, *Mm-eerrockwr...*»

(Si rivolge a Mm-eerrockwr chiamandolo per nome; il che è quasi una novità, nei dialoghi tra di loro. Perché quando un *rvrrn* – ché così si chiamano tra loro per *indicarsi* quelli che gli Alti sulle Zampe *di Corsignano* chiamano *cinghiali* o *cignàli* – incontra un altro *rvrrn* il nome: quel minimo *principio* che ha *definito* e *stabilito* ognuno di loro in un impulso battesimale, in uno sfolgorìo sfragistico e istintivo fatto di impressione biologica e di decisione materna, è sempre sottinteso e lontano; un ricordo ancestrale condiviso che rassomiglia a un gesto ereditato della specie, più che raggrumarsi in una specificazione identitaria. I *Rvrrn* sono *i rvrrn* e ognuno di loro è un *rvrrn*. I nomi si conoscono ma a che servono, i nomi? Se sono accidenti precipitati, da sùbito, in una memoria concava e profonda come il passato; o potenzialmente guasta e disperante come il futuro. Ma a che servono il passato o il futuro, ai *rvrrn*? Se, semplicemente non ne hanno cognizione; e già il presente gli si sfalda addosso in una catena di momenti in cui causa ed effetto hanno il loro bel daffare, per restare vivi. Simile, se non tale appunto è la saetta digressiva che colpisce il collo inturgidito di Apperbohr, quando si espone con Mm-eerrockwr.)

«Grmm *wgr*mhgngrhh mcrhrssrrrr, *Mm-eerrockwr...*» Mm-eerrockwr, di poco più grande di Apperbohr e di Feenz-sstnér, per la stazza e per una sorta di basilare, chimico carisma *rvrrnesco* avrebbe potuto – anzi: avrebbe *dovuto* – essere il capobranco riconosciuto e riconoscibile dei circa quarantotto, quarantanove cinghiali che costituivano – e *costituiscono*, in questi giorni di sole dell'estate del millenovecentonovantanove (se solo i *rvrrn*, di là dalle incandescenze *appercettive* di Apperbohr) – il branco sparso di cinghiali nei trenta chilometri di diametro che dalle tavole di Capannucce arrivavano fino a poco prima dei campi di mais a ridosso dell'A1, all'altezza di Budo. Avrebbe dovuto: se solo Mm-eerrockwr non fosse stato, per natura, il più *etimologicamente* «solitario» tra i porci solitari che abitavano Boscogrande e le spinaie dopo l'Entrata. Se soltanto non avesse preferito le fiutate di rosmarino selvatico e il caldo spugnoso del fango caldo sottomonte (solo i grilli e le cicale a ronzargli sonnolenza tra palpebra e palpebra) ai doveri privilegiati (ché i privilegi doverosi non sono comunque appannaggio *consapevole* dei *rvrrn*) di – più o meno – guida anche momentanea, e marginale, di un gruppo di cinghiali.

«Qwarr mcrhrssr*rrr*?», gli chiede Mm-eerrockwr.

«Hagrr kwsvr whaaer -mmgr grmmsslr 'nhkrawh-fowkhsseaw, *agrvww*?», chiede Feenz-sstnér a Mm-eer-rockwr.

«-Rwrmb wmrhh», le risponde Mm-eerrockwr.

«Qwarr mcrhrssr*rrr*?», domanda Chraww-nisst a Ne-ekw-jjam.

«Grmmsslr mfrsshs -chrmgchr?», domanda Neekw-jjam ad Apperbohr.

«Wmrhh!? Rhr whaaer?», domanda piena di *apparente* sorpresa Feenz-sstnér a Mm-eerrockwr.

«Prprwwh *ckhee*», sbuffa e grugnisce Apperbohr. «Grmmsslr *grmmsslr* gmgrr *ckhee*, grmmsslr whoomf... ...»

«Mcrhrssr grmmsslr rwwh...», *dice* semplicemente, di nuovo, Chraww-nisst.

Mm-eerrockwr indica a narici dilatate una distanza lontanissima oltrecespuglio, stolzando. «Rwrmb», risponde a Feenz-sstnér.

«Rhr 'nhkrawhgrmmsslr mmgr wogrzzm?», chiede sbalordita Feenz-sstnér a Mm-eerrockwr.

«Vworr?», fa Mm-eerrockwr a Feenz-sstnér.

«Vworr *mcrhrssr*?», gli chiede lei.

Apperbohr quasi *ruggisce*, un grugnito che di solito si riserva alle battaglie per l'accoppiamento e che invece ora lui si regala qui, il cuore che gli fa tremare le vene pulsanti della *fronte* – gli verrebbe da pensarsi «la fronte», *infatti*: proprio lì dove il pelo gli si sta infoltendo, e drizzando, in previsione della stagione immediatamente prossima – *il cuore* che lo bastona da dentro e gl'impone di *rivelarsi* per quello che *crede di avere capito*.

«Ahr grawhaw! Grmm grmmsslr wktrhll *rqwlh* mcrhrs-sr... grmmsslr mcrhrssr *wgr*whoomf, *wgr*whoomf - - - -hddmst *wgrgrmm grmm*, *wgr*whoomf - - - -hddmst *rvrrn*!»

Feenz-sstnér e Mm-eerrockwr ammutoliscono. Gli occhi fissi sui fremiti convulsi di Apperbohr, le narici di Mm-eerrockwr dilatate come se dovesse proteggersi a corazza dal cozzo vicinissimo di Apperbohr. Neekw-jjam lo guarda dubbioso.

«-Mmgr kwsvr vworr mfrsshs -chrmgchr?», gli fa Chraww-nisst.

Il crepuscolo si spande sul bosco come una carta velina nera che s'accartoccia albero per albero, pietraia per pietraia; si imbève dell'acqua del Nardile e avvolge tutto un mondo vegetale con la sua frusciante, perentoria supponenza.

# PRONTUARIO CINGHIALESE
con appunti di grammatica
e fonomorfosintassi cinghialese
[prima bozza][1]
*a cura di Ludovico Sanesi e Maria Luisa Vertecchi*

Note fonomorfosintattiche: il cinghialese non ha articoli;
per i «rafforzativi» si raddoppia (es. *proprio qui*: due volte
*qui*; *davvero impaziente*: due volte *impaziente* ecc.); la specificazione è blanda (es. *l'odore di N.*: sostantivo e nome in
sequenza); per indicare una qualche incertezza comunica-
tiva *complementare* si aggiunge la richiesta suffissale *-rawh*
(es. «di chi?», «a chi?», «per chi?» ecc.: sempre *vwaahr-
rawh*; ma anche «dall'odore»: *crmcchrrw*rawh). Ricordia-
moci comunque che la lingua dei rvrrn diversi da Apperbohr (e anche quella di A. è *costretta* nei canali comunica-
tivi *usuali*) è morfosintatticamente molto elementare e de-
lega certa espressività irrinunciabile ai gesti, ai movimenti,
ai grugniti idiolettici come varianti e scarti diafasici ecc.;
per esprimere un concetto di unione (qualcosa + qualcosa;

---

1. Si riporta di seguito copia fotostatica dei primi appunti originali
dattiloscritti relativi allo studio della lingua cinghialese.

qualcuno + qualcuno; qualcuno + qualcosa ecc.) si fondono le parole in un'unica emissione di grugnito. Es. «uomo
con cappello» («fungo», senza la precisazione di A.):
*mhrhttrhfrwsh*; la disposizione dei due termini ha a che vedere con il rilievo primario che si vuole dare ecc. Per indicare le quantità uno/molti si prolunga la finale di parola
per qualche minimo tempo di grugnito (es. «quali funghi»:
*qwarr frwsh*hhh?). Per indicare un punto nello spazio i rvrrn
indicano puntando il grugno e dicono la parola (es. «qui nel
coriandolo»: *bmrwr -chrmgchr*); nella trascrizione dal cinghialese si premette un trattino breve (-) per indicare il gesto; anche per indicare un «lui» o una «lei» tra i rvrrn differenti da un generico «tu» ecc. (es. *-Neekw-jjam* quando
si dice «è stato lui»). Quando A. deve spiegare «dentro il
sasso luminoso» *muove il grugno* (- - - -) varie volte ma senza produrre *informazione* per i compagni.

Formule «di cortesia» o «di implorazione» per attirare
l'attenzione sono piuttosto rare: le si usano perlopiù in caso di proclami solenni (migrazione da incendio); quando
A. dice «vi prego» usa la formula di implorazione *Gwghh*,
«chiedo urgentemente la tua/vostra attenzione» premet-
tendo **wgr-** [«qualcosa come», *cfr ultra*].

Le formule di saluto (qui variamente rese «oi», «com'è»
ecc., assecondando gli usi linguistici degli Alti sulle Zampe
di Corsignano) sono perlopiù borbottii variati a seconda
dell'idioletto di ogni rvrrn (*hmmgrrr*, *hgrhmm*, *hmgrrr*
ecc.) e hanno funzione di riconoscimento immediato; di
accoglienza dopo lunga assenza ecc.

I concetti di «prima», «poi» ecc. nel tempo non sono
chiari; si indicano tutti con un generico grugnito di diffe-

renziazione – **agrvww** – per indicare una differenza di qualche tipo rispetto al momento comunicativo (soprattutto: i rvrrn hanno una timida percezione di un ciclo notte/giorno che li salvaguarda, ma non prevede una percezione di causa-effetto o di durata). I concetti di spazio esistono e indicano la molta vicinanza (*cfr* **bmrwr**, «qui») e la distanza vaga rispetto al «qui» («laggiù», «oltrecollina» ecc., tutti preceduti dal gesto -); il grugnito è **rwrmb** [«laggiù», «lassù» ecc.].

Separazioni di genere: rvrrn sono «maschi» (rvrrn **rvmlh**) e «femmine» (rvrrn **rvfmlh**).

I concetti di «amico» o di «compagno» in cinghialese vengono resi con il raddoppiamento di rvrrn univerbato (*cfr* formula di unione *supra* eccetera).

«Buio», «niente», «nulla», «notte»: è in realtà un concetto blando per indicare qualcosa che *manca* rispetto a qualcos'altro: in questo caso la luce: quindi il nulla è **'nhkrawh** (niente) *fowkhsseaw*. Quando A. deve spiegare che non c'è quasi niente di chiaro è costretto allo sforzo di «*'nhkrawh grmmsslr* wgr*'nhkrawhfowkhsseaw fowkhsseaw*» (letteralmente «non essere qualcosacome*non*luminoso di luminoso»).

Per dare il senso di «dovere» si raddoppia il verbo essere: per indicare una necessità cui i rvrrn non possono sottrarsi.

«Un minuto»: (così come qualsiasi altra unità di tempo ecc. degli Alti sulle Zampe) non è percepibile dai rvrrn. Quando Apperbohr lo dice («*Prprwwh* ckhee, *srhhr grmm* —wnnmenhttho...», p. 435, in traduzione a p. 186) gli altri quattro cinghiali lo considerano un grugnito senza significato.

«No»/«non»: nel caso in cui si debba esplicitare una qualche negazione il cinghialese prevede un grugnito in ispirazione di difficile resa grafica: qualcosa come 'nhkrawh con *nhk-* a indicare la presa di fiato «a ronfo» (secondo la definizione di L. Sanesi, «Proposte di trascrizione fonetica nella resa del grugnito di negazione dei cosiddetti rvrrn», in *Alia Lingua*, s.d., pp. 131-71).

L'atto del «pensare» non è un concetto del cinghialese: l'approssimazione che Apperbohr usa quando deve esplicitare «ripènsaci amico» è legata al concetto di «osservare-guardare bene», che i rvrrn riservano ai momenti in cui guardano-per-trovare-cibo; ma premette l'approssimazione prefissale **wgr-** al verbo corrispondente (che è) **mhgn-grhh**.

Per quanto riguarda il *tipo* «perché»: non esiste in cinghialese il concetto di «causa-effetto» se non attraverso una descrizione indicativo-referenziale (nel corso della traduzione dal cinghialese è stato aggiunto *quando sembrava giusto* per rendere più chiaro l'eloquio rvrrnesco).

In cinghialese, il concetto di «potere» non esiste; è sempre sostituito dal «fare». (Perché o fanno, o non fanno, i rvrrn; anche *morendo* nel tentativo: da qui lo sconcerto di A. di fronte alla teorizzazione anche linguistica dei dubbi...)

Per indicare «qualcuno»/«qualcuna»: per l'indefinitezza tipica dei rvrrn, si usa il generico **rvrrn**, appunto; se non si conosce quale delle *altre specie*: **awwwrh**.

«Ribelle» («guerrigliero», «rivoluzionario»): è un *modo* linguistico che ha trovato A. per riconoscersi nell'altro; quindi ribelle ha per lui il valore di «essere nell'altro da sé», **wrg*ckhee***, «quasi-te». (Espressione che usa anche nell'amore.)

Per i rvrrn il «tramonto» è indicato linguisticamente come il momento in cui la luce si colora di **bohrh**, di «rosso» (*cfr Apperbohr*).

Il concetto di «basta», «finire», «fermarsi» è reso con l'unico grugnito **grawhaw**.

«Fine»: non si può tradurre esattamente con «morte» perché i rvrrn non hanno chiaro il significato stesso della parola -*mhrhttrh* («degli Alti sulle Zampe»), «morte». Concetto difficile, ha a che fare con l'assenza di cui il gruppo, i cinghiali, non sa bene darsi – almeno negli attimi iniziali di abbandono – una spiegazione. È simile a «buio», «mancanza di luce» ecc. Di solito è **'nhkrawh** associato al nome del cinghiale «morto».

\* \* \*

**Agrvww**: formula di *differenziazione* tra «prima»/«poi» ecc. [*cfr supra*].

**Ahr**: «ma»/«però» (e qualsiasi altro fenomeno *avversativo* nell'eloquio: anche «insomma», «allora» ecc.).

**Apperh**: «cinta» (del cinghiale ecc.) [da qui *Apperbohr*].

**Arrw-arrw**: «andare», nel senso di «correre»; nel senso di «camminare piano»: **aruarw** [*cfr*].

**Aruarw**: «andare», nel senso di «camminare piano»; nel senso di «correre»: **arrw-arrw** [*cfr*].

**Awgr:** «cane» (da caccia).
**Awwwrh:** qualsiasi specie animale sconosciuta ai rvrrn [ma *cfr supra*].

**Bohrh:** «rosso» [*cfr* Apperbohr].
**Bmrwr:** «qui».
**Broarr:** «nervoso».

**Chrmgchr:** «coriandolo» («erba cimiciaia» ecc.).
**Ckhee:** «tu»/«voi»/«altro da me» [se parla Apperbohr; *cfr* mmgr].
**Crawrrhh:** «caccia».
**Crmcchrrw:** «odore»/«odorare».

**Dmggrnn:** «capire» (coniugato sempre all'infinito, come tutti i verbi cinghialesi), nel senso blando di «comprendere» immediatamente; poi Apperbohr passerà a «qualcosa come guardare bene» ecc.

**Fowkhsseaw:** «luce»/«luminoso»/«lampante», ma anche le gradazioni della *chiarezza* ecc. Quando si tratta di aggettivi, ci si comporta come nei fenomeni di unione *qc+qn* ecc.; ad esempio «sasso (**frhht**) luminoso» (che è la formula trovata da A. per indicare il «televisore» dove *vede L'uomo che uccise Liberty Valance*): *frhhtfwkhsseaw*; anche se naturalmente A. premette *gwr*: gwr*frhhtfowkhsseaw* («qualcosa come un "sasso luminoso"»).
**Frhht:** «sasso».
**Frwrffm:** «fuoco»/«fuochi».
**Frwsh:** «fungo» [che viene detto «cappello»: perché la forma di traduzione di Apperbohr è incerta, per farsi capire; Apperbohr usa la formula *impressiva* «qualcosa/qualcuno come» premessa: *wgr-*; *cfr supra*].

**Ghreowmm:** «invece» (ma in generale per indicare idea di «contrarietà» ecc.).

**Gmgrr:** «dire»/«grugnire»/«comunicare»/«grufolare» ecc.

**Graar-ar:** «cervo».

**Grawhaw:** «basta»/«finire»/«fermarsi».

**Grmm:** «io»/«me», ma anche tutto quello che si riferisce «a me», «per me» ecc. (Forma solo intuitiva e blanda di identità per proteggere il *proprio* corpo.)

**Grmmsslr:** «essere». È un verbo *eterno* che comprende anche i campi semantici di «passare», «trascorrere» ecc.; non c'è durata nella percezione dei rvrrn che non siano A. (o, in maniera *impressiva*, L. e gli altri quattro del gruppo).

**Gwghh:** «chiedo urgentemente la tua/vostra attenzione» [formula di implorazione; *cfr supra*].


**Hagrr:** «fare» (nel senso di agire, fare ecc. produrre qualcosa sia *teoricamente* sia *praticamente*).

**Hddmst:** «tutto»/«il tutto»/«l'universo» (ma anche «il bosco» ecc.).

**Heggrwilhl:** «dolore» (di quando un rvrrn viene colpito, ferito, sanguina ecc.; è lo stato di non-normalità per i rvrrn).


**Kwsvr:** «sapere» (coniugato sempre all'infinito, come tutti i verbi cinghialesi).


**Mcrhrssr:** «cosa»/«cose».

**Mdommr:** «come».

**Mfrsshs:** «piscia»/«orina»/«pisciare»/«orinare» (sempre all'infinito, come tutti i verbi cinghialesi).

**Mgh:** «guardare», come atto naturale, indicazione di qualcosa da vedere senza troppa cura ecc. [*cfr* **mhgngrhh**].

**Mgmgmgh:** «aiuto»/«aiutare»/«richiesta d'aiuto»: un grugnito basso che può essere sentito tra i rvrrn a grande distanza.

**Mgyeowrr:** «quando» (indica una generica incertezza temporale).

**Mhgngrhh:** «guardare»/«vedere bene» per cercare cibo, per evitare un pericolo ecc. Ha a che fare con una forma biologicamente primaria di esperienza di specie [*cfr* **mgh**].

**Mhrhttrh:** «uomo»/«Alto sulle Zampe»; «gli uomini», identificati genericamente come una specie pericolosa tra le altre (se più di uno: si aggiunge una specie di ringhio-sospiro *suffissale* pluralizzante –*rsh*).

**Mmgr:** «tu»/«voi»/«altro da me» (se parla un cinghiale che non sia Apperbohr). È un *verso* mugolante indefinito [*cfr* **ckhee**].

**Mù-fim:** «impaziente».

**Nhkrawh:** «buio»/«niente»/«nulla»/«notte» [*cfr supra*].

**Prprwwh:** «per favore»/«per piacere» ecc. (La forma più *alta* che usa Apperbohr è fusa con *ckhee*: un rafforzativo rivolto all'«altro da sé».)

**Qwarr:** «quale»/«quali».

**Qwrohr:** «civetta»/«civette» (ma in realtà anche i gufi ecc. e tutti gli animali/uccelli notturni ecc.).

**Rhabrr:** «avere», coniugato sempre all'infinito, come tutti i verbi cinghialesi (solo Apperbohr fa un timido uso degli *ausiliari*).

**Ravrrnr:** «chiamare» (coniugato sempre all'infinito, come tutti i verbi cinghialesi).

**–Rawh:** «richiesta suffissale» [*cfr supra*].

**Rhr:** «e» (ma è più una pausa ritmica e/o di fusione sintattica vaga).

**Rqwlh:** «quello»/«quella»/«questo»/«questa»: indica genericamente un'approssimazione dimostrativa ecc. (più un intercalare rafforzativo, in realtà).

**Rvfmlh:** «cinghiale/cinghiali femmina/e» [Rvrnn R.: *cfr ultra*].

**Rvmlh:** «cinghiale/cinghiali maschio/i» [Rvrnn R.: *cfr ultra*].

**Rvrnn:** «cinghiale»/«cinghiali».

**Rwrmb:** «laggiù»/«lassù» ecc. [*grugnito* sintattico: ma *cfr supra*].

**Rwwh:** «favore»/«piacere» ecc. (come sostantivo relativo a qualcosa che si chiede come aiuto o per attirare l'attenzione).

**Shh-:** «se» (in generale indica una possibilità – un fruscìo nei grugniti che precede la possibilità espressa ecc.).

**Srhhr:** «ascoltare»/«sentire».

**Vhreethmth:** «sembrare»/«parere» (una vaga approssimazione di «credere», «ritenere» che però ha a che fare esclusivamente con l'istinto).

**Vwaahr:** «che».

**Vworr:** «chi».

**Wgr-:** «qualcosa come» [*cfr supra*].

**Whaaer:** «dove».

**Whoomf:** «fame». Ma si usa lo stesso termine anche per *tradurre* «bisogno»/«necessità» ecc.

**Wk-poow:** «fucile»/«fucili».

**Wktrhll:** «arrivare»/«venire»/«capitare»: per indicare qualcosa che non ci si aspetta ecc.

**Wmrbllzh:** «neve».

**Wmrhh:** «fosso» (dove i rvrrn si rifugiano durante il caldo ecc.: da qui la particolarità notturna di M.).

**Wogrzzm:** «pericolo»/«Essere in pericolo» ecc. (nel dialogo abbiamo usato «dare fastidio» per rendere l'unico concetto).

**Wrampp:** «pene» («organo riproduttivo maschile»).

**Wreemshh:** «fiume»/«ruscello»/«acqua che scorre dal basso»[*cfr* **wrowmshh**, «cascata» (ma anche *pioggia*, «acqua che viene dall'alto»)].

**W*r*gckhee:** «quasi-te» (ma anche «ribelle», «guerrigliero» ecc.; e anche «riconoscimento d'amore» ecc. [*cfr supra*].

**Wrowmshh:** «cascata», ma anche «pioggia», «acqua che viene dall'alto» [*cfr* **wreemshh** «fiume»/«ruscello»/ «acqua che scorre dal basso»].

**Wrowreem:** «acqua» (iperonimo tanto per «acqua che viene dall'alto» quanto per «acqua che scorre *dal basso*»).

**Wuiarrh:** «chiedere»/«domandare» (coniugato sempre all'infinito, come tutti i verbi cinghialesi).

Questo raccontato nel romanzo è un universo dove Corsignano esiste, i raggi di luce dal Sole impiegano esattamente 8' e 33" per arrivare sulla Terra; e Fabrizio De André, Vincenzo Cerami e Claudio Caligari sono vivi. Non solo nelle loro opere.

Poi. Alla fine di un romanzo ci sono sempre molte persone da ringraziare (*e che cos'è, sennò?*).

Per primi Varo e Nanda, naturalmente. Il diametro ruotante che va da Montepulciano a Piegaro, la MeraViola al centro *per tutti*. Le donne che ho amato, negli anni (e, in questo caso, un ringraziamento speciale a Sara; che di Apperbohr ha visto la nascita ossessionata). La minimum fax (tutte le persone che l'hanno frequentata e abitata: perché Mompracem è abitata dalle singole persone), dal 1994 a oggi: che mi ha accompagnato pagina per pagina (non solo di questo romanzo). La Banda Caligari tutta (con Adelina alla guida, naturalmente); che mi ha anche insegnato nuove declinazioni dell'affetto. Tutte le Sorelle e i Fratelli che hanno circondato il romanzo (e non solo) in questi ultimi anni (e non solo). I Miei Maestri di ogni genere.

Carola Susani, Giorgio Vasta. Cataldo Carrante, Fabio Giglioni, Manfredi Iavarone, Massimiliano Malavasi, Alberto Tulli. Betta, Carmen, Francesca, Alice, Bianca, Chiara, Noemi, Cristiano, Demetrio, Emanuel, Mattia. Luciana, Silvia e Salvatore. Alla lettura di alcune pagine di *Jazzrusalem* fatta da Marco nell'estate del 2000 devo la progressiva edificazione di Corsignano (e non solo).

A Francesca Serafini e a Filippo Falconeri devo l'amore quotidiano (le parole ci sono, usiàmole: *e che cos'è, sennò?*) nei confronti di questo romanzo e di chi l'ha scritto. Senza di loro, il romanzo (e chi l'ha scritto) non sarebbero *così*.

# INDICE

# TITOLI DI CODA

*Il Cinghiale che uccise Liberty Valance*
di Giordano Meacci

|                      |                      |
|---------------------:|----------------------|
| editing              | Nicola Lagioia       |
| impaginazione        | Enrica Speziale      |
| correzione delle bozze | Assunta Martinese  |
|                      | Valeria Veneruso     |
| progetto grafico     | Riccardo Falcinelli  |
| stampa               | Print on Web Srl     |
| promozione           | Libromania           |
| distribuzione        | Messaggerie Libri    |

*al momento in cui questo libro va in stampa
lavorano in casa editrice:*

|                      |                      |
|---------------------:|----------------------|
| editore              | Daniele di Gennaro   |
| direttore editoriale | Giorgio Gianotto     |
| editor narrativa italiana | Nicola Lagioia  |
| editor saggistica    | Christian Raimo      |
| editor               | Alessandro Gazoia    |
| direttore commerciale | Maura Romeo         |
| responsabile ufficio stampa e comunicazione | Alessandro Grazioli |
| ufficio stampa       | Rossella Innocentini |
| responsabile redazione | Enrica Speziale    |
| redazione            | Valeria Veneruso     |
|                      | Assunta Martinese    |
| ufficio diritti      | Tiziana Bello        |
| redazione web        | Valentina Aversano   |
| amministrazione      | Lotto 49             |
| responsabile magazzino | Costantino Baffetti |

«-Mmgr kwsvr vworr mfrsshs -chrmgchr?»
(*«Sai chi ha pisciato nel coriandolo?»*)

**www.minimumfax.com**

# NICHEL

# Sotterranei

# Minimum classics (ultime uscite)

Per il testo: carta Holmen Book delle cartiere Holmen.
Per la copertina: carta Kalibra Satin delle cartiere Burgo.

finito di stampare presso Print on Web – Isola del Liri (Frosinone)
per conto delle edizioni minimum fax

ristampa                                                          anno

10  9  8  7  6  5  4  3  2                    2016  2017  2018  2019